843

Heath's Modern Language Series

COLOMBA

PAR

PROSPER MÉRIMÉE

WITH INTRODUCTION NOTES AND VOCABULARY

BY

J. A. FONTAINE PH.D.

FORMERLY PROFESSOR OF ROMANCE LANGUAGES IN BRYN MAWR COLLEGE

NEW EDITION

LONDON

D. C. HEATH & COMPANY

39-41 PARKER STREET KINGSWAY W.C.

AND AT SYDNEY

Reprinted September 1932

Printed in Great Britain by The Riverside Press Limited
Edinburgh

INTRODUCTION

PROSPER MÉRIMÉE ranks with the best French prose writers of the nineteenth century. Born in Paris, on the 28th of September, 1803, he inherited from his father a manifold talent and a mind most eager for learning; for, besides being one of the very first stylists of his time, he obtained an enviable reputation as an archæologist, historian, and literary critic. Having received a careful education and devoted some time to the study of law, he entered public life, in which he subsequently had a brilliant career, occupying exalted positions under the reign of Louis Philippe and being made a senator by the Empire (1853). While traveling in Spain, he became acquainted with Madame de Montijo, the mother of the future empress Eugénie, and owing to that fortunate circumstance was afterwards received at the imperial court with all the marks of intimate friendship.

But bright as was Mérimée's career in the councils of the King or at the court of the Emperor, brighter still was his career in the republic of letters. To give a list of his literary productions here is deemed unnecessary. Suffice it to say that he made his début by publishing, under a pseudonym, two works, *Théâtre de Clara Gazul, Comédienne Espagnole* (1825), and *La Guzla* (1827), in which he gives unmistakable signs of his literary temper. In 1840, Mérimée was at his best, and gave us what is reputed to be his masterpiece, — *Colomba*. In this work he showed himself a fervent advocate of the romantic school, and a firm believer in what he called *la couleur locale*. Corsica, the classic land of bloody *vendettas*, with its rough-hewn inhabitants, implacable in their enmity, fast in their friendship, and never swerving from principles once admitted by them to be principles of honor, afforded Mérimée a good occasion to apply his process of *couleur locale*, and present us with a picture realistic and thrilling to the utmost degree. The composition of *Colomba* is planned with great skill. The different characters are well outlined and placed in very striking contrast to one another. They are portrayed just as they have been observed, both their natural crudity and primitive delicacy being left untouched. Their speech is their very selves, their education, their feelings; just what they think and just what they are. One may be tempted to see in Colomba herself too great a development of rather masculine and rough elements; but it should be remembered that Colomba was Corsican through and through, had a father to avenge, an irresolute brother to convince, and moreover that she was the "pretty girl with the evil eye." The style of *Colomba* is firm and concentrated without lacking in flexibility, and moves forward with an uninterrupted firmness and exquisite elegance. It may not be out of place to quote here what Sainte-Beuve says of Mérimée in *Causeries du Lundi*, t. vii, "Il va au fait, il met tout en action; la parole serre de près chaque situation, chaque caractère; son récit est net, svelte, alerte, coupé au vif. Les dialogues même de ses personnages n'ont pas une parole inutile, et dans l'action il marque l'endroit où chacun d'eux doit passer." These words, without any restriction whatever, may be applied to *Colomba*. It is well agreed that Mérimée is a follower of Stendhal, but the amount of his indebtedness to him so far as formation of style, cast of characters, and general resources of ideas are concerned, is a matter subject to discussion. Mérimée was rewarded both in his literary and scientific activity; for he was elected a member of the French Academy in 1844, and soon afterwards he entered the Académie des inscriptions et belles-lettres. He died at Cannes, on the 23d of September, 1870. Subsequent to Mérimée's death were published his *Lettres à une Inconnue* (1873). In these letters, which disclose a long acquaintance, partaking at one time of the nature of love, at another of that of simple friendship, Mérimée is shown under many diverse lights, and we get a better idea of his natural character. In spite of his professed atheism and ironical scepticism, noble feelings were implanted in his heart; and devotion, sympathy, and friendship were not virtues entirely foreign to his nature. Another collection of letters entitled *Lettres à une autre Inconnue* was printed by the literary critic M. Blaze de Bury. They are of much inferior extent and interest.

J. A. F.

COLOMBA

I

Pè far la to vendetta,
Sta sigur', vasta anche ella.[1]
VOCERO DU NIOLO.

Dans les premiers jours du mois d'octobre 181–, le colonel sir Thomas Nevil, Irlandais, officier distingué de l'armée anglaise, descendit[2] avec sa fille à l'hôtel Beauveau, à Marseille,[3] au retour d'un voyage en Italie. L'admiration continue des voyageurs enthousiastes a produit 5 une réaction et, pour se singulariser,[4] beaucoup de *touristes* aujourd'hui prennent pour devise le *nil admirari*[5] d'Horace. C'est à cette classe de voyageurs mécontents qu'appartenait miss Lydia, fille unique du colonel. *La Transfiguration*[6] lui avait paru médiocre, le Vésuve en 10 éruption à peine supérieur aux cheminées des usines de Birmingham. En somme,[7] sa grande objection contre l'Italie était que ce pays manquait de couleur locale,[8] de caractère. Explique qui pourra[9] le sens de ces mots, que je comprenais fort bien il y a quelques années, et que 15 je n'entends plus[10] aujourd'hui. D'abord, miss Lydia s'était flattée[11] de trouver au delà des Alpes des choses que personne n'aurait vues avant elle, et dont elle pourrait parler *avec les honnêtes gens*,[12] comme dit M. Jourdain.[13] Mais bientôt, partout devancée par ses compatriotes, et 20 désespérant de rencontrer rien d'inconnu, elle se jeta dans

le parti de l'opposition.   Il est bien désagréable, en effet,
de ne pouvoir parler des merveilles de l'Italie sans que [1]
quelqu'un ne vous dise: "Vous connaissez sans doute
ce Raphaël [2] du palais —, à —?   C'est ce qu'il y a de
5 plus beau en Italie." — Et c'est justement ce qu'on a
négligé de voir.   Comme il est trop long de tout voir, le
plus simple c'est de tout condamner de parti pris. [3]

A l'hôtel Beauveau, miss Lydia eut un amer désappointement.   Elle rapportait un joli croquis de la porte
10 pélasgique ou cyclopéenne de Segni, [4] qu'elle croyait oubliée par les dessinateurs.   Or lady Frances Fenwich, la
rencontrant à Marseille, lui montra son album, où, entre
un sonnet et une fleur desséchée, figurait la porte en question, enluminée à grand renfort de terre de Sienne. [5]   Miss
15 Lydia donna la porte de Segni à sa femme de chambre, et
perdit toute estime pour les constructions pélasgiques.

Ces tristes dispositions étaient partagées par le colonel
Nevil, qui, depuis la mort de sa femme, ne voyait les
choses que par les yeux de miss Lydia.   Pour lui, l'Italie
20 avait le tort immense d'avoir ennuyé sa fille, et par conséquent c'était le plus ennuyeux pays du monde.   Il
n'avait rien à dire, il est vrai, contre les tableaux et les
statues; mais ce qu'il pouvait assurer, c'est que la chasse
était misérable dans ce pays-là, et qu'il fallait faire dix
25 lieues au grand soleil [6] dans la campagne de Rome pour
tuer quelques méchantes [7] perdrix rouges.

Le lendemain de son arrivée à Marseille, il invita à
dîner le capitaine Ellis, son ancien adjudant, qui venait de
passer [8] six semaines en Corse.   Le capitaine raconta fort
30 bien à miss Lydia une histoire de bandits qui avait le
mérite de ne ressembler nullement aux histoires de voleurs
dont on l'avait si souvent entretenue [9] sur la route de

Rome à Naples. Au dessert, les deux hommes, restés
seuls avec des bouteilles de vin de Bordeaux, parlèrent
chasse, et le colonel apprit qu'il n'y a pas de pays où elle
soit [1] plus belle qu'en Corse, plus variée, plus abondante.
"On y voit force sangliers,[2] disait le capitaine Ellis, et il 5
faut apprendre à les distinguer des cochons domestiques,
qui leur ressemblent d'une manière étonnante; car, en
tuant des cochons, l'on se fait une mauvaise affaire [3] avec
leurs gardiens. Ils sortent d'un taillis qu'ils nomment
maquis,[4] armés jusqu'aux dents, se font payer leurs bêtes [5] 10
et se moquent de vous. Vous avez encore le mouflon,[6]
fort étrange animal qu'on ne trouve pas ailleurs, fameux
gibier, mais difficile. Cerfs, daims, faisans, perdreaux,
jamais on ne pourrait nombrer toutes les espèces de gibier
qui fourmillent en Corse. Si vous aimez à tirer, allez en 15
Corse, colonel; là, comme disait un de mes hôtes, vous
pourrez tirer sur tous les gibiers possibles, depuis la grive
jusqu'à l'homme."

Au thé, le capitaine charma de nouveau miss Lydia par
une histoire de vendette *transversale*,[7] encore plus bizarre 20
que la première, et il acheva de l'enthousiasmer [8] pour la
Corse en lui décrivant l'aspect étrange, sauvage du pays,
le caractère original de ses habitants, leur hospitalité et
leurs mœurs primitives. Enfin, il mit à ses pieds un joli
petit stylet, moins remarquable par sa forme et sa monture 25
en cuivre [9] que par son origine. Un fameux bandit l'avait
cédé au capitaine Ellis, garanti pour s'être enfoncé [10] dans
quatre corps humains. Miss Lydia le passa dans sa ceinture, le mit sur sa table de nuit, et le tira deux fois de son
fourreau avant de s'endormir. De son côté,[11] le colonel 30
rêva qu'il tuait un mouflon et que le propriétaire lui en
faisait payer le prix, à quoi il consentait volontiers, car

c'était un animal très curieux, qui ressemblait à un sanglier, avec des cornes de cerf et une queue de faisan.

— Ellis conte qu'il y a une chasse admirable en Corse,
dit le colonel, déjeunant tête à tête avec sa fille; si ce
5 n'était pas si loin, j'aimerais à y passer une quinzaine.

— Eh bien! répondit miss Lydia, pourquoi n'irions-
nous pas en Corse? Pendant que vous chasseriez, je
dessinerais; je serais charmée d'avoir dans mon album
la grotte [1] dont parlait le capitaine Ellis, où Bonaparte
10 allait étudier quand il était enfant.

C'était peut-être la première fois qu'un désir manifesté
par le colonel eût [2] obtenu l'approbation de sa fille. Enchanté de cette rencontre inattendue, il eut pourtant le
bon sens de faire quelques objections pour irriter l'heureux
15 caprice de miss Lydia. En vain il parla de la sauvagerie
du pays et de la difficulté pour une femme d'y voyager :
elle ne craignait rien; elle aimait par-dessus tout à voyager à cheval; elle se faisait une fête de coucher au bivac; [3]
elle menaçait d'aller en Asie Mineure. Bref, elle avait
20 réponse à tout, car jamais Anglaise n'avait été en Corse;
donc elle devait y aller. Et quel bonheur, de retour dans
Saint-James's-place, de montrer son album! "Pourquoi
donc, ma chère, passez-vous ce charmant dessin? — Oh!
ce n'est rien. C'est un croquis que j'ai fait d'après un
25 fameux bandit corse qui nous a servi de guide. — Comment! vous avez été en Corse? . . ."

Les bateaux à vapeur n'existant point encore entre la
France et la Corse, on s'enquit d'un navire en partance [4]
pour l'île que miss Lydia se proposait de découvrir. Dès
30 le jour même, le colonel écrivit à Paris pour décommander [5]
l'appartement qui devait le recevoir, et fit marché [6] avec
le patron d'une goélette corse qui allait faire voile [7] pour

Ajaccio. Il y avait deux chambres telles quelles. On embarqua des provisions; le patron jura qu'un vieux sien matelot [1] était un cuisinier estimable et n'avait pas son pareil pour la bouille-abaisse; [2] il promit que mademoiselle serait convenablement, qu'elle aurait bon vent, belle mer.

En outre, d'après les volontés de sa fille, le colonel stipula que le capitaine ne prendrait aucun passager, et qu'il s'arrangerait pour raser les côtes [3] de l'île de façon qu'on pût jouir de la vue des montagnes.

II

Au jour fixé pour le départ, tout était emballé, embarqué dès le matin: la goélette devait partir avec la brise du soir. En attendant, le colonel se promenait avec sa fille sur la Canebière, [4] lorsque le patron l'aborda pour lui demander la permission de prendre à son bord un de ses parents, c'est-à-dire le petit-cousin du parrain de son fils aîné, lequel retournant en Corse, son pays natal, pour affaires pressantes, ne pouvait trouver de navire pour le passer.

C'est un charmant garçon, ajouta le capitaine Matei, militaire, officier aux chasseurs à pied [5] de la garde, et qui serait déjà colonel si l'Autre [6] était encore empereur.

— Puisque c'est un militaire, dit le colonel . . . il allait ajouter: Je consens volontiers à ce qu'il vienne avec nous . . . mais miss Lydia s'écria en anglais:

— Un officier d'infanterie! . . . (son père ayant servi dans la cavalerie, elle avait du mépris pour toute autre arme) un homme sans éducation peut-être, qui aura le mal de mer, et qui nous gâtera tout le plaisir de la traversée! [7]

Le patron n'entendait pas un mot d'anglais, mais il parut comprendre ce que disait miss Lydia à la petite moue [1] de sa jolie bouche, et il commença un éloge en trois points [2] de son parent, qu'il termina en assurant que c'était un homme très comme il faut,[3] d'une famille de *Caporaux*,[4] et qu'il ne gênerait en rien monsieur le colonel,[5] car lui, patron, se chargeait de le loger dans un coin où l'on ne s'apercevrait pas de sa présence.

Le colonel et miss Nevil trouvèrent singulier qu'il y eût [6] en Corse des familles où l'on fût ainsi caporal de père en fils; mais, comme ils pensaient pieusement [7] qu'il s'agissait d'un caporal d'infanterie, ils conclurent que c'était quelque pauvre diable que le patron voulait emmener par charité. S'il se fût agi [8] d'un officier, on eût été obligé de lui parler, de vivre avec lui; mais avec un caporal, il n'y a pas à se gêner, [9] et c'est un être sans conséquence, lorsque son escouade n'est pas là, baïonnette au bout du fusil, pour vous mener où vous n'avez pas envie d'aller.

— Votre parent a-t-il le mal de mer? demanda miss Nevil d'un ton sec.

— Jamais, mademoiselle; le cœur ferme comme un roc, sur mer comme sur terre.

— Eh bien! vous pouvez l'emmener, dit-elle.

— Vous pouvez l'emmener, répéta le colonel, et ils continuèrent leur promenade.

Vers cinq heures du soir, le capitaine Matei vint les chercher pour monter à bord de la goélette. Sur le port, près de la yole du capitaine, ils trouvèrent un grand jeune homme vêtu d'une redingote bleue boutonnée jusqu'au menton, le teint basané, les yeux noirs, vifs, bien fendus,[10] l'air franc et spirituel. A la manière dont il effaçait les épaules,[11] à sa petite moustache frisée, on reconnaissait

facilement un militaire; car, à cette époque, les mous-
taches ne couraient pas les rues,[1] et la garde nationale
n'avait pas encore introduit dans toutes les familles la
tenue avec les habitudes du corps de garde.[2]

Le jeune homme ôta sa casquette en voyant le colonel, 5
et le remercia sans embarras et en bons termes du service
qu'il lui rendait.

— Charmé de vous être utile, mon garçon, dit le colonel
en lui faisant un signe de tête amical.

Et il entra dans la yole. 10

— Il est sans gêne,[3] votre Anglais, dit tout bas en
italien le jeune homme au patron.

Celui-ci plaça son index sous son œil gauche et abaissa
les deux coins de la bouche. Pour qui comprend le langage des signes, cela voulait dire que l'Anglais entendait 15
l'italien et que c'était un homme bizarre. Le jeune
homme sourit légèrement, toucha son front en réponse au
signe de Matei, comme pour lui dire que tous les Anglais
avaient quelque chose de travers dans la tête,[4] puis il
s'assit auprès du patron, et considéra avec beaucoup 20
d'attention, mais sans impertinence, sa jolie compagne
de voyage.

— Ils ont bonne tournure, ces soldats français, dit le
colonel à sa fille en anglais; aussi en fait-on facilement
des officiers. 25

Puis, s'adressant en français au jeune homme:

— Dites-moi, mon brave, dans quel régiment avez-
vous servi?

Celui-ci donna un léger coup de coude [5] au père du filleul
de son petit-cousin, et, comprimant un sourire ironique, 30
répondit qu'il avait été dans les chasseurs à pied de
la garde, et que présentement il sortait du 7e léger.[6]

— Est-ce que vous avez été à Waterloo ? Vous êtes
bien jeune.

— Pardon, mon colonel; c'est ma seule campagne.

— Elle compte double, dit le colonel.

5   Le jeune Corse se mordit les lèvres.

— Papa, dit miss Lydia en anglais, demandez-lui donc
si les Corses aiment beaucoup leur Bonaparte ?

Avant que le colonel eût traduit la question en français,
le jeune homme répondit en assez bon anglais, quoique
10 avec un accent prononcé :

— Vous savez, mademoiselle, que nul n'est prophète [1]
en son pays. Nous autres,[2] compatriotes de Napoléon,
nous l'aimons peut-être moins que les Français. Quant
à moi, bien que ma famille ait été autrefois l'ennemie de
15 la sienne, je l'aime et l'admire.

— Vous parlez anglais! s'écria le colonel.

— Fort mal, comme vous pouvez vous en apercevoir.

Bien qu'un peu choquée de son ton dégagé, miss Lydia
ne put s'empêcher de rire en pensant à une inimitié per-
20 sonnelle entre un caporal et un empereur. Ce lui fut
comme un avant-goût des singularités de la Corse, et elle
se promit de noter le trait sur son journal.

— Peut-être avez-vous été prisonnier en Angleterre ?
demanda le colonel.

25   — Non, mon colonel, j'ai appris l'anglais en France,
tout jeune, d'un prisonnier de votre nation.

Puis, s'adressant à miss Nevil :

— Matei m'a dit que vous reveniez d'Italie. Vous
parlez sans doute le pur toscan, mademoiselle; vous serez
30 un peu embarrassée, je le crains, pour comprendre notre
patois.

— Ma fille entend tous les patois italiens, répondit le

colonel; elle a le don des langues. Ce n'est pas comme
moi.

— Mademoiselle comprendrait-elle, par exemple, ces
vers d'une de nos chansons corses ? C'est un berger qui
dit à une bergère: 5

> S'entrassi 'ndru paradisu santu, santu,
> E nun truvassi a tia, mi n' esciria.[1]

Miss Lydia comprit, et trouvant la citation audacieuse,
et plus encore le regard qui l'accompagnait, elle répondit
en rougissant: "Capisco." [2]   10

— Et vous retournez dans votre pays en semestre? [3]
demanda le colonel.

— Non, mon colonel. Ils m'ont mis en demi-solde,
probablement parce que j'ai été à Waterloo et que je suis
compatriote de Napoléon. Je retourne chez moi, léger 15
d'espoir, léger d'argent, comme dit la chanson.

Et il soupira en regardant le ciel.

Le colonel mit la main à sa poche, et, retournant entre
ses doigts une pièce d'or, il cherchait une phrase pour la
glisser poliment dans la main de son ennemi malheureux. 20

— Et moi aussi, dit-il d'un ton de bonne humeur, on
m'a mis en demi-solde; mais . . . avec votre demi-solde
vous n'avez pas de quoi vous acheter du tabac. Tenez,
caporal.

Et il essaya de faire entrer la pièce d'or dans la main 25
fermée que le jeune homme appuyait sur le bord de la
yole.

Le jeune Corse rougit, se redressa, se mordit les lèvres,
et paraissait disposé à répondre avec emportement, quand
tout à coup, changeant d'expression, il éclata de rire. Le 30
colonel, sa pièce à la main, demeurait tout ébahi.

— Colonel, dit le jeune homme reprenant son sérieux, permettez-moi de vous donner deux avis: Le premier, c'est de ne jamais offrir de l'argent à un Corse, car il y a de mes compatriotes assez impolis pour vous le jeter à la
5 tête; le second, c'est de ne pas donner aux gens des titres qu'ils ne réclament point. Vous m'appelez caporal et je suis lieutenant. Sans doute, la différence n'est pas bien grande, mais . . .

— Lieutenant, s'écria sir Thomas, lieutenant; mais le
10 patron m'a dit que vous étiez caporal, ainsi que votre père et tous les hommes de votre famille.

A ces mots le jeune homme, se laissant aller à la renverse, se mit à rire de plus belle,[1] et de si bonne grâce, que le patron et ses deux matelots éclatèrent en chœur.

15 — Pardon, colonel, dit enfin le jeune homme; mais le quiproquo est admirable, je ne l'ai compris qu'à l'instant. En effet, ma famille se glorifie de compter des caporaux parmi ses ancêtres; mais nos caporaux corses n'ont jamais eu de galons sur leurs habits. Vers l'an de grâce
20 1100, quelques communes, s'étant révoltées contre la tyrannie des grands seigneurs montagnards, se choisirent des chefs qu'elles nommèrent *caporaux*. Dans notre île, nous tenons à honneur[2] de descendre de ces espèces de tribuns.

25 — Pardon, monsieur! s'écria le colonel, mille fois pardon. Puisque vous comprenez la cause de ma méprise, j'espère que vous voudrez bien l'excuser.

Et il lui tendit la main.

— C'est la juste punition de mon petit orgueil, colonel,
30 dit le jeune homme riant toujours et serrant cordialement la main de l'Anglais; je ne vous en veux pas le moins du monde.[3] Puisque mon ami Matei m'a si mal présenté,

permettez-moi de me présenter moi-même : je m'appelle,
Orso della Rebbia, lieutenant en demi-solde, et, si, comme
je le présume en voyant ces deux beaux chiens, vous venez
en Corse pour chasser, je serai très flatté de vous faire les
honneurs de nos maquis et de nos montagnes . . . 5
si toutefois je ne les ai pas oubliés, ajouta-t-il en soupirant.

En ce moment la yole touchait la goélette. Le lieutenant offrit la main à miss Lydia, puis aida le colonel à
se guinder [1] sur le pont. Là, sir Thomas, toujours fort 10
penaud de sa méprise, et ne sachant comment faire oublier
son impertinence à un homme qui datait de l'an 1100,
sans attendre l'assentiment de sa fille, le pria à souper en
lui renouvelant ses excuses et ses poignées de main. Miss
Lydia fronçait bien un peu le sourcil, mais, après tout, 15
elle n'était pas fâchée de savoir ce que c'était qu'un caporal; son hôte ne lui avait pas déplu, elle commençait
même à lui trouver un certain je ne sais quoi aristocratique; [2] seulement il avait l'air trop franc et trop gai pour
un héros de roman.
                                                        20

— Lieutenant della Rebbia, dit le colonel en le saluant
à la manière anglaise, un verre de vin de Madère à la
main, j'ai vu en Espagne beaucoup de vos compatriotes:
c'était de la fameuse infanterie en tirailleurs.

— Oui, beaucoup sont restés en Espagne, dit le jeune 25
lieutenant d'un air sérieux.

— Je n'oublierai jamais la conduite d'un bataillon corse
à la bataille de Vittoria,[3] poursuivit le colonel. Il doit
m'en souvenir, ajouta-t-il en se frottant la poitrine.
Toute la journée ils avaient été en tirailleurs dans les 30
jardins, derrière les haies, et nous avaient tué je ne sais
combien d'hommes et de chevaux. La retraite décidée,

ils se rallièrent et se mirent à filer grand train.[1] En
plaine, nous espérions prendre notre revanche, mais mes
drôles . . . excusez, lieutenant, — ces braves gens, dis-je,
s'étaient formés en carré, et il n'y avait pas moyen de les
5 rompre.   Au milieu du carré, je crois le voir encore, il y
avait un officier monté sur un petit cheval noir; il se
tenait à côté de l'aigle,[2] fumant son cigare comme s'il eût
été au café.   Parfois, comme pour nous braver, leur
musique nous jouait des fanfares . . . Je lance sur eux
10 mes deux premiers escadrons . . . Bah! au lieu de mordre
sur le front du carré,[3] voilà mes dragons qui passent à
côté, puis font demi-tour, et reviennent fort en désordre et
plus d'un cheval sans maître . . . et toujours la diable
de musique![4]   Quand la fumée qui enveloppait le batail-
15 lon se dissipa, je revis l'officier à côté de l'aigle, fumant
encore son cigare.   Enragé, je me mis moi-même à la
tête d'une dernière charge.   Leurs fusils, crassés à force
de tirer,[5] ne partaient plus, mais les soldats étaient formés
sur six rangs, la baïonnette au nez des chevaux, on eût
20 dit un mur.   Je criais, j'exhortais mes dragons, je serrais
la botte[6] pour faire avancer mon cheval, quand l'officier
dont je vous parlais, ôtant enfin son cigare, me montra
de la main à un de ses hommes.   J'entendis quelque
chose comme: *Al capello bianco!*[7] J'avais un plumet
25 blanc. Je n'en entendis pas davantage, car une balle
me traversa la poitrine. — C'était un beau bataillon,
monsieur della Rebbia, le premier du 18e léger, tous Corses,
à ce qu'on me dit depuis.

     — Oui, dit Orso dont les yeux brillaient pendant ce
30 récit, ils soutinrent la retraite et rapportèrent leur aigle;
mais les deux tiers de ces braves gens dorment aujourd'hui
dans la plaine de Vittoria.

— Et par hasard! sauriez-vous le nom de l'officier qui
les commandait?

— C'était mon père. Il était alors major au 18e,
et fut fait colonel pour sa conduite dans cette triste
journée.   5

— Votre père! Par ma foi, c'était un brave! J'aurais
du plaisir à le revoir, et je le reconnaîtrais, j'en suis sûr.
Vit-il encore?

— Non, colonel, dit le jeune homme pâlissant légèrement.   10

— Etait-il à Waterloo?

— Oui, colonel, mais il n'a pas eu le bonheur de tomber
sur un champ de bataille . . . Il est mort en Corse . . .
il y a deux ans . . . Mon Dieu! que cette mer est belle!
il y a dix ans que je n'ai vu la Méditerranée. — Ne trou- 15
vez-vous pas la Méditerranée plus belle que l'Océan,
mademoiselle?

— Je la trouve trop bleue . . . et les vagues manquent
de grandeur.

— Vous aimez la beauté sauvage, mademoiselle?   A 20
ce compte,¹ je crois que la Corse vous plaira.

— Ma fille, dit le colonel, aime tout ce qui est extraordinaire; c'est pourquoi l'Italie ne lui a guère plu.

— Je ne connais de l'Italie, dit Orso, que Pise,² où j'ai
passé quelque temps au collège; mais je ne puis penser 25
sans admiration au Campo-Santo, au Dôme, à la Tour
penchée . . . au Campo-Santo surtout. Vous vous rap-
pelez la *Mort*, d'Orcagna ³ . . . Je crois que je pourrais la
dessiner, tant elle est restée dans ma mémoire.

Miss Lydia craignit que monsieur le lieutenant ne s'en- 30
gageât dans une tirade d'enthousiasme.

— C'est très joli, dit-elle en bâillant. Pardon, mon

père, j'ai un peu mal à la tête, je vais descendre dans ma
chambre.

Elle baisa son père sur le front, fit un signe de tête majestueux à Orso et disparut.   Les deux hommes causèrent
5 alors chasse et guerre.

Ils apprirent qu'à Waterloo ils étaient en face l'un de
l'autre, et qu'ils avaient dû échanger ¹ bien des balles.
Leur bonne intelligence en redoubla.   Tour à tour ils
critiquèrent Napoléon, Wellington et Blücher, puis ils
10 chassèrent ensemble le daim, le sanglier et le mouflon.²
Enfin, la nuit étant déjà très avancée, et la dernière bouteille de bordeaux finie, le colonel serra de nouveau la
main au lieutenant et lui souhaita le bonsoir, en exprimant l'espoir de cultiver une connaissance commencée
15 d'une façon si ridicule.   Ils se séparèrent, et chacun
fut se coucher.³

III

La nuit était belle, la lune se jouait sur les flots, le navire voguait doucement au gré d'une brise légère.   Miss
Lydia n'avait point envie de dormir, et ce n'était que la
20 présence d'un profane qui l'avait empêchée de goûter ces
émotions qu'en mer et par un clair de lune tout être humain éprouve quand il a deux grains de poésie dans le
cœur.   Lorsqu'elle jugea que le jeune lieutenant dormait
sur les deux oreilles,⁴ comme un être prosaïque qu'il était,
25 elle se leva, prit une pelisse, éveilla sa femme de chambre
et monta sur le pont.   Il n'y avait personne qu'un matelot au gouvernail, lequel chantait une espèce de complainte
dans le dialecte corse, sur un air sauvage et monotone.
Dans le calme de la nuit, cette musique étrange avait son
30 charme.   Malheureusement miss Lydia ne comprenait

pas parfaitement ce que chantait le matelot. Au milieu
de beaucoup de lieux communs,[1] un vers énergique exci-
tait vivement sa curiosité; mais bientôt, au plus beau
moment, arrivaient quelques mots de patois dont le sens
lui échappait. Elle comprit pourtant qu'il était question 5
d'un meurtre. Des imprécations contre les assassins, des
menaces de vengeance, l'éloge du mort, tout cela était
confondu pêle-mêle. Elle retint quelques vers; je vais
essayer de les traduire :

". . . Ni les canons, ni les baïonnettes — n'ont fait pâlir 10
son front, — serein sur un champ de bataille — comme un ciel
d'été. — Il était le faucon ami de l'aigle, — miel des sables [2]
pour ses amis, — pour ses ennemis la mer en courroux. —
Plus haut que le soleil, — plus doux que la lune. — Lui que les
ennemis de la France — n'attendirent jamais, — des assassins 15
de son pays — l'ont frappé par derrière, — comme Vittolo [3]
tua Sampiero Corso. — Jamais ils n'eussent osé le regarder en
face. — . . . Placez sur la muraille, devant mon lit, — ma
croix d'honneur [4] bien gagnée. — Rouge en est le ruban. —
Plus rouge ma chemise. A mon fils, mon fils en lointain pays, 20
— gardez ma croix et ma chemise sanglante. — Il y verra deux
trous. — Pour chaque trou, un trou dans une autre chemise. —
Mais la vengeance sera t elle faite alors ? — Il me faut la main
qui a tiré, — l'œil qui a visé, — le cœur qui a pensé. . .''

Le matelot s'arrêta tout à coup.   25

Pourquoi ne continuez-vous pas, mon ami ? demanda
miss Nevil.

Le matelot, d'un mouvement de tête, lui montra une
figure qui sortait d'un grand panneau [5] de la goélette:
c'était Orso qui venait jouir du clair de lune.   30

— Achevez donc [6] votre complainte, dit miss Lydia, elle
me faisait grand plaisir.

Le matelot se pencha vers elle et dit fort bas:

— Je ne donne le *rimbecco* [1] à personne.

— Comment? le . . .?

Le matelot, sans répondre, se mit à siffler.

5   — Je vous prends à admirer [2] notre Méditerranée, miss Nevil, dit Orso s'avançant vers elle.   Convenez qu'on ne voit point ailleurs cette lune-ci.

— Je ne la regardais pas.   J'étais tout occupée à étudier le corse.   Ce matelot, qui chantait une complainte 10 des plus tragiques, s'est arrêté au plus beau moment.

Le matelot se baissa comme pour mieux lire sur la boussole, et tira rudement la pelisse de miss Nevil.   Il était évident que sa complainte ne pouvait être chantée devant le lieutenant Orso.

15   — Que chantais-tu là, Paolo Francè? dit Orso; est-ce une *ballata?* [3] un *vocero?*   Mademoiselle te comprend et voudrait entendre la fin.

— Je l'ai oubliée, Ors' Anton', dit le matelot.

Et sur-le-champ il se mit à entonner à tue-tête [4] un 20 cantique à la Vierge.

Miss Lydia écouta le cantique avec distraction et ne pressa pas davantage le chanteur, se promettant bien toutefois de savoir plus tard le mot de l'énigme.   Mais sa femme de chambre, qui, étant de Florence, ne compre- 25 nait pas mieux que sa maîtresse le dialecte corse, était aussi curieuse de s'instruire; s'adressant à Orso avant que celle-ci pût l'avertir par un coup de coude:

— Monsieur le capitaine, dit-elle, que veut dire *donner le rimbecco?*

30   — Le rimbecco! dit Orso; mais c'est faire la plus mortelle injure à un Corse: c'est lui reprocher de ne pas s'être vengé.   Qui vous a parlé de rimbecco?

— C'est hier à Marseille, répondit miss Lydia avec empressement, que le patron de la goélette s'est servi de ce mot.

— Et de qui parlait-il ? demanda Orso avec vivacité.

— Oh ! il nous contait une vieille histoire . . . du temps de . . ., oui, je crois que c'était à propos de Vannina d'Ornano.[1]

— La mort de Vannina, je le suppose, mademoiselle, ne vous a pas fait beaucoup aimer notre héros, le brave Sampiero ?

— Mais trouvez-vous que ce soit bien héroïque ?

— Son crime a pour excuse les mœurs sauvages du temps ; et puis Sampiero faisait une guerre à mort aux Génois : quelle confiance auraient pu avoir en lui ses compatriotes, s'il n'avait pas puni celle qui cherchait à traiter avec Gênes ?

— Vannina, dit le matelot, était partie sans la permission de son mari ; Sampiero a bien fait de lui tordre le cou.

— Mais, dit miss Lydia, c'était pour sauver son mari, c'était par amour pour lui, qu'elle allait demander sa grâce aux Génois.

— Demander sa grâce, c'était l'avilir ! s'écria Orso.

— Et la tuer lui-même ! poursuivit miss Nevil. Quel monstre ce devait être ![2]

— Vous savez qu'elle lui demanda comme une faveur de périr de sa main. Othello, Mademoiselle, le regardez-vous aussi comme un monstre ?

— Quelle différence ! il était jaloux ; Sampiero n'avait que de la vanité.

— Et la jalousie, n'est-ce pas aussi de la vanité ? C'est la vanité de l'amour, et vous l'excuserez peut-être en faveur [3] du motif ?

Miss Lydia lui jeta un regard plein de dignité, et, s'adressant au matelot, lui demanda quand la goélette arriverait au port.

— Après-demain, dit-il, si le vent continue.

5 — Je voudrais déjà voir Ajaccio, car ce navire m'excède.

Elle se leva, prit le bras de sa femme de chambre et fit quelques pas sur le tillac. Orso demeura immobile auprès du gouvernail, ne sachant s'il devait se promener avec elle ou bien cesser une conversation qui paraissait l'im-
10 portuner.

— Belle fille, par le sang de la Madone! dit le matelot; si toutes les filles d'Ajaccio lui ressemblaient, jamais je n'aurais le courage de remonter à bord.

Miss Lydia entendit peut-être cet éloge naïf de sa
15 beauté et s'en effaroucha, car elle descendit presque aussitôt dans sa chambre. Bientôt après Orso se retira de son côté.[1] Dès qu'il eut quitté le tillac, la femme de chambre remonta, et, après avoir fait subir un interrogatoire au matelot,[2] rapporta les renseignements suivants
20 à sa maîtresse: la ballata interrompue par la présence d'Orso avait été composée à l'occasion de la mort du colonel della Rebbia, père du susdit,[3] assassiné il y avait deux ans. Le matelot ne doutait pas qu'Orso ne revînt en Corse *pour faire la vengeance*, c'était son expression,
25 et affirmait qu'avant peu on verrait *de la viande fraîche* dans le village de Pietranera. Traduction faite de ce terme national, il résultait que le seigneur Orso se proposait d'assassiner deux ou trois personnes soupçonnées d'avoir assassiné son père, lesquelles, à la vérité, avaient
30 été recherchées en justice [4] pour ce fait, mais s'étaient trouvées blanches comme neige, attendu qu'elles avaient dans leur manche [5] juges, avocats, préfet et gendarmes.

— Il n'y a pas de justice en Corse, ajoutait le matelot et je fais plus de cas d'un bon fusil que d'un conseiller à la cour royale.¹ Quand on a un ennemi, il faut choisir entre les trois S.²

Ces renseignements intéressants changèrent d'une façon 5 notable les manières et les dispositions de miss Lydia à l'égard du lieutenant della Rebbia. Dès ce moment il était devenu un personnage aux yeux de la romanesque Anglaise. Maintenant cet air d'insouciance, ce ton de franchise et de bonne humeur, qui d'abord l'avaient pré- 10 venue défavorablement, devenaient pour elle un mérite de plus, car c'était la profonde dissimulation d'une âme éner- gique, qui ne laisse percer à l'extérieur aucun des senti- ments qu'elle renferme. Orso lui parut une espèce de Fiesque,³ cachant de vastes desseins sous une apparence 15 de légèreté; et, quoiqu'il soit moins beau de tuer quelques coquins que de délivrer sa patrie, cependant une belle vengeance est belle; et d'ailleurs les femmes aiment assez qu'un héros ne soit pas homme politique. Alors seule- ment miss Nevil remarqua que le jeune lieutenant avait 20 de fort grands yeux, des dents blanches, une taille élé- gante, de l'éducation et quelque usage du monde.⁴ Elle lui parla souvent dans la journée suivante, et sa conver- sation l'intéressa. Il fut longuement questionné sur son pays, et il en parlait bien. La Corse, qu'il avait quittée 25 fort jeune, d'abord pour aller au collège, puis à l'école militaire,⁵ était restée dans son esprit parée de couleurs poétiques. Il s'animait en parlant de ses montagnes, de ses forêts, des coutumes originales de ses habitants. Comme on peut le penser, le mot de vengeance se pré- 30 senta plus d'une fois dans ses récits, car il est impossible de parler des Corses sans attaquer ou sans justifier leur pas-

sion proverbiale.   Orso surprit un peu miss Nevil en con-
damnant d'une manière générale les haines interminables
de ses compatriotes.   Chez les paysans, toutefois, il
cherchait à les excuser, et prétendait que la vendette
5 est le duel des pauvres.   "Cela est si vrai, disait-il,
qu'on ne s'assassine qu'après un défi en règle.[1]   'Garde-
toi, je me garde,' telles sont les paroles sacramentelles
qu'échangent deux ennemis avant de se [2] tendre des em-
buscades l'un à l'autre.   Il y a plus d'assassinats chez
10 nous, ajoutait-il, que partout ailleurs; mais jamais vous ne
trouverez une cause ignoble à ces crimes.   Nous avons,
il est vrai, beaucoup de meurtriers, mais pas un voleur."

Lorsqu'il prononçait les mots de vengeance et de meurtre, miss Lydia le regardait attentivement, mais sans dé-
15 couvrir sur ses traits la moindre trace d'émotion.   Comme
elle avait décidé qu'il avait la force d'âme nécessaire pour
se rendre impénétrable à tous les yeux, les siens exceptés,
bien entendu,[3] elle continua de croire fermement que les
mânes du colonel della Rebbia n'attendraient pas long-
20 temps la satisfaction qu'elles réclamaient.

Déjà la goélette était en vue de la Corse.   Le patron
nommait les points principaux de la côte, et, bien qu'ils
fussent tous parfaitement inconnus à miss Lydia, elle
trouvait quelque plaisir à savoir leurs noms.   Rien de plus
25 ennuyeux qu'un paysage anonyme.   Parfois la longue-
vue du colonel faisait apercevoir quelque insulaire, vêtu
de drap brun, armé d'un long fusil, monté sur un petit
cheval, et galopant sur des pentes rapides.   Miss Lydia,
dans chacun, croyait voir un bandit, ou bien un fils allant
30 venger la mort de son père: mais Orso assurait que
c'était quelque paisible habitant du bourg voisin voya-
geant pour ses affaires; qu'il portait un fusil moins par

nécessité que par *galanterie*, par mode, de même qu'un
dandy ne sort qu'avec une canne élégante. Bien qu'un
fusil soit une arme moins noble et moins poétique
qu'un stylet, miss Lydia trouvait que, pour un homme,
cela était plus élégant qu'une canne, et elle se rappelait 5
que tous les héros de lord Byron meurent d'une balle et
non d'un classique poignard.

Après trois jours de navigation, on se trouva devant les
Sanguinaires,[1] et le magnifique panorama du golfe d'Ajaccio se développa aux yeux de nos voyageurs. C'est avec 10
raison qu'on le compare à la baie de Naples; et au moment où la goélette entrait dans le port, un maquis[2] en
feu, couvrant de fumée la Punta di Girato,[3] rappelait le
Vésuve et ajoutait à la ressemblance. Pour qu'elle fût
complète, il faudrait qu'une armée d'Attila vînt s'abattre 15
sur les environs de Naples; car tout est mort et désert
autour d'Ajaccio. Au lieu de ces élégantes fabriques
qu'on découvre de tous côtés depuis Castellamare[4] jusqu'au cap Misène, on ne voit, autour du golfe d'Ajaccio,
que de sombres maquis, et derrière, des montagnes pe- 20
lées. Pas une villa, pas une habitation. Seulement, çà
et là, sur les hauteurs autour de la ville, quelques constructions blanches se détachent isolées sur un fond de
verdure; ce sont des chapelles funéraires, des tombeaux
de famille. Tout, dans ce paysage, est d'une beauté grave 25
et triste.

L'aspect de la ville, surtout à cette époque, augmentait
encore l'impression causée par la solitude de ses alentours.
Nul mouvement dans les rues, où l'on ne rencontre qu'un
petit nombre de figures oisives, et toujours les mêmes. 30
Point de femmes, sinon quelques paysannes qui viennent
vendre leurs denrées. On n'entend point parler haut,

rire, chanter, comme dans les villes italiennes. Quelquefois, à l'ombre d'un arbre de la promenade, une douzaine
de paysans armés jouent aux cartes ou regardent jouer.
Ils ne crient pas, ne se disputent jamais; si le jeu s'anime,
5 on entend alors des coups de pistolet, qui toujours pré-
cèdent la menace. Le Corse est naturellement grave et
silencieux. Le soir, quelques figures paraissent pour
jouir de la fraîcheur, mais les promeneurs du Cours [1] sont
presque tous des étrangers. Les insulaires restent de-
10 vant leurs portes; chacun semble aux aguets [2] comme
un faucon sur son nid.

IV

Après avoir visité la maison où Napoléon est né, après
s'être procuré par des moyens plus ou moins catholiques [3]
un peu du papier de la tenture, miss Lydia, deux jours
15 après être débarquée en Corse, se sentit saisir d'une tristesse profonde, comme il doit arriver à tout étranger qui
se trouve dans un pays dont les habitudes insociables
semblent le condamner à un isolement complet. Elle
regretta son coup de tête; [4] mais partir sur-le-champ,
20 c'eût été compromettre sa réputation de voyageuse intrépide; miss Lydia se résigna donc à prendre patience
et à tuer le temps de son mieux.[5] Dans cette généreuse
résolution, elle prépara crayons et couleurs, esquissa des
vues du golfe, et fit le portrait d'un paysan basané, qui
25 vendait des melons, comme un maraîcher du continent,
mais qui avait une barbe blanche et l'air du plus féroce
coquin qui se pût voir.[6] Tout cela ne suffisant point
à l'amuser, elle résolut de faire tourner la tête au descendant des caporaux,[7] et la chose n'était pas difficile, car,

loin de se presser pour revoir son village, Orso semblait se
plaire fort à Ajaccio, bien qu'il n'y vît personne. D'ailleurs miss Lydia s'était proposé une noble tâche, celle de
civiliser cet ours des montagnes, et de le faire renoncer aux
sinistres desseins qui le ramenaient dans son île. Depuis 5
qu'elle avait pris la peine de l'étudier, elle s'était dit qu'il
serait dommage de laisser ce jeune homme courir à sa
perte, et que pour elle il serait glorieux de convertir un
Corse.

Les journées pour nos voyageurs se passaient comme il 10
suit: le matin, le colonel et Orso allaient à la chasse; miss
Lydia dessinait ou écrivait à ses amies, afin de pouvoir
dater ses lettres d'Ajaccio; vers six heures, les hommes
revenaient chargés de gibier; on dînait, miss Lydia chantait, le colonel s'endormait, et les jeunes gens demeuraient 15
fort tard à causer.

Je ne sais quelle formalité de passe-port avait obligé le
colonel Nevil à faire une visite au préfet; celui-ci, qui s'en-
nuyait fort, ainsi que la plupart de ses collègues, avait été
ravi d'apprendre l'arrivée d'un Anglais, riche, homme du 20
monde et père d'une jolie fille; aussi il l'avait parfaitement reçu et accablé d'offres de services; de plus, fort
peu de jours après, il vint lui rendre sa visite. Le colonel, qui venait de sortir de table, était confortablement
étendu sur le sofa, tout près de s'endormir; sa fille chan- 25
tait devant un piano délabré; Orso tournait les feuillets
de son cahier de musique, et regardait les épaules et les
cheveux blonds de la virtuose. On annonça M. le préfet;
le piano se tut, le colonel se leva, se frotta les yeux, et
présenta le préfet à sa fille: 30

— Je ne vous présente pas monsieur della Rebbia, dit-il,
car vous le connaissez sans doute?

— Monsieur est le fils du colonel della Rebbia ? demanda le préfet d'un air légèrement embarrassé.

— Oui, monsieur, répondit Orso.

— J'ai eu l'honneur de connaître monsieur votre père.

5   Les lieux communs de conversation s'épuisèrent bientôt.
Malgré lui, le colonel bâillait assez fréquemment; en sa
qualité de libéral,[1] Orso ne voulait point parler à un satellite du pouvoir; miss Lydia soutenait seule la conversation.   De son côté, le préfet ne la laissait pas languir, et
10 il était évident qu'il avait un vif plaisir à parler de Paris
et du monde à une femme qui connaissait toutes les nota-
bilités de la société européenne.   De temps en temps, et
tout en parlant,[2] il observait Orso avec une curiosité
singulière.

15   — C'est sur le continent que vous avez connu monsieur
della Rebbia ? demanda-t-il à miss Lydia.

Miss Lydia répondit avec quelque embarras qu'elle
avait fait sa connaissance sur le navire qui les avait
amenés en Corse.

20 — C'est un jeune homme très comme il faut,[3] dit le
préfet à demi-voix.   Et vous a-t-il dit, continua-t-il encore plus bas, dans quelle intention il revient en Corse ?

Miss Lydia prit son air majestueux:

— Je ne le lui ai point demandé, dit-elle; vous pouvez
25 l'interroger.

Le préfet garda le silence; mais, un moment après, en-
tendant Orso adresser au colonel quelques mots en anglais:

— Vous avez beaucoup voyagé, monsieur, dit-il, à ce
qu'il paraît.   Vous devez avoir oublié la Corse . . . et ses
30 coutumes.

— Il est vrai, j'étais bien jeune quand je l'ai quittée.

— Vous appartenez toujours à l'armée ?

— Je suis en demi-solde, monsieur.

— Vous avez été trop longtemps dans l'armée française, pour ne pas devenir tout à fait Français, je n'en doute pas, monsieur.

Il prononça ces derniers mots avec une emphase 5 marquée.

Ce n'est pas flatter prodigieusement les Corses, que[1] leur rappeler qu'ils appartiennent à la grande nation. Ils veulent être un peuple à part,[2] et cette prétention, ils la justifient assez bien pour qu'on la leur accorde. Orso, 10 un peu piqué, répliqua:

— Pensez-vous, monsieur le préfet, qu'un Corse, pour être homme d'honneur, ait besoin de servir dans l'armée française?

— Non, certes, dit le préfet, ce n'est nullement ma pen- 15 sée: je parle seulement de certaines *coutumes* de ce pays-ci, dont quelques-unes ne sont pas telles qu'un administra- teur voudrait les voir.

Il appuya sur ce mot de *coutumes*, et prit l'expression la plus grave que sa figure comportait. Bientôt après, il se 20 leva et sortit, emportant la promesse que miss Lydia irait voir sa femme à la préfecture.

Quand il fut parti:

— Il fallait, dit miss Lydia, que j'allasse en Corse pour apprendre ce que c'est qu'un préfet. Celui-ci me paraît 25 assez aimable.

— Pour moi, dit Orso, je n'en saurais dire autant, et je le trouve bien singulier avec son air emphatique et mysté- rieux.

Le colonel était plus qu'assoupi; miss Lydia jeta un 30 coup d'œil de son côté, et baissant la voix:

— Et moi, je trouve, dit-elle, qu'il n'est pas si

mystérieux que vous le prétendez, car je crois l'avoir
compris.

— Vous êtes, assurément, bien perspicace, miss Nevil;
et, si vous voyez quelque esprit dans ce qu'il vient de dire,
5 il faut assurément que vous l'y ayez mis.

— C'est une phrase du marquis de Mascarille,[1] monsieur della Rebbia, je crois; mais, . . . voulez-vous que
je vous donne une preuve de ma pénétration ? Je suis un
peu sorcière,[2] et je sais ce que pensent les gens que j'ai
10 vus deux fois.

— Mon Dieu! vous m'effrayez. Si vous saviez lire
dans ma pensée, je ne sais si je devrais en être content
ou affligé. . . .

— Monsieur della Rebbia, continua miss Lydia en rou-
15 gissant, nous ne nous connaissons que depuis quelques
jours; mais en mer, et dans les pays barbares, — vous
m'excuserez, je l'espère, . . . — dans les pays barbares,
on devient ami plus vite que dans le monde . . . Ainsi
ne vous étonnez pas si je vous parle en amie de choses un
20 peu bien intimes,[3] et dont peut-être un étranger ne
devrait pas se mêler.

— Oh! ne dites pas ce mot-là, miss Lydia; l'autre me
plaisait bien mieux.

— Eh bien! monsieur, je dois vous dire que, sans avoir
25 cherché à savoir vos secrets, je me trouve les avoir appris
en partie, et il y en a qui m'affligent. Je sais, monsieur,
le malheur qui a frappé votre famille; on m'a beaucoup
parlé du caractère vindicatif de vos compatriotes et de
leur manière de se venger . . . N'est-ce pas à cela que
30 le préfet faisait allusion ?

— Miss Lydia peut-elle penser! . . . Et Orso devint
pâle comme la mort.

— Non, monsieur della Rebbia, dit-elle en l'interrompant ; je sais que vous êtes un gentleman plein d'honneur. Vous m'avez dit vous-même qu'il n'y avait plus dans votre pays que les gens du peuple [1] qui connussent la *vendette* . . . qu'il vous plaît d'appeler une forme du duel. . . .   5

— Me croiriez-vous donc capable de devenir jamais un assassin ?

— Puisque je vous parle de cela, monsieur Orso, vous devez bien voir que je ne doute pas de vous, et si je vous ai parlé, poursuivit-elle en baissant les yeux, c'est que j'ai 10 compris que de retour dans votre pays, entouré peut-être de préjugés barbares, vous seriez bien aise de savoir qu'il y a quelqu'un qui vous estime pour votre courage à leur résister. — Allons, dit-elle en se levant, ne parlons plus de ces vilaines choses-là : elles me font mal à la tête, et d'ail- 15 leurs il est bien tard. Vous ne m'en voulez pas ? Bonsoir, à l'anglaise.[2]   Et elle lui tendit la main.

Orso la pressa d'un air grave et pénétré.

— Mademoiselle, dit-il, savez-vous qu'il y a des moments où l'instinct du pays se réveille en moi. Quel- 20 quefois, lorsque je songe à mon pauvre père, . . . alors d'affreuses idées m'obsèdent. Grâce à vous, j'en suis à jamais délivré. Merci, merci !

Il allait poursuivre ; mais miss Lydia fit tomber une cuiller à thé, et le bruit réveilla le colonel.   25

— Della Rebbia, demain à cinq heures en chasse ! Soyez exact.

— Oui, mon colonel.

V

Le lendemain, un peu avant le retour des chasseurs, miss Nevil, revenant d'une promenade au bord de la mer, 30

B

regagnait l'auberge avec sa femme de chambre, lorsqu'elle
remarqua une jeune femme vêtue de noir, montée sur un
cheval de petite taille, mais vigoureux, qui entrait dans
la ville. Elle était suivie d'une espèce de paysan, à
5 cheval aussi, en veste de drap brun trouée aux coudes,
une gourde en bandoulière,[1] un pistolet pendant à la ceinture; à la main, un fusil, dont la crosse reposait dans une
poche de cuir attachée à l'arçon de la selle; bref, en costume complet de brigand de mélodrame ou de bourgeois
10 corse en voyage. La beauté remarquable de la femme
attira d'abord l'attention de miss Nevil. Elle paraissait
avoir une vingtaine d'années. Elle était grande, blanche,
les yeux bleu foncé,[2] la bouche rose, les dents comme de
l'émail. Dans son expression on lisait à la fois l'orgueil,
15 l'inquiétude et la tristesse. Sur la tête, elle portait ce
voile de soie noire nommé *mezzaro*,[3] que les Génois ont
introduit en Corse, et qui sied [4] si bien aux femmes. De
longues nattes de cheveux châtains lui formaient comme
un turban autour de la tête. Son costume était propre,
20 mais de la plus grande simplicité.

Miss Nevil eut tout le temps de la considérer, car la
dame au *mezzaro* s'était arrêtée dans la rue à questionner
quelqu'un avec beaucoup d'intérêt, comme il semblait à
l'expression de ses yeux; puis, sur la réponse qui lui fut
25 faite, elle donna un coup de houssine [5] à sa monture, et,
prenant le grand trot,[6] ne s'arrêta qu'à la porte de l'hôtel
où logeaient sir Thomas Nevil et Orso. Là, après avoir
échangé quelques mots avec l'hôte, la jeune femme sauta
lestement à bas de son cheval et s'assit sur un banc de
30 pierre à côté de la porte d'entrée, tandis que son écuyer
conduisait les chevaux à l'écurie. Miss Lydia passa avec
son costume parisien devant l'étrangère sans qu'elle levât

les yeux. Un quart d'heure après, ouvrant sa fenêtre, elle
vit encore la dame au mezzaro assise à la même place et
dans la même attitude. Bientôt parurent le colonel et
Orso, revenant de la chasse. Alors l'hôte dit quelques
mots à la demoiselle et lui désigna du doigt le jeune della 5
Rebbia. Celle-ci rougit, se leva avec vivacité, fit quelques pas en avant, puis s'arrêta immobile et comme in-
terdite. Orso était tout près d'elle, la considérant avec
curiosité.

— Vous êtes, dit-elle d'une voix émue, Orso Antonio 10
della Rebbia? Moi, je suis Colomba.

— Colomba! s'écria Orso.

Et, la prenant dans ses bras, il l'embrassa tendrement,
ce qui étonna un peu le colonel et sa fille; car en Angleterre on ne s'embrasse pas dans la rue. 15

— Mon frère, dit Colomba, vous me pardonnerez si
je suis venue sans votre ordre; mais j'ai appris par nos
amis que vous étiez arrivé, et c'était pour moi une si
grande consolation de vous voir . . .

Orso l'embrassa encore; puis, se tournant vers le 20
colonel:

— C'est ma sœur, dit-il, que je n'aurais jamais recon-
nue si elle ne s'était nommée. — Colomba, le colonel sir
Thomas Nevil. — Colonel, vous voudrez bien m'excuser,
mais je ne pourrai avoir l'honneur de dîner avec vous 25
aujourd'hui . . . Ma sœur . . .

— Eh! où diable voulez-vous dîner,[1] mon cher? s'écria
le colonel; vous savez bien qu'il n'y a qu'un dîner dans
cette maudite auberge, et il est pour nous. Mademoiselle
fera grand plaisir à ma fille de se joindre à nous. 30

Colomba regarda son frère, qui ne se fit pas trop prier,[2]
et tous ensemble entrèrent dans la plus grande pièce de

l'auberge, qui servait au colonel de salon et de salle à manger.   Mademoiselle della Rebbia, présentée à miss Nevil,
lui fit une profonde révérence, mais ne dit pas une parole.
On voyait qu'elle était très effarouchée [1] et que, pour la
5 première fois de sa vie peut-être, elle se trouvait en présence d'étrangers gens du monde.   Cependant dans ses
manières il n'y avait rien qui sentît la province.[2]   Chez
elle l'étrangeté sauvait la gaucherie.[3]   Elle plut à miss
Nevil par cela même; et, comme il n'y avait pas de
10 chambre disponible dans l'hôtel que le colonel et sa suite
avaient envahi, miss Lydia poussa la condescendance ou
la curiosité jusqu'à offrir à mademoiselle della Rebbia de
lui faire dresser un lit dans sa propre chambre.

Colomba balbutia quelques mots de remerciement et
15 s'empressa de suivre la femme de chambre de miss Nevil
pour faire à sa toilette les petis arrangements que rend
nécessaires un voyage à cheval par la poussière et le soleil.

En rentrant dans le salon, elle s'arrêta devant les fusils
du colonel, que les chasseurs venaient de déposer dans un
20 coin.

— Les belles armes! dit-elle; sont-elles à vous, mon
frère?

— Non, ce sont des fusils anglais au colonel.   Ils sont
aussi bons qu'ils sont beaux.

25   — Je voudrais bien, dit Colomba, que vous en eussiez
un semblable.

— Il y en a certainement un dans ces trois-là qui appartient à della Rebbia, s'écria le colonel.   Il s'en sert trop
bien.   Aujourd'hui quatorze coups de fusil, quatorze
30 pièces! [4]

Aussitôt s'établit un combat de générosité, dans lequel
Orso fut vaincu, à la grande satisfaction de sa sœur, comme

il était facile de s'en apercevoir à l'expression de joie en-
fantine qui brilla tout d'un coup sur son visage, tout à
l'heure [1] si sérieux.

— Choisissez, mon cher, disait le colonel.

Orso refusait.

— Eh bien! mademoiselle votre sœur choisira pour vous.

Colomba ne se le fit pas dire deux fois: elle prit le moins
orné des fusils, mais c'était un excellent Manton de gros
calibre.

— Celui-ci, dit-elle, doit bien porter la balle.

Son frère s'embarrassait dans ses remerciements, lorsque
le dîner parut fort à propos pour le tirer d'affaire.[2] Miss
Lydia fut charmée de voir que Colomba, qui avait fait
quelque résistance pour se mettre à table, et qui n'avait
cédé que sur un regard de son frère, faisait en bonne
catholique le signe de la croix avant de manger.

— Bon, se dit-elle, voilà qui est primitif.

Et elle se promit de faire plus d'une observation intéres-
sante sur ce jeune représentant des vieilles mœurs de la
Corse. Pour Orso, il était évidemment un peu mal à son
aise, par la crainte sans doute que sa sœur ne dît ou ne fît
quelque chose qui sentît trop son village.[3] Mais Colomba
l'observait sans cesse et réglait tous ses mouvements sur
ceux de son frère. Quelquefois elle le considérait fixement
avec une étrange expression de tristesse; et alors, si les
yeux d'Orso rencontraient les siens, il était le premier à
détourner ses regards, comme s'il eût voulu se soustraire
à une question que sa sœur lui adressait mentalement et
qu'il comprenait trop bien. On parlait français, car le
colonel s'exprimait fort mal en italien. Colomba entendait le français, et prononçait même assez bien le peu de
mots qu'elle était forcée d'échanger avec ses hôtes.

Après le dîner, le colonel, qui avait remarqué l'espèce de contrainte qui régnait entre le frère et la sœur, demanda avec sa franchise ordinaire à Orso s'il ne désirait point causer seul avec mademoiselle Colomba, offrant dans ce
5 cas de passer avec sa fille dans la pièce voisine. Mais Orso se hâta de le remercier et de dire qu'ils auraient bien le temps de causer à Pietranera. C'était le nom du village où il devait faire sa résidence.

Le colonel prit donc sa place accoutumée sur le sofa, et
10 miss Nevil, après avoir essayé plusieurs sujets de conversation, désespérant de faire parler la belle Colomba, pria Orso de lui lire un chant du Dante:[1] c'était son poète favori. Orso choisit le chant de l'Enfer[2] où se trouve l'épisode de Francesca da Rimini, et se mit à lire, accen-
15 tuant de son mieux ces sublimes tercets, qui expriment si bien le danger de lire à deux[3] un livre d'amour. A mesure qu'il lisait[4] Colomba se rapprochait de la table, relevait la tête, qu'elle avait tenue baissée; ses prunelles dilatées brillaient d'un feu extraordinaire: elle rougissait
20 et pâlissait tour à tour, elle s'agitait convulsivement sur sa chaise. Admirable organisation italienne, qui, pour comprendre la poésie, n'a pas besoin qu'un pédant lui en démontre les beautés!

Quand la lecture fut terminée:
25 — Que cela est beau! s'écria-t-elle. Qui a fait cela, mon frère?

Orso fut un peu déconcerté, et miss Lydia répondit en souriant que c'était un poète florentin mort depuis plusieurs siècles.

30 — Je te ferai lire le Dante, dit Orso, quand nous serons à Pietranera.

— Mon Dieu, que cela est beau! répétait Colomba: et

elle dit trois ou quatre tercets qu'elle avait retenus, d'abord
à voix basse, puis, s'animant, elle les déclama tout haut
avec plus d'expression que son frère n'en avait mis à les
lire.

Miss Lydia très étonnée:

— Vous paraissez aimer beaucoup la poésie, dit-elle.
Que je vous envie le bonheur que vous aurez à lire le Dante
comme un livre nouveau!

— Vous voyez, miss Nevil, disait Orso, quel pouvoir
ont les vers du Dante, pour émouvoir ainsi une petite
sauvagesse qui ne sait que son *Pater*.[1]. . . Mais je me
trompe; je me rappelle que Colomba est du métier.[2] Tout
enfant, elle s'escrimait à faire des vers, et mon père
m'écrivait qu'elle était la plus grande *voceratrice*[3] de
Pietranera et de deux lieues à la ronde.

Colomba jeta un coup d'œil suppliant à son frère. Miss
Nevil avait ouï parler des improvisatrices corses et mou-
rait d'envie d'en entendre une. Aussi elle s'empressa de
prier Colomba de lui donner un échantillon de son talent.
Orso s'interposa alors, fort contrarié de s'être si bien
rappelé les dispositions poétiques de sa sœur. Il eut
beau jurer que rien n'était plus plat qu'une ballata
corse,[4] protester que réciter des vers corses après ceux
du Dante, c'était trahir son pays, il ne fit qu'irriter le
caprice de miss Nevil, et se vit obligé à la fin de dire à sa
sœur:

— Eh bien! improvise quelque chose, mais que cela
soit court.

Colomba poussa un soupir, regarda attentivement pendant une minute le tapis de la table, puis les poutres du
plafond; enfin, mettant la main sur ses yeux, comme ces
oiseaux qui se rassurent et croient n'être point vus quand

ils ne voient point eux-mêmes, chanta, ou plutôt déclama
d'une voix mal assurée[1] la *serenata* qu'on va lire:

LA JEUNE FILLE ET LA PALOMBE

"Dans la vallée, bien loin derrière les montagnes, — le soleil n'y vient qu'une heure tous les jours; — il y a dans la
5 vallée une maison sombre, — et l'herbe y croît sur le seuil. —
Portes, fenêtres sont toujours fermées. — Nulle fumée ne
s'échappe du toit.   Mais à midi, lorsque vient le soleil, — une
fenêtre s'ouvre alors, — et l'orpheline s'assied, filant à son
rouet: — elle file et chante en travaillant — un chant de tris-
10 tesse; mais nul autre chant ne répond au sien. — Un jour, un
jour de printemps, — une palombe se posa sur un arbre voisin,
— et entendit le chant de la jeune fille. — Jeune fille, dit-elle,
tu ne pleures pas seule — un cruel épervier m'a ravi ma compagne. — Palombe, montre-moi l'épervier ravisseur; — fût-il
15 aussi haut que les nuages, — je l'aurai bientôt abattu en
terre. — Mais moi, pauvre fille, qui me rendra mon frère, —
mon frère maintenant en lointain pays? — Jeune fille, dis-moi
où est ton frère, — et mes ailes me porteront près de lui."

— Voilà une palombe bien élevée! s'écria Orso en em-
20 brassant sa sœur avec une émotion qui contrastait avec
le ton de plaisanterie qu'il affectait.

— Votre chanson est charmante, dit miss Lydia.   Je
veux que vous me l'écriviez dans mon album.   Je la tra-
duirai en anglais et je la ferai mettre en musique.

25   Le brave colonel, qui n'avait pas compris un mot,
joignit ses compliments à ceux de sa fille.   Puis il ajouta:

— Cette palombe dont vous parlez, mademoiselle, c'est
cet oiseau que nous avons mangé aujourd'hui à la crapaudine?[2]

30   Miss Nevil apporta son album et ne fut pas peu surprise de voir l'improvisatrice écrire sa chanson en ména-

geant le papier d'une façon singulière. Au lieu d'être en
vedette,[1] les vers se suivaient sur la même ligne, tant que
la largeur de la feuille le permettait, en sorte qu'ils ne con-
venaient plus à la définition connue des compositions poétiques: "De petites lignes, d'inégale longueur, avec une 5
marge de chaque côté." Il y avait bien encore quelques
observations à faire sur l'orthographe un peu capricieuse
de mademoiselle Colomba, qui, plus d'une fois, fit sourire
miss Nevil, tandis que la vanité fraternelle d'Orso était
au supplice. 10

L'heure de dormir étant arrivée, les deux jeunes filles se
retirèrent dans leur chambre. Là, tandis que miss Lydia
détachait collier, boucles, bracelets, elle observa sa compagne qui retirait de sa robe quelque chose de long comme
un busc, mais de forme bien différente pourtant. Co- 15
lomba mit cela avec soin et presque furtivement sous son
mezzaro déposé sur une table; puis elle s'agenouilla et fit
dévotement sa prière. Deux minutes après, elle était dans
son lit. Très curieuse de son naturel et lente comme une
Anglaise à se déshabiller, miss Lydia s'approcha de la 20
table, et feignant de chercher une épingle, souleva le mezzaro et aperçut un stylet assez long, curieusement monté
en nacre[2] et en argent; le travail en était remarquable,
et c'était une arme ancienne et de grand prix pour un
amateur. 25

— Est-ce l'usage ici, dit miss Nevil en souriant, que
les demoiselles portent ce petit instrument dans leur
corset?

— Il le faut bien, répondit Colomba en soupirant. Il
y a tant de méchantes gens! 30

— Et auriez-vous vraiment le courage d'en donner un
coup comme cela?

Et miss Nevil, le stylet à la main, faisait le geste de frapper, comme on frappe au théâtre, de haut en bas.

— Oui, si cela était nécessaire, dit Colomba de sa voix douce et musicale, pour me défendre ou défendre mes
5 amis. . . . Mais ce n'est pas comme cela qu'il faut le tenir; vous pourriez vous blesser, si la personne que vous voulez frapper se retirait. Et se levant sur son séant:[1] Tenez, c'est ainsi, en remontant le coup.[2] Comme cela il est mortel, dit-on. Heureux les gens qui n'ont pas besoin
10 de telles armes!

Elle soupira, abandonna sa tête sur l'oreiller et ferma les yeux. On n'aurait pu voir une tête plus belle, plus noble, plus virginale. Phidias,[3] pour sculpter sa Minerve, n'aurait pas désiré un autre modèle.

VI

15 C'est pour me conformer au précepte d'Horace que je me suis lancé d'abord *in medias res*.[4] Maintenant que tout dort, et la belle Colomba, et le colonel, et sa fille, je saisirai ce moment pour instruire mon lecteur de certaines particularités qu'il ne doit pas ignorer, s'il veut pénétrer
20 davantage dans cette véridique histoire. Il sait déjà que le colonel della Rebbia, père d'Orso, est mort assassiné: or on n'est pas assassiné en Corse, comme on l'est en France, par le premier échappé des galères[5] qui ne trouve pas de meilleur moyen pour vous voler votre argenterie:
25 on est assassiné par ses ennemis; mais le motif pour lequel on a des ennemis, il est souvent fort difficile de le dire. Bien des familles se haïssent par vieille habitude, et la tradition de la cause originelle de leur haine s'est perdue complètement.

La famille à laquelle appartenait le colonel della Rebbia
haïssait plusieurs autres familles, mais singulièrement celle
des Barricini; quelques-uns disaient que, dans le xvi^e
siècle, un della Rebbia avait trompé une Barricini, et avait
été poignardé ensuite par un parent de la demoiselle ₅
trompée. A la vérité, d'autres racontaient l'affaire différemment, prétendant que c'était une della Rebbia qui
avait été trompée, et un Barricini poignardé. Tant il y
a que,[1] pour me servir d'une expression consacrée, il y
avait du sang entre les deux maisons. Toutefois, contre ₁₀
l'usage, ce meurtre n'en avait pas produit d'autres; c'est
que les della Rebbia et les Barricini avaient été également
persécutés par le gouvernement génois, et les jeunes gens
s'étant expatriés, les deux familles furent privées, pendant
plusieurs générations, de leurs représentants énergiques. ₁₅
A la fin du siècle dernier, un della Rebbia, officier au
service de Naples, se trouvant dans un tripot,[2] eut une
querelle avec des militaires qui, entre autres injures, l'ap-
pelèrent chevrier corse; il mit l'épée à la main; mais, seul
contre trois, il eût mal passé son temps, si un étranger, ₂₀
qui jouait dans le même lieu, ne se fût écrié: "Je suis
Corse aussi!" et n'eût pris sa défense. Cet étranger était
un Barricini, qui d'ailleurs ne connaissait pas son compatriote. Lorsqu'on s'expliqua, de part et d'autre ce
furent de grandes politesses et des serments d'amitié éter- ₂₅
nelle; car, sur le continent, les Corses se lient facilement;
c'est tout le contraire dans leur île. On le vit bien dans
cette circonstance: della Rebbia et Barricini furent amis
intimes tant qu'ils demeurèrent en Italie; mais de retour
en Corse, ils ne se virent plus que rarement, bien qu'habi- ₃₀
tant tous les deux le même village, et quand ils mouru-
rent, on disait qu'il y avait bien cinq ou six ans qu'ils ne

s'étaient parlé.   Leurs fils vécurent de même *en étiquette*,[1]
comme on dit dans l'île.   L'un, Ghilfuccio, le père d'Orso,
fut militaire; l'autre, Giudice Barricini, fut avocat.   Devenus l'un et l'autre chefs de famille, et séparés par leur
5 profession, ils n'eurent presque aucune occasion de se
voir ou d'entendre parler l'un de l'autre.

Cependant, un jour, vers 1809, Giudice lisant à Bastia,
dans un journal, que le capitaine Ghilfuccio venait d'être
décoré, dit, devant témoins, qu'il n'en était pas surpris, at-
10 tendu que le général * * * protégeait sa famille.   Ce mot
fut rapporté à Ghilfuccio à Vienne, lequel dit à un compatriote qu'à son retour en Corse il trouverait Giudice bien
riche, parce qu'il tirait plus d'argent de ses causes perdues
que de celles qu'il gagnait.   On n'a jamais su s'il insi-
15 nuait par là que l'avocat trahissait ses clients, ou s'il se bor-
nait à émettre cette vérité triviale, qu'une mauvaise affaire
rapporte plus à un homme de loi qu'une bonne cause.
Quoi qu'il en soit, l'avocat Barricini eut connaissance de
l'épigramme et ne l'oublia pas.   En 1812, il demandait à
20 être nommé maire de sa commune et avait tout espoir de
le devenir, lorsque le général * * * écrivit au préfet pour
lui recommander un parent de la femme de Ghilfuccio.
Le préfet s'empressa de se conformer aux désirs du général, et Barricini ne douta point qu'il ne dût sa déconvenue
25 aux intrigues de Ghilfuccio.   Après la chute de l'empereur, en 1814, le protégé du général fut dénoncé comme
bonapartiste, et remplacé par Barricini.   A son tour, ce
dernier fut destitué dans les Cent Jours;[2] mais, après
cette tempête, il reprit en grande pompe possession du
30 cachet de la mairie et des registres de l'état civil.[3]

De ce moment son étoile devint plus brillante que jamais.   Le colonel della Rebbia, mis en demi-solde et

retiré à Pietranera, eut à soutenir contre lui une guerre
sourde de chicanes [1] sans cesse renouvelées: tantôt il était
assigné en réparation de dommages commis par son cheval
dans les clôtures de M. le maire; tantôt celui-ci, sous
prétexte de restaurer le pavé de l'église, faisait enlever 5
une dalle brisée qui portait les armes des della Rebbia, et
qui couvrait le tombeau d'un membre de cette famille.
Si les chèvres mangeaient les jeunes plants du colonel, les
propriétaires de ces animaux trouvaient protection auprès
du maire; successivement, l'épicier qui tenait le bureau 10
de poste de Pietranera, et le garde champêtre, vieux soldat mutilé, tous les deux clients des della Rebbia, furent
destitués et remplacés par des créatures des Barricini.

La femme du colonel mourut exprimant le désir d'être
enterrée au milieu d'un petit bois où elle aimait à se pro- 15
mener; aussitôt le maire déclara qu'elle serait inhumée
dans le cimetière de la commune, attendu qu'il n'avait
pas reçu d'autorisation pour permettre une sépulture iso-
lée. Le colonel furieux déclara qu'en attendant cette
autorisation, sa femme serait enterrée au lieu qu'elle avait 20
choisi, et il y fit creuser une fosse. De son côté, le
maire en fit faire une dans le cimetière, et manda la gendarmerie, afin, disait-il, que force restât à la loi.[2] Le jour
de l'enterrement, les deux partis se trouvèrent en présence,[3] et l'on put craindre un moment qu'un combat ne 25
s'engageât pour la possession des restes de madame della
Rebbia. Une quarantaine de paysans bien armés, amenés par les parents de la défunte, obligèrent le curé, en
sortant de l'église, à prendre le chemin du bois; d'autre
part, le maire avec ses deux fils, ses clients et les gendar- 30
mes, se présenta pour faire opposition. Lorsqu'il parut
et somma le convoi de rétrograder, il fut accueilli par des

huées et des menaces; l'avantage du nombre était pour
ses adversaires, et ils semblaient déterminés. A sa vue
plusieurs fusils furent armés; on dit même qu'un berger
le coucha en joue; [1] mais le colonel releva le fusil en disant:
5 "Que personne ne tire sans mon ordre!" Le maire "craignait les coups naturellement," comme Panurge,[2] et, re-
fusant la bataille, il se retira avec son escorte: alors la
procession funèbre se mit en marche, en ayant soin de
prendre le plus long, afin de passer devant la mairie. En
10 défilant, un idiot, qui s'était joint au cortège, s'avisa de
crier *vive l'Empereur!* Deux ou trois voix lui répondirent,
et les rebbianistes, s'animant de plus en plus, proposèrent
de tuer un bœuf du maire, qui, d'aventure, leur barrait le
chemin. Heureusement le colonel empêcha cette violence.
15 On pense bien qu'un procès-verbal fut dressé,[3] et que le
maire fit au préfet un rapport de son style le plus sublime,
dans lequel il peignait les lois divines et humaines foulées
aux pieds, — la majesté de lui, maire, celle du curé, mé-
connues et insultées, — le colonel della Rebbia se mettant
20 à la tête d'un complot buonapartiste [4] pour changer l'ordre
de successibilité au trône, et exciter les citoyens à s'armer
les uns contre les autres, crimes prévus par les articles 86
et 91 du Code pénal.

L'exagération de cette plainte nuisit à son effet. Le
25 colonel écrivit au préfet, au procureur du roi: un parent
de sa femme était allié [5] à un des députés de l'île, un autre
cousin du président de la cour royale. Grâce à ces protections,[6] le complot s'évanouit, madame della Rebbia
resta dans le bois, et l'idiot seul fut condamné à quinze
30 jours de prison.

L'avocat Barricini, mal satisfait du résultat de cette affaire, tourna ses batteries d'un autre côté. Il exhuma un

vieux titre, d'après lequel il entreprit de contester au colonel la propriété d'un certain cours d'eau qui faisait tourner un moulin. Un procès s'engagea qui dura long-temps. Au bout d'une année, la cour allait rendre son arrêt, et suivant toute apparence en faveur du colonel, 5 lorsque M. Barricini déposa entre les mains du procureur du roi une lettre signée par un certain Agostini, bandit célèbre, qui le menaçait, lui maire, d'incendie et de mort s'il ne se désistait de ses prétentions. On sait qu'en Corse la protection des bandits est très recherchée, et que pour 10 obliger leurs amis ils interviennent fréquemment dans les querelles particulières. Le maire tirait parti de cette lettre,[1] lorsqu'un nouvel incident vint compliquer l'affaire. Le bandit Agostini écrivit au procureur du roi pour se plaindre qu'on eût contrefait son écriture, et jeté des 15 doutes sur son caractère, en le faisant passer pour un homme qui trafiquait de son influence: "Si je découvre le faussaire, disait-il en terminant sa lettre, je le punirai exemplairement."

Il était clair qu'Agostini n'avait point écrit la lettre 20 menaçante au maire; les della Rebbia en accusaient les Barricini et *vice versa*. De part et d'autre on éclatait en menaces, et la justice ne savait de quel côté trouver les coupables.

Sur ces entrefaites, le colonel Ghilfuccio fut assassiné. 25 Voici les faits tels qu'ils furent établis en justice: Le 2 août 18 . ., le jour tombant déjà, la femme Madeleine Pietri, qui portait du grain à Pietranera, entendit deux coups de feu très rapprochés, tirés, comme il lui semblait, dans un chemin creux menant au village, à environ cent 30 cinquante pas de l'endroit où elle se trouvait. Presque aussitôt elle vit un homme qui courait, en se baissant,

dans un sentier des vignes, et se dirigeait vers le village.
Cet homme s'arrêta un instant et se retourna; mais la
distance empêcha la femme Pietri de distinguer ses traits,
et d'ailleurs il avait à la bouche une feuille de vigne qui
5 lui cachait presque tout le visage. Il fit de la main un
signe à un camarade que le témoin ne vit pas, puis disparut dans les vignes.

La femme Pietri, ayant laissé son fardeau, monta le
sentier en courant, et trouva le colonel della Rebbia
10 baigné dans son sang, percé de deux coups de feu, mais
respirant encore. Près de lui était son fusil chargé et
armé, comme s'il s'était mis en défense contre une personne qui l'attaquait en face au moment où une autre le
frappait par derrière. Il râlait et se débattait contre la
15 mort, mais ne pouvait prononcer une parole, ce que les
médecins expliquèrent par la nature de ses blessures qui
avaient traversé le poumon. Le sang l'étouffait; il cou-
lait lentement et comme une mousse rouge. En vain la
femme Pietri le souleva et lui adressa quelques questions.
20 Elle voyait bien qu'il voulait parler, mais il ne pouvait
se faire comprendre. Ayant remarqué qu'il essayait de
porter la main à sa poche, elle s'empressa d'en retirer un
petit portefeuille qu'elle lui présenta ouvert. Le blessé
prit le crayon du portefeuille et chercha à écrire. De fait
25 le témoin le vit former avec peine plusieurs caractères;
mais, ne sachant pas lire, elle ne put en comprendre le
sens. Epuisé par cet effort, le colonel laissa le portefeuille dans la main de la femme Pietri, qu'il serra avec
force en la regardant d'un air singulier, comme s'il voulait
30 lui dire, ce sont les paroles du témoin: "C'est important,
c'est le nom de mon assassin!"

La femme Pietri montait au village lorsqu'elle rencontra

M. le maire Barricini avec son fils Vincentello. Alors il
était presque nuit. Elle conta ce qu'elle avait vu. Le
maire prit le portefeuille, et courut à la mairie ceindre son
écharpe et appeler son secrétaire et la gendarmerie. Restée seule avec le jeune Vincentello, Madeleine Pietri lui 5
proposa d'aller porter secours au colonel, dans le cas où
il serait encore vivant; mais Vincentello répondit que s'il
approchait d'un homme qui avait été l'ennemi acharné
de sa famille, on ne manquerait pas de l'accuser de l'avoir
tué. Peu après le maire arriva, trouva le colonel mort, 10
fit enlever le cadavre, et dressa procès-verbal.

Malgré son trouble, naturel dans cette occasion, M. Barricini s'était empressé de mettre sous les scellés le portefeuille du colonel, et de faire toutes les recherches en son
pouvoir; mais aucune n'amena de découverte importante. 15
Lorsque vint le juge d'instruction,[1] on ouvrit le portefeuille, et sur une page souillée de sang on vit quelques
lettres tracées par une main défaillante, bien lisibles pourtant. Il y avait écrit: *Agosti* ..., et le juge ne douta
pas que le colonel n'eût voulu désigner Agostini comme 20
son assassin. Cependant Colomba della Rebbia, appelée
par le juge, demanda à examiner le portefeuille. Après
l'avoir longtemps feuilleté, elle étendit la main vers le
maire et s'écria: "Voilà l'assassin!" Alors, avec une
précision et une clarté surprenantes dans le transport de 25
douleur où elle était plongée, elle raconta que son père,
ayant reçu peu de jours auparavant une lettre de son fils,
l'avait brûlée, mais qu'avant de le faire, il avait écrit au
crayon, sur son portefeuille, l'adresse d'Orso, qui venait
de changer de garnison. Or cette adresse ne se trouvait 30
plus dans le portefeuille, et Colomba concluait que le
maire avait arraché le feuillet où elle était écrite, qui

aurait été celui-là même sur lequel son père avait tracé le
nom du meurtrier; et à ce nom, le maire, au dire [1] de Colomba, aurait substitué celui d'Agostini.　Le juge vit en
effet qu'un feuillet manquait au cahier de papier sur le-
5 quel le nom était écrit; mais bientôt il remarqua que des
feuillets manquaient également dans les autres cahiers du
même portefeuille et des témoins déclarèrent que le colonel avait l'habitude de déchirer ainsi des pages de son
portefeuille lorsqu'il voulait allumer un cigare; rien de
10 plus probable donc qu'il eût brûlé par mégarde l'adresse
qu'il avait copiée.　En outre, on constata que le maire,
après avoir reçu le portefeuille de la femme Pietri, n'aurait pu lire à cause de l'obscurité; il fut prouvé qu'il ne
s'était pas arrêté un instant avant d'entrer à la mairie,
15 que le brigadier de gendarmerie l'y avait accompagné,
l'avait vu allumer une lampe, mettre le portefeuille dans
une enveloppe et le cacheter sous ses yeux.

　　Lorsque le brigadier eut terminé sa déposition, Colomba,
hors d'elle-même, se jeta à ses genoux et le supplia, par
20 tout ce qu'il avait de plus sacré, de déclarer s'il n'avait
pas laissé le maire seul un instant.　Le brigadier, après
quelque hésitation, visiblement ému par l'exaltation de la
jeune fille, avoua qu'il était allé chercher dans une pièce
voisine une feuille de grand papier,[2] mais qu'il n'était pas
25 resté une minute, et que le maire lui avait toujours parlé
tandis qu'il cherchait à tâtons [3] ce papier dans un tiroir.
Au reste, il attestait qu'à son retour le portefeuille sanglant était à la même place, sur la table où le maire l'avait
jeté en entrant.

30　　M. Barricini déposa avec le plus grand calme.　Il excusait, disait-il, l'emportement de mademoiselle della Rebbia, et voulait bien condescendre à se justifier.　Il prouva

qu'il était resté toute la soirée au village; que son fils
Vincentello était avec lui devant la mairie au moment du
crime; enfin que son fils Orlanduccio, pris de la fièvre ce
jour-là même, n'avait pas bougé de son lit. Il produisit
tous les fusils de sa maison, dont aucun n'avait fait feu 5
récemment. Il ajouta qu'à l'égard du portefeuille il en
avait tout de suite compris l'importance; qu'il l'avait mis
sous le scellé et l'avait déposé entre les mains de son adjoint, prévoyant qu'en raison de son inimitié avec le colonel il pourrait être soupçonné. Enfin il rappela qu'Agos- 10
tini avait menacé de mort celui qui avait écrit une lettre
en son nom, et insinua que ce misérable, ayant probablement soupçonné le colonel, l'avait assassiné. Dans les
mœurs des bandits, une pareille vengeance pour un motif
analogue n'est pas sans example.   15

Cinq jours après la mort du colonel della Rebbia, Agostini, surpris par un détachement de voltigeurs, fut tué, se
battant en désespéré. On trouva sur lui une lettre de
Colomba qui l'adjurait de déclarer s'il était ou non coupable du meurtre qu'on lui imputait. Le bandit n'ayant 20
point fait de réponse, on en conclut assez généralement
qu'il n'avait pas eu le courage de dire à une fille qu'il avait
tué son père. Toutefois, les personnes qui prétendaient
connaître bien le caractère d'Agostini, disaient tout bas
que, s'il eût tué le colonel, il s'en serait vanté. Un autre 25
bandit, connu sous le nom de Brandolaccio, remit à Colomba une déclaration dans laquelle il attestait *sur l'honneur* l'innocence de son camarade; mais la seule preuve
qu'il alléguait, c'était qu'Agostini ne lui avait jamais dit
qu'il soupçonnât le colonel.   30

Conclusion, les Barricini ne furent pas inquiétés; le juge
d'instruction combla le maire d'éloges et celui-ci couronna

sa belle conduite en se désistant de toutes ses prétentions
sur le ruisseau pour lequel il était en procès avec le colonel
della Rebbia.

Colomba improvisa, suivant l'usage du pays, une *bal-*
5 *lata* devant le cadavre de son père, en présence de ses
amis assemblés. Elle y exhala toute sa haine contre les
Barricini et les accusa formellement de l'assassinat, les
menaçant aussi de la vengeance de son frère. C'était
cette *ballata,* devenue très populaire, que le matelot chan-
10 tait devant miss Lydia. En apprenant la mort de son
père, Orso, alors dans le nord de la France, demanda un
congé, mais ne put l'obtenir. D'abord, sur une lettre de
sa sœur, il avait cru les Barricini coupables, mais bientôt
il reçut copie de toutes les pièces de l'instruction, et une
15 lettre particulière du juge lui donna à peu près la con-
viction que le bandit Agostini était le seul coupable.
Une fois tous les trois mois Colomba lui écrivait pour lui
répéter ses soupçons, qu'elle appelait des preuves. Malgré lui, ces accusations faisaient bouillonner son sang
20 corse, et parfois il n'était pas éloigné de partager les préjugés de sa sœur. Cependant, toutes les fois qu'il lui
écrivait, il lui répétait que ses allégations n'avaient aucun
fondement solide et ne méritaient aucune créance. Il lui
défendait même, mais toujours en vain, de lui en parler
25 davantage. Deux années se passèrent de la sorte, au bout
desquelles il fut mis en demi-solde, et alors il pensa à revoir son pays, non point pour se venger sur des gens qu'il
croyait innocents, mais pour marier [1] sa sœur et vendre
ses petites propriétés, si elles avaient assez de valeur pour
30 lui permettre de vivre sur le continent.

VII

Soit que l'arrivée de sa sœur eût rappelé à Orso avec plus de force le souvenir du toit paternel, soit qu'il souffrît un peu devant ses amis civilisés du costume et des manières sauvages de Colomba, il annonça dès le lendemain le projet de quitter Ajaccio et de retourner à Pietranera. Mais cependant il fit promettre au colonel de venir prendre un gîte dans son humble manoir,[1] lorsqu'il se rendrait à Bastia, et en revanche il s'engagea à lui faire tirer daims, faisans, sangliers et le reste.

La veille de son départ, au lieu d'aller à la chasse, Orso proposa une promenade au bord du golfe. Donnant le bras à miss Lydia, il pouvait causer en toute liberté, car Colomba était restée à la ville pour faire ses emplettes, et le colonel les quittait à chaque instant pour tirer des goélands et des fous,[2] à la grande surprise des passants qui ne comprenaient pas qu'on perdît sa poudre pour un pareil gibier.

Ils suivaient le chemin qui mène à la chapelle des Grecs,[3] d'où l'on a la plus belle vue de la baie; mais ils n'y faisaient aucune attention.

— Miss Lydia . . . dit Orso après un silence assez long pour être devenu embarrassant; franchement, que pensez-vous de ma sœur?

— Elle me plaît beaucoup, répondit miss Nevil. Plus que vous, ajouta-t-elle en souriant, car elle est vraiment Corse, et vous êtes un sauvage trop civilisé.

— Trop civilisé! . . . Eh bien! malgré moi, je me sens redevenir sauvage depuis que j'ai mis le pied dans cette île. Mille affreuses pensées m'agitent, me tourmentent, . . .

et j'avais besoin de causer un peu avec vous avant de m'enfoncer dans mon désert.

— Il faut avoir du courage, monsieur; voyez la résignation de votre sœur, elle vous donne l'exemple.

5 — Ah! détrompez-vous. Ne croyez pas à sa résignation. Elle ne m'a pas dit un seul mot encore, mais dans chacun de ses regards j'ai lu ce qu'elle attend de moi.

— Que veut-elle de vous enfin?

— Oh! rien, . . . seulement que j'essaye si le fusil de 10 monsieur votre père est aussi bon pour l'homme que pour la perdrix.

— Quelle idée! Et vous pouvez supposer cela! quand vous venez d'avouer qu'elle ne vous a encore rien dit. Mais c'est affreux de votre part.

15 — Si elle ne pensait pas à la vengeance, elle m'aurait tout d'abord parlé de notre père; elle n'en a rien fait.[1] Elle aurait prononcé le nom de ceux qu'elle regarde . . . à tort, je le sais, comme ses meurtriers. Eh bien! non, pas un mot. C'est que,[2] voyez-vous, nous autres Corses, 20 nous sommes une race rusée. Ma sœur comprend qu'elle ne me tient pas complètement en sa puissance, et ne veut pas m'effrayer, lorsque je puis m'échapper encore. Une fois qu'elle m'aura conduit au bord du précipice, lorsque la tête me tournera, elle me poussera dans l'abîme.

25 Alors Orso donna à miss Nevil quelques détails sur la mort de son père, et rapporta les principales preuves qui se réunissaient pour lui faire regarder Agostini comme le meurtrier.

— Rien, ajouta-t-il, n'a pu convaincre Colomba. Je 30 l'ai vu par sa dernière lettre. Elle a juré la mort des Barricini; et . . . miss Nevil, voyez quelle confiance j'ai en vous . . . peut-être ne seraient-ils plus de ce monde,

si, par un de ces préjugés qu'excuse son éducation sauvage,
elle ne se persuadait que l'exécution de la vengeance m'appartient en ma qualité de chef de famille, et que mon
honneur y est engagé.

— En vérité, monsieur della Rebbia, dit miss Nevil,
vous calomniez votre sœur.[1]

— Non, vous l'avez dit vous-même, . . . elle est Corse,
. . . elle pense ce qu'ils pensent tous.   Savez-vous pourquoi j'étais si triste hier ?

— Non, mais depuis quelque temps vous êtes sujet à
ces accès d'humeur noire.[2] . . . Vous étiez plus aimable
aux premiers jours de notre connaissance.

— Hier, au contraire, j'étais plus gai, plus heureux qu'à
l'ordinaire. Je vous avais vue si bonne, si indulgente
pour ma sœur! . . . Nous revenions, le colonel et moi, en
bateau. Savez-vous ce que me dit un des bateliers dans
son infernal patois: "Vous avez tué bien du gibier, Ors'
Anton', mais vous trouverez Orlanduccio Barricini plus
grand chasseur que vous."

— Eh bien! quoi de si terrible dans ces paroles ?   Avez-
vous donc tant de prétentions à être un adroit chasseur ?

— Mais vous ne voyez pas que ce misérable disait que
je n'aurais pas le courage de tuer Orlanduccio ?

— Savez-vous, monsieur della Rebbia, que vous me
faites peur.   Il paraît que l'air de votre île ne donne pas
seulement la fièvre, mais qu'il rend fou.   Heureusement
que nous allons bientôt la quitter.

— Pas avant d'avoir été à Pietranera. Vous l'avez
promis à ma sœur.

— Et si nous manquions à cette promesse, nous de-
vrions sans doute nous attendre à quelque vengeance ?

— Vous rappelez-vous ce que nous contait l'autre jour

monsieur votre père de ces Indiens qui menacent les
gouverneurs de la compagnie de se laisser mourir de faim
s'ils ne font droit [1] à leurs requêtes?

— C'est-à-dire que vous vous laisseriez mourir de faim?
J'en doute. Vous resteriez un jour sans manger, et puis
mademoiselle Colomba vous apporterait un *bruccio* [2] si
appétissant que vous renonceriez à votre projet.

— Vous êtes cruelle dans vos railleries, miss Nevil;
vous devriez me ménager. Voyez, je suis seul ici. Je
n'avais que vous pour m'empêcher de devenir fou,
comme vous dites; vous étiez mon ange gardien, et
maintenant . . .

— Maintenant, dit miss Lydia d'un ton sérieux, vous
avez, pour soutenir cette raison si facile à ébranler, votre
honneur d'homme et de militaire, et, . . . poursuivit-elle
en se détournant pour cueillir une fleur, si cela peut quelque chose [3] pour vous, le souvenir de votre ange gardien.

— Ah! miss Nevil, si je pouvais penser que vous prenez réellement quelque intérêt . . .

— Ecoutez, monsieur della Rebbia, dit miss Nevil un
peu émue, puisque vous êtes un enfant, je vous traiterai
en enfant. Lorsque j'étais petite fille, ma mère me donna
un beau collier que je désirais ardemment; mais elle me
dit: "Chaque fois que tu mettras ce collier, souviens-toi
que tu ne sais pas encore le français." Le collier perdit
à mes yeux un peu de son mérite. Il était devenu pour
moi comme un remords; mais je le portai, et je sus le
français. Voyez-vous cette bague? c'est un scarabée
égyptien [4] trouvé, s'il vous plaît, dans une pyramide.
Cette figure bizarre, que vous prenez peut-être pour une
bouteille, cela veut dire *la vie humaine*. Il y a dans mon
pays des gens qui trouveraient l'hiéroglyphe très bien ap-

proprié. Celui-ci, qui vient après, c'est un bouclier avec
un bras tenant une lance: cela veut dire *combat, bataille.*
Donc la réunion des deux caractères forme cette devise,
que je trouve assez belle: *La vie est un combat.* Ne vous
avisez pas de croire que je traduis les hiéroglyphes cou- 5
ramment; c'est un savant en *us*[1] qui m'a expliqué ceux-là.
Tenez, je vous donne mon scarabée. Quand vous aurez
quelque mauvaise pensée corse, regardez mon talisman et
dites-vous qu'il faut sortir vainqueur de la bataille que
nous livrent[2] les mauvaises passions. — Mais, en vérité, 10
je ne prêche pas mal.

— Je penserai à vous, miss Nevil, et je me dirai . . .

— Dites-vous que vous avez une amie qui serait déso-
lée . . . de . . . vous savoir pendu. Cela ferait d'ailleurs trop de peine à messieurs les caporaux vos ancêtres. 15

A ces mots, elle quitta en riant le bras d'Orso, et, courant
vers son père:

— Papa, dit-elle, laissez là ces pauvres oiseaux, et
venez avec nous faire de la poésie dans la grotte de
Napoléon.
20

VIII

Il y a toujours quelque chose de solennel dans un départ, même quand on se quitte pour peu de temps. Orso
devait partir avec sa sœur de très bon matin,[3] et la veille
au soir il avait pris congé de miss Lydia, car il n'espérait
pas qu'en sa faveur elle fît exception à ses habitudes de 25
paresse. Leurs adieux avaient été froids et graves. Depuis leur conversation au bord de la mer, miss Lydia
craignait d'avoir montré à Orso un intérêt peut-être trop
vif, et Orso, de son côté, avait sur le cœur ses railleries et
surtout son ton de légèreté. Un moment il avait cru 30

démêler dans les manières de la jeune Anglaise un sentiment d'affection naissante; maintenant, déconcerté par
ses plaisanteries, il se disait qu'il n'était à ses yeux qu'une
simple connaissance, qui bientôt serait oubliée. Grande
5 fut donc sa surprise lorsque le matin, assis à prendre du
café avec le colonel, il vit entrer miss Lydia suivie de sa
sœur. Elle s'était levée à cinq heures, et, pour une Anglaise, pour miss Nevil surtout, l'effort était assez grand
pour qu'il en tirât quelque vanité.

10 — Je suis désolé que vous vous soyez dérangée si matin,
dit Orso. C'est ma sœur sans doute qui vous aura réveillée malgré mes recommandations, et vous devez bien nous
maudire. Vous me souhaitez déjà *pendu* peut-être ?

— Non, dit miss Lydia fort bas et en italien, évidem-
15 ment pour que son père ne l'entendît pas. Mais vous
m'avez boudée hier pour mes innocentes plaisanteries, et
je ne voulais pas vous laisser emporter un souvenir mauvais de votre servante. Quelles terribles gens vous êtes,
vous autres Corses![1] Adieu donc; à bientôt, j'espère.

20 Et elle lui tendit la main.

Orso ne trouva qu'un soupir pour réponse. Colomba
s'approcha de lui, le mena dans l'embrasure d'une fenêtre,
et, en lui montrant quelque chose qu'elle tenait sous son
mezzaro, lui parla un moment à voix basse.

25 — Ma sœur, dit Orso à miss Nevil, veut vous faire un
singulier cadeau, mademoiselle; mais nous autres Corses,
nous n'avons pas grand'chose[2] à donner, . . . excepté
notre affection, . . . que le temps n'efface pas. Ma
sœur me dit que vous avez regardé avec curiosité ce sty-
30 let. C'est une antiquité dans la famille. Probablement
il pendait autrefois à la ceinture d'un de ces caporaux à
qui je dois l'honneur de votre connaissance. Colomba le

croit si précieux qu'elle m'a demandé ma permission pour
vous le donner, et moi je ne sais trop si je dois l'accorder,
car j'ai peur que vous ne vous moquiez de nous.

— Ce stylet est charmant, dit miss Lydia; mais c'est
une arme de famille; je ne puis l'accepter.   5

— Ce n'est pas le stylet de mon père, s'écria vivement
Colomba.   Il a été donné à un des grands parents de ma
mère par le roi Théodore.[1] Si mademoisclle l'accepte,
elle nous fera bien plaisir.

— Voyez, miss Lydia, dit Orso, ne dédaignez pas le   10
stylet d'un roi.

Pour un amateur, les reliques du roi Théodore sont infiniment plus précieuses que celles du plus puissant monarque.   La tentation était forte, et miss Lydia voyait
déjà l'effet que produirait cette arme posée sur une table   15
en laque dans son appartement de Saint-James's-place.

— Mais, dit-elle en prenant le stylet avec l'hésitation de
quelqu'un qui veut accepter, et adressant le plus aimable
de ses sourires à Colomba, chère mademoiselle Colomba,
. . . je ne puis, . . . je n'oserais vous laisser ainsi partir   20
désarmée.

— Mon frère est avec moi, dit Colomba d'un ton fier,
et nous avons le bon fusil que votre père nous a donné.
Orso, vous l'avez chargé à balle?

Miss Nevil garda le stylet, et Colomba, pour conjurer   25
le danger qu'on court à *donner* des armes coupantes ou
perçantes à ses amis, exigea un sou en payement.

Il fallut partir enfin. Orso serra encore une fois la
main de miss Nevil; Colomba l'embrassa, puis après vint
offrir ses lèvres de rose au colonel, tout émerveillé de la   30
politesse corse. De la fenêtre du salon, miss Lydia vit
le frère et la sœur monter à cheval. Les yeux de Colomba

brillaient d'une joie maligne qu'elle n'y avait point encore
remarquée. Cette grande et forte femme, fanatique de
ses idées d'honneur barbare, l'orgueil sur le front, les
lèvres courbées par un sourire sardonique, emmenant ce
5 jeune homme armé comme pour une expédition sinistre,
lui rappela les craintes d'Orso, et elle crut voir son mauvais génie l'entraînant à sa perte. Orso, déjà à cheval,
leva la tête et l'aperçut. Soit qu'il eût deviné sa pensée,
soit pour lui dire un dernier adieu, il prit l'anneau égyp-
10 tien, qu'il avait suspendu à un cordon, et le porta à ses
lèvres. Miss Lydia quitta la fenêtre en rougissant; puis,
s'y remettant presque aussitôt, elle vit les deux Corses
s'éloigner rapidement au galop de leurs petits poneys, se
dirigeant vers les montagnes. Une demi-heure après, le
15 colonel, au moyen de sa lunette, les lui montra longeant
le fond du golfe, et elle vit qu'Orso tournait fréquemment
la tête vers la ville. Il disparut enfin derrière les maré-
cages remplacés aujourd'hui par une belle pépinière.

Miss Lydia, en se regardant dans sa glace, se trouva
20 pâle.

— Que doit penser de moi ce jeune homme ? dit-elle,
et moi que pensé-je de lui ? et pourquoi y pensé-je ? . . .
Une connaissance de voyage! . . . Que suis-je venue
faire en Corse ? . . . Oh! je ne l'aime point . . . Non,
25 non; d'ailleurs cela est impossible . . . Et Colomba . . .
Moi la belle-sœur d'une voceratrice! qui porte un grand
stylet!" Et elle s'aperçut qu'elle tenait à la main celui
du roi Théodore. Elle le jeta sur sa toilette. "Colomba
à Londres, dansant à Almack's! . . . Quel *lion*, grand
30 Dieu! à montrer! . . . C'est qu'elle ferait fureur [1] peut-
être . . . Il m'aime, j'en suis sûre . . . C'est un héros
de roman dont j'ai interrompu la carrière aventureuse.

. . . Mais avait-il réellement envie de venger son père à la corse? . . . C'était quelque chose entre un Conrad et un dandy.[1] . . . J'en ai fait un pur dandy, et un dandy qui a un tailleur corse! . . ."

Elle se jeta sur son lit et voulut dormir, mais cela lui 5 fut impossible; et je n'entreprendrai pas de continuer son monologue, dans lequel elle se dit plus de cent fois que M. della Rebbia n'avait été, n'était et ne serait jamais rien pour elle.

IX

Cependant Orso cheminait avec sa sœur. Le mouve- 10 ment rapide de leurs chevaux les empêcha d'abord de se parler; mais, lorsque les montées trop rudes les obli- geaient d'aller au pas, ils échangeaient quelques mots sur les amis qu'ils venaient de quitter. Colomba parlait avec enthousiasme de la beauté de miss Nevil, de ses blonds 15 cheveux, de ses gracieuses manières. Puis elle demandait si le colonel était aussi riche qu'il le paraissait, si made- moiselle Lydia était fille unique.

— Ce doit être un bon parti, disait-elle. Son père a, comme il semble, beaucoup d'amitié pour vous. . . . 20

Et, comme Orso ne répondait rien, elle continuait:

— Notre famille a été riche autrefois, elle est encore des plus considérées de l'île. Tous ces *signori*[2] sont des bâtards. Il n'y a plus de noblesse que dans les familles caporales, et vous savez, Orso, que vous descendez des premiers capo- 25 raux de l'île. Vous savez que notre famille est originaire d'au delà des monts,[3] et ce sont les guerres civiles qui nous ont obligés à passer de ce côté-ci. Si j'étais à votre place, Orso, je n'hésiterais pas, je demanderais miss Nevil à son père. . . . (Orso levait les épaules.[4]) De sa dot 30

j'achèterais les bois de la Falsetta et les vignes en bas de
chez nous; je bâtirais une belle maison en pierres de
taille,[1] et j'élèverais d'un étage la vieille tour où Sambucuccio [2] a tué tant de Maures au temps du comte Henri
5 le *bel Missere*.[3]

— Colomba, tu es une folle, répondait Orso en galopant.

— Vous êtes homme, Ors' Anton', et vous savez sans
doute mieux qu'une femme ce que vous avez à faire.
Mais je voudrais bien savoir ce que cet Anglais pourrait
10 objecter contre notre alliance. Y a-t-il des caporaux en
Angleterre ? . . .

Après une assez longue traite,[4] devisant de la sorte,[5] le
frère et la sœur arrivèrent à un petit village, non loin de
Bocognano, où ils s'arrêtèrent pour dîner et passer la nuit
15 chez un ami de leur famille. Ils y furent reçus avec cette
hospitalité corse qu'on ne peut apprécier que lorsqu'on
l'a connue. Le lendemain, leur hôte, qui avait été compère [6] de madame della Rebbia, les accompagna jusqu'à
une lieue de sa demeure.

20 — Voyez-vous ces bois et ces maquis,[7] dit-il à Orso au
moment de se séparer: un homme qui aurait *fait un malheur* [8] y vivrait dix ans en paix sans que gendarmes ou
voltigeurs vinssent le chercher. Ces bois touchent à la
forêt de Vizzavona; et, lorsqu'on a des amis à Bocognano
25 ou aux environs, on n'y manque de rien. Vous avez là un
beau fusil, il doit porter loin. Sang de la Madone! quel
calibre! On peut tuer avec cela mieux que des sangliers.

Orso répondit froidement que son fusil était anglais et
portait *le plomb* très loin. On s'embrassa, et chacun con-
30 tinua sa route.

Déjà nos voyageurs n'étaient plus qu'à une petite distance de Pietranera, lorsque, à l'entrée d'une gorge qu'il

fallait traverser, ils découvrirent sept ou huit hommes armés de fusils, les uns assis sur des pierres, les autres couchés sur l'herbe, quelques-uns debout et semblant faire le guet. Leurs chevaux paissaient à peu de distance. Colomba les examina un instant avec une lunette d'approche, qu'elle tira d'une des grandes poches de cuir que tous les Corses portent en voyage.

— Ce sont nos gens! s'écria-t-elle d'un air joyeux. Pieruccio a bien fait sa commission.

— Quelles gens? demanda Orso.

— Nos bergers, répondit-elle. Avant-hier soir, j'ai fait partir Pieruccio, afin qu'il réunît ces braves gens pour vous accompagner à votre maison. Il ne convient pas que vous entriez à Pietranera sans escorte, et vous devez savoir d'ailleurs que les Barricini sont capables de tout.

— Colomba, dit Orso d'un ton sévère, je t'avais priée bien des fois de ne plus me parler des Barricini ni de tes soupçons sans fondement. Je ne me donnerai certainement pas le ridicule de rentrer chez moi avec cette troupe de fainéants, et je suis très mécontent que tu les aies rassemblés sans m'en prévenir.

— Mon frère, vous avez oublié votre pays. C'est à moi qu'il appartient de vous garder lorsque votre imprudence vous expose. J'ai dû faire ce que j'ai fait.

En ce moment, les bergers, les ayant aperçus, coururent à leurs chevaux et descendirent au galop à leur rencontre.

— Evviva Ors' Anton'! s'écria un vieillard robuste à barbe blanche, couvert, malgré la chaleur, d'une casaque à capuchon, de drap corse, plus épais que la toison de ses chèvres. C'est le vrai portrait de son père, seulement plus grand et plus fort. Quel beau fusil! On en parlera de ce fusil, Ors' Anton'.

— Evviva Ors' Anton'! répétèrent en chœur tous les bergers. Nous savions bien qu'il reviendrait à la fin!

— Ah! Ors' Anton', disait un grand gaillard au teint couleur de brique, que votre père aurait de joie s'il était 5 ici pour vous recevoir! Le cher homme! vous le verriez, s'il avait voulu me croire, s'il m'avait laissé faire l'affaire de Giudice.¹ . . . Le brave homme! il ne m'a pas cru; il sait bien maintenant que j'avais raison.

— Bon! reprit le vieillard, Giudice ne perdra rien pour 10 attendre.

— Evviva Ors' Anton'!

Et une douzaine de coups de fusil accompagnèrent cette acclamation.

Orso, de très mauvaise humeur au centre de ce groupe 15 d'hommes à cheval parlant tous ensemble et se pressant pour lui donner la main, demeura quelque temps sans pouvoir se faire entendre. Enfin, prenant l'air qu'il avait en tête de son peloton lorsqu'il lui distribuait les réprimandes et les jours de salle de police:²

20 — Mes amis, dit-il, je vous remercie de l'affection que vous me montrez, de celle que vous portiez à mon père; mais j'entends, je veux, que personne ne me donne de conseils. Je sais ce que j'ai à faire.

— Il a raison, il a raison! s'écrièrent les bergers. Vous 25 savez bien que vous pouvez compter sur nous.

— Oui, j'y compte: mais je n'ai besoin de personne maintenant, et nul danger ne menace ma maison. Commencez par faire demi-tour, et allez-vous-en à vos chèvres. Je sais le chemin de Pietranera, et je n'ai pas besoin de guides.

30 — N'ayez peur de rien, Ors' Anton', dit le vieillard; *ils* n'oseraient se montrer aujourd'hui. La souris rentre dans son trou lorsque revient le matou.

— Matou toi-même, vieille barbe blanche! dit Orso.
Comment t'appelles-tu?

— Eh quoi! vous ne me connaissez pas, Ors' Anton',
moi qui vous ai porté en croupe si souvent sur mon mulet
qui mord? Vous ne connaissez pas Polo Griffo? Brave 5
homme, voyez-vous, qui est aux della Rebbia corps et
âme. Dites un mot, et quand votre gros fusil parlera,
ce vieux mousquet, vieux comme son maître, ne se taira
pas. Comptez-y, Ors' Anton'.

— Bien, bien; mais, de par tous les diables![1] allez- 10
vous-en et laissez-nous continuer notre route.

Les bergers s'éloignèrent enfin, se dirigeant au grand
trot vers le village; mais de temps en temps ils s'arrêtaient
sur tous les points élevés de la route, comme pour examiner
s'il n'y avait point quelque ambuscade cachée, et toujours 15
ils se tenaient assez rapprochés d'Orso et de sa sœur pour
être en mesure de leur porter secours au besoin. Et le
vieux Polo Griffo disait à ses compagnons:

— Je le comprends! Je le comprends! Il ne dit pas
ce qu'il veut faire, mais il le fait. C'est le vrai portrait de 20
son père. Bien! dis que tu n'en veux à personne! tu as
fait un vœu à sainte Nega.[2] Bravo! Moi je ne donnerais
pas une figue de la peau du maire. Avant un mois on n'en
pourra pas faire une outre.[3]

Ainsi précédé par cette troupe d'éclaireurs, le descen- 25
dant des della Rebbia entra dans son village et gagna le
vieux manoir des caporaux, ses aïeux. Les rebbianistes,
longtemps privés de chef, s'étaient portés en masse à sa
rencontre, et les habitants du village, qui observaient la
neutralité, étaient tous sur le pas de leurs portes pour le 30
voir passer. Les barricinistes se tenaient dans leurs maisons et regardaient par les fentes de leurs volets.

C

Le bourg de Pietranera est très irrégulièrement bâti,
comme tous les villages de la Corse; car, pour voir une
rue, il faut aller à Cargese,[1] bâti par M. de Marbœuf.[2]
Les maisons, dispersées au hazard et sans le moindre
5 alignement, occupent le sommet d'un petit plateau, ou
plutôt d'un palier de la montagne.   Vers le milieu du bourg
s'élève un grand chêne vert, et auprès on voit une auge
en granit où un tuyau en bois apporte l'eau d'une source
voisine.   Ce monument d'utilité publique fut construit à
10 frais communs par les della Rebbia et les Barricini; mais
on se tromperait fort si l'on y cherchait un indice de
l'ancienne concorde des deux familles.   Au contraire, c'est
une œuvre de leur jalousie.   Autrefois, le colonel della
Rebbia ayant envoyé au conseil municipal de sa commune
15 une petite somme pour contribuer à l'érection d'une fontaine, l'avocat Barricini se hâta d'offrir un don semblable, et c'est à ce combat de générosité que Pietranera
doit son eau.   Autour du chêne vert et de la fontaine, il
y a un espace vide qu'on appelle la place, et où les oisifs
20 se rassemblent le soir.   Quelquefois on y joue aux cartes,
et, une fois l'an, dans le carnaval, on y danse.   Aux deux
extrémités de la place s'élèvent des bâtiments plus hauts
que larges, construits en granit et en schiste.   Ce sont *les
tours* ennemies des della Rebbia et des Barricini.   Leur
25 architecture est uniforme, leur hauteur est la même, et
l'on voit que la rivalité des deux familles s'est toujours
maintenue sans que la fortune décidât entre elles.

Il est peut-être à propos d'expliquer ce qu'il faut entendre par ce mot *tour*.   C'est un bâtiment carré d'en-
30 viron quarante pieds de haut, qu'en un autre pays on
nommerait tout bonnement un colombier.   La porte,
étroite, s'ouvre à huit pieds du sol, et l'on y arrive par un

escalier fort roide. Au-dessus de la porte est une fenêtre
avec une espèce de balcon percé en dessous comme un
mâchecoulis, qui permet d'assommer sans risque un visiteur indiscret. Entre la fenêtre et la porte, on voit deux
écussons grossièrement sculptés. L'un portait autrefois 5
la croix de Gênes; mais, tout martelé aujourd'hui, il n'est
plus intelligible que pour les antiquaires. Sur l'autre
écusson sont sculptées les armoiries de la famille qui pos-
sède la tour. Ajoutez, pour compléter la décoration,
quelques traces de balles sur les écussons et les cham- 10
branles de la fenêtre, et vous pouvez vous faire une idée
d'un manoir du moyen âge en Corse. J'oubliais de dire
que les bâtiments d'habitation touchent à la tour, et souvent s'y rattachent par une communication intérieure.

La tour et la maison des della Rebbia occupent le côté 15
nord de la place de Pietranera; la tour et la maison des
Barricini, le côté sud. De la tour du nord jusqu'à la fontaine, c'est la promenade des della Rebbia, celle des Barricini est du côté opposé. Depuis l'enterrement de la
femme du colonel, on n'avait jamais vu un membre de 20
l'une de ces deux familles paraître sur un autre côté de la
place que celui qui lui était assigné par une espèce de convention tacite. Pour éviter un détour, Orso allait passer
devant la maison du maire, lorsque sa sœur l'avertit et
l'engagea à prendre une ruelle qui les conduirait à leur 25
maison sans traverser la place.

— Pourquoi se déranger? dit Orso; la place n'est-elle
pas à tout le monde? Et il poussa son cheval.

— Brave cœur! dit tout bas Colomba. . . . Mon père,
tu seras vengé!
                                                              30

En arrivant sur la place, Colomba se plaça entre la
maison des Barricini et son frère, et toujours elle eut

l'œil fixé sur les fenêtres de ses ennemis. Elle remarqua
qu'elles étaient barricadées depuis peu, et qu'on y avait
pratiqué des *archere*. On appelle *archere* d'étroites ouver-
tures en forme de meurtrières, ménagées entre de grosses
5 bûches[1] avec lesquelles on bouche la partie inférieure
d'une fenêtre. Lorsqu'on craint quelque attaque, on se
barricade de la sorte, et l'on peut, à l'abri des bûches, tirer
à couvert[2] sur les assaillants.

—Les lâches! dit Colomba. Voyez, mon frère, déjà ils
10 commencent à se garder; ils se barricadent! mais il faudra bien sortir un jour!

La présence d'Orso sur le côté sud de la place produisit
une grande sensation à Pietranera, et fut considérée comme
une preuve d'audace approchant de la témérité. Pour les
15 neutres rassemblés le soir autour du chêne vert, ce fut le
texte de commentaires sans fin.

—Il est heureux, disait-on, que les fils Barricini ne
soient pas encore revenus, car ils sont moins endurants que
l'avocat, et peut-être n'eussent-ils point laissé passer leur
20 ennemi sur leur terrain sans lui faire payer la bravade.

—Souvenez-vous de ce que je vais vous dire, voisin,
ajouta un vieillard qui était l'oracle du bourg. J'ai ob-
servé la figure de la Colomba aujourd'hui, elle a quelque
chose dans la tête. Je sens de la poudre en l'air. Avant
25 peu, il y aura de la viande de boucherie à bon marché dans
Pietranera.

X

Séparé fort jeune de son père, Orso n'avait guère eu le
temps de le connaître. Il avait quitté Pietranera à quinze
ans pour étudier à Pise, et de là était entré à l'Ecole mili-
30 taire pendant que Ghilfuccio promenait en Europe les

aigles impériales. Sur le continent, Orso l'avait vu à de rares intervalles, et en 1815 seulement il s'était trouvé dans le régiment que son père commandait. Mais le colonel, inflexible sur la discipline, traitait son fils comme tous les autres jeunes lieutenants, c'est-à-dire avec beaucoup de sévérité. Les souvenirs qu'Orso en avait conservés étaient de deux sortes. Il se le rappelait à Pietranera, lui confiant son sabre, lui laissant décharger son fusil quand il revenait de la chasse, ou le faisant asseoir pour la première fois, lui bambin,[1] à la table de famille. Puis il se représentait le colonel della Rebbia l'envoyant aux arrêts[2] pour quelque étourderie, et ne l'appelant jamais que lieutenant della Rebbia:

— Lieutenant della Rebbia, vous n'êtes pas à votre place de bataille, trois jours d'arrêts. — Vos tirailleurs sont à cinq mètres trop loin de la réserve, cinq jours d'arrêts. — Vous êtes en bonnet de police[3] à midi cinq minutes, huit jours d'arrêts.

Une seule fois, aux Quatre-Bras,[4] il lui avait dit:

— Très bien, Orso; mais de la prudence.

Au reste, ces derniers souvenirs n'étaient point ceux que lui rappelait Pietranera. La vue des lieux familiers à son enfance, les meubles dont se servait sa mère, qu'il avait tendrement aimée, excitaient en son âme une foule d'émotions douces et pénibles; puis, l'avenir sombre qui se préparait pour lui, l'inquiétude vague que sa sœur lui inspirait, et par-dessus tout, l'idée que miss Nevil allait venir dans sa maison, qui lui paraissait aujourd'hui si petite, si pauvre, si peu convenable pour une personne habituée au luxe, le mépris qu'elle en concevrait peut-être, toutes ces pensées formaient un chaos dans sa tête et lui inspiraient un profond découragement.

Il s'assit, pour souper, dans un grand fauteuil de chêne noirci, où son père présidait les repas de famille, et sourit en voyant Colomba hésiter[1] à se mettre à table avec lui. Il lui sut bon gré[2] d'ailleurs du silence qu'elle observa pendant le souper et de la prompte retraite qu'elle fit ensuite, car il se sentait trop ému pour résister aux attaques qu'elle lui préparait sans doute; mais Colomba le ménageait et voulait lui laisser le temps de se reconnaître. La tête appuyée sur sa main, il demeura longtemps immobile, repassant dans son esprit les scènes des quinze derniers jours qu'il avait vécu. Il voyait avec effroi cette attente où chacun semblait être de sa conduite à l'égard des Barricini. Déjà il s'apercevait que l'opinion de Pietranera commençait à être pour lui celle du monde. Il devait se venger sous peine de passer pour un lâche. Mais sur qui se venger? Il ne pouvait croire les Barricini coupables de meurtre. A la vérité ils étaient les ennemis de sa famille, mais il fallait les préjugés grossiers de ses compatriotes pour leur attribuer un assassinat. Quelquefois il considérait le talisman de miss Nevil, et en répétait tout bas la devise: "La vie est un combat!" Enfin il se dit d'un ton ferme: "J'en sortirai vainqueur!" Sur cette bonne pensée il se leva, et, prenant la lampe, il allait monter dans sa chambre, lorsqu'on frappa à la porte de la maison. L'heure était indue pour recevoir une visite. Colomba parut aussitôt, suivie de la femme qui les servait.

— Ce n'est rien, dit-elle en courant à la porte.

Cependant, avant d'ouvrir, elle demanda qui frappait. Une voix douce répondit:

— C'est moi.

Aussitôt la barre de bois placée en travers de la porte fut enlevée, et Colomba reparut dans la salle à manger sui-

vie d'une petite fille de dix ans à peu près, pieds nus, en
haillons, la tête couverte d'un mauvais mouchoir, de dessous lequel s'échappaient de longues mèches de cheveux
noirs comme l'aile d'un corbeau. L'enfant était maigre,
pâle, la peau brûlée par le soleil; mais dans ses yeux bril- 5
lait le feu de l'intelligence. En voyant Orso, elle s'arrêta
timidement et lui fit une révérence à la paysanne; [1] puis
elle parla bas à Colomba, et lui mit entre les mains un
faisan nouvellement tué.

— Merci, Chili, dit Colomba. Remercie ton oncle. Il 10
se porte bien?

Fort bien, mademoiselle, à vous servir. Je n'ai pu
venir plus tôt parce qu'il a bien tardé. Je suis restée trois
heures dans le maquis à l'attendre.

— Et tu n'as pas soupé? 15

— Dame! non, mademoiselle, je n'ai pas eu le temps.

— On va te donner à souper. Ton oncle a-t-il du pain
encore?

— Peu, mademoiselle; mais c'est de la poudre surtout
qui lui manque. Voilà les châtaignes venues,[2] et main- 20
tenant il n'a plus besoin que de poudre.

— Je vais te donner un pain pour lui et de la poudre.
Dis-lui qu'il la ménage, elle est chère.

— Colomba, dit Orso en français, à qui donc fais-tu
ainsi la charité? 25

— A un pauvre bandit de ce village, répondit Colomba
dans la même langue. Cette petite est sa nièce.

— Il me semble que tu pourrais mieux placer tes dons.
Pourquoi envoyer de la poudre à un coquin qui s'en ser-
vira pour commettre des crimes? Sans cette déplorable 30
faiblesse que tout le monde paraît avoir ici pour les bandits, il y a longtemps qu'ils auraient disparu de la Corse.

— Les plus méchants de notre pays ne sont pas ceux qui sont à la campagne.[1]

— Donne-leur du pain si tu veux, on n'en doit refuser à personne; mais je n'entends pas qu'on leur fournisse des munitions.

— Mon frère, dit Colomba d'un ton grave, vous êtes le maître ici, et tout vous appartient dans cette maison; mais, je vous en préviens, je donnerai mon mezzaro à cette petite fille pour qu'elle le vende, plutôt que de refuser de la poudre à un bandit. Lui refuser de la poudre! mais autant vaut le livrer aux gendarmes. Quelle protection a-t-il contre eux, sinon ses cartouches?

La petite fille cependant dévorait avec avidité un morceau de pain, et regardait attentivement tour à tour Colomba et son frère, cherchant à comprendre dans leurs yeux le sens de ce qu'ils disaient.

— Et qu'a-t-il fait enfin ton bandit? Pour quel crime s'est-il jeté dans le maquis?

— Brandolaccio n'a point commis de crime, s'écria Colomba. Il a tué Giovan' Opizzo, qui avait assassiné son père pendant que lui était à l'armée.

Orso détourna la tête, prit la lampe, et, sans répondre, monta dans sa chambre. Alors Colomba donna poudre et provisions à l'enfant, et la reconduisit jusqu'à la porte en lui répétant:

— Surtout que ton oncle veille bien sur Orso!

XI

Orso fut longtemps à s'endormir, et par conséquent s'éveilla tard, du moins pour un Corse. A peine levé, le premier objet qui frappa ses yeux, ce fut la maison de ses ennemis et les *archere* qu'ils venaient d'y établir. Il descendit et demanda sa sœur.

— Elle est à la cuisine qui fond des balles,[1] lui répondit la servante Saveria.

Ainsi, il ne pouvait faire un pas sans être poursuivi par l'image de la guerre.

Il trouva Colomba assise sur un escabeau, entourée de balles nouvellement fondues, coupant les jets de plomb.[2]

— Que diable fais-tu là ? lui demanda son frère.

— Vous n'aviez point de balles pour le fusil du colonel, répondit-elle de sa voix douce; j'ai trouvé un moule de calibre,[3] et vous aurez aujourd'hui vingt-quatre cartouches, mon frère.

— Je n'en ai pas besoin, Dieu merci !

— Il ne faut pas être pris au dépourvu, Ors' Anton'. Vous avez oublié votre pays et les gens qui vous entourent.

— Je l'aurais oublié que tu me le rappellerais bien vite.[4] Dis-moi, n'est-il pas arrivé une grosse malle il y a quelques jours ?

— Oui, mon frère. Voulez-vous que je la monte dans votre chambre ?

— Toi la monter ! mais tu n'aurais jamais la force de la soulever. . . . N'y a-t-il pas ici quelque homme pour le faire ?

— Je ne suis pas si faible que vous le pensez, dit Colomba, en retroussant ses manches et découvrant un bras blanc et rond, parfaitement formé, mais qui annonçait une force peu commune. Allons, Saveria, dit-elle à la servante, aide-moi.

Déjà elle enlevait seule la lourde malle, quand Orso s'empressa de l'aider.

— Il y a dans cette malle, ma chère Colomba, dit-il,

quelque chose pour toi. Tu m'excuseras si je te fais de si
pauvres cadeaux, mais la bourse d'un lieutenant en demi-
solde n'est pas trop bien garnie.

En parlant, il ouvrait la malle et en retirait quelques
5 robes, un châle et d'autres objets à l'usage d'une jeune
personne.

— Que de belles choses! s'écria Colomba. Je vais bien
vite les serrer de peur qu'elles ne se gâtent. Je les gar-
derai pour ma noce, ajouta-t-elle avec un sourire triste,
10 car maintenant je suis en deuil.

Et elle baisa la main de son frère.

— Il y a de l'affectation, ma sœur, à garder le deuil si
longtemps.

— Je l'ai juré, dit Colomba d'un ton ferme. Je ne
15 quitterai le deuil . . .

Et elle regardait par la fenêtre la maison des Barricini.

— Que le jour où tu te marieras? dit Orso cherchant à
éviter la fin de la phrase.

— Je ne me marierai, dit Colomba, qu'à un homme qui
20 aura fait trois choses. . . .

Et elle contemplait toujours d'un air sinistre la maison
ennemie.

— Jolie comme tu es, Colomba, je m'étonne que tu ne
sois pas déjà mariée. Allons, tu me diras qui te fait la
25 cour. D'ailleurs j'entendrai bien les sérénades. Il faut
qu'elles soient belles pour plaire à une grande voceratrice
comme toi.

— Qui voudrait d'une pauvre orpheline! . . . Et puis
l'homme qui me fera quitter mes habits de deuil fera
30 prendre le deuil aux femmes de là-bas.

— Cela devient de la folie, se dit Orso.

Mais il ne répondit rien pour éviter toute discussion.

— Mon frère, dit Colomba d'un ton de câlinerie, j'ai aussi quelque chose à vous offrir. Les habits que vous avez là sont trop beaux pour ce pays-ci. Votre jolie redingote serait en pièces au bout de deux jours si vous la portiez dans le maquis. Il faut la garder pour quand 5 viendra miss Nevil.

Puis, ouvrant une armoire, elle en tira un costume complet de chasseur.

— Je vous ai fait une veste de velours, et voici un bonnet comme en portent nos élégants; je l'ai brodé pour 10 vous il y a bien longtemps. Voulez-vous essayer cela ?

Et elle lui faisait endosser une large veste de velours vert ayant dans le dos une énorme poche. Elle lui mettait sur la tête un bonnet pointu de velours noir brodé en jais et en soie de la même couleur, et terminé par une 15 espèce de houppe.

— Voici la cartouchière[1] de notre père, dit-elle, son stylet est dans la poche de votre veste. Je vais vous chercher le pistolet.

— J'ai l'air d'un vrai brigand de l'Ambigu-Comique,[2] 20 disait Orso en se regardant dans un petit miroir que lui présentait Saveria.

— C'est que vous avez tout à fait bonne façon comme cela,[3] Ors' Anton', disait la vieille servante, et le plus beau *pointu*[4] de Bocognano ou de Bastelica n'est pas plus 25 brave![5]

Orso déjeuna dans son nouveau costume, et pendant le repas il dit à sa sœur que sa malle contenait un certain nombre de livres; que son intention était d'en faire venir de France et d'Italie, et de la faire travailler beaucoup. 30

— Car il est honteux, Colomba, ajouta-t-il, qu'une grande fille comme toi ne sache pas encore des choses que, sur le continent, les enfants apprennent en sortant de nourrice.

— Vous avez raison, mon frère, disait Colomba; je sais bien ce qui me manque, et je ne demande pas mieux que d'étudier, surtout si vous voulez bien me donner des leçons.

Quelques jours se passèrent sans que Colomba prononçât le nom des Barricini. Elle était toujours aux petits soins pour son frère,¹ et lui parlait souvent de miss Nevil. Orso lui faisait lire des ouvrages français et italiens, et il était surpris tantôt de la justesse et du bon sens de ses observations, tantôt de son ignorance profonde des choses les plus vulgaires.

Un matin, après déjeuner, Colomba sortit un instant, et, au lieu de revenir avec un livre et du papier, parut avec son mezzaro sur la tête. Son air était plus sérieux encore que de coutume.

— Mon frère, dit-elle, je vous prierai de sortir avec moi.

— Où veux-tu que je t'accompagne? dit Orso en lui offrant son bras.

— Je n'ai pas besoin de votre bras, mon frère, mais prenez votre fusil et votre boîte à cartouches. Un homme ne doit jamais sortir sans ses armes.

— A la bonne heure! Il faut se conformer à la mode. Où allons-nous?

Colomba, sans répondre, serra le mezzaro autour de sa tête, appela le chien de garde, et sortit suivie de son frère. S'éloignant à grands pas² du village, elle prit un chemin creux qui serpentait dans les vignes, après avoir envoyé devant elle le chien, à qui elle fit un signe qu'il semblait bien connaître; car aussitôt il se mit à courir en zigzag, passant dans les vignes, tantôt d'un côté, tantôt de l'autre, toujours à cinquante pas de sa maîtresse, et quelquefois s'arrêtant au milieu du chemin pour la regarder en remuant la queue. Il paraissait s'acquitter parfaitement de ses fonctions d'éclaireur.

— Si Muschetto aboie, dit Colomba, armez votre fusil, 5 mon frère, et tenez-vous immobile.

A un demi-mille du village, après bien des détours, Colomba s'arrêta tout à coup dans un endroit où le chemin faisait un coude.[1] Là s'élevait une petite pyramide de branchages, les uns verts, les autres desséchés, amoncelés 10 à la hauteur de trois pieds environ. Du sommet on voyait percer l'extrémité d'une croix de bois peinte en noir. Dans plusieurs cantons de la Corse, surtout dans les montagnes, un usage extrêmement ancien, et qui se rattache peut-être à des superstitions du paganisme, oblige 15 les passants à jeter une pierre ou un rameau d'arbre sur le lieu où un homme a péri de mort violente. Pendant de longues années, aussi longtemps que le souvenir de sa fin tragique demeure dans la mémoire des hommes, cette offrande singulière s'accumule ainsi de jour en jour. On 20 appelle cela l'*amas*, le *mucchio* d'un tel.[2]

Colomba s'arrêta devant ce tas de feuillage, et, arrachant une branche d'arbousier, l'ajouta à la pyramide.

— Orso, dit-elle, c'est ici que notre père est mort. Prions pour son âme, mon frère! 25

Et elle se mit à genoux. Orso l'imita aussitôt. En ce moment la cloche du village tinta lentement, car un homme était mort dans la nuit. Orso fondit en larmes.

Au bout de quelques minutes, Colomba se leva, l'œil sec, mais la figure animée. Elle fit du pouce à la hâte 30 le signe de croix familier à ses compatriotes et qui accompagne d'ordinaire leurs serments solennels; puis,

entraînant son frère, elle reprit le chemin du village. Ils
rentrèrent en silence dans leur maison. Orso monta dans
sa chambre. Un instant après, Colomba l'y suivit, portant une petite cassette qu'elle posa sur la table. Elle
5 l'ouvrit et en tira une chemise couverte de larges taches
de sang.

— Voici la chemise de votre père, Orso.

Et elle la jeta sur ses genoux.

— Voici le plomb qui l'a frappé.

10 Et elle posa sur la chemise deux balles oxydées.

— Orso, mon frère! cria-t-elle en se précipitant dans
ses bras et l'étreignant avec force, Orso! tu le vengeras!

Elle l'embrassa avec une espèce de fureur, baisa les
balles et la chemise, et sortit de la chambre, laissant son
15 frère comme pétrifié sur sa chaise.

Orso resta quelque temps immobile, n'osant éloigner de
lui ces épouvantables reliques. Enfin, faisant un effort,
il les remit dans la cassette et courut à l'autre bout de la
chambre se jeter sur son lit, la tête tournée vers la muraille,
20 enfoncée dans l'oreiller, comme s'il eût voulu se dérober
à la vue d'un spectre. Les dernières paroles de sa sœur
retentissaient sans cesse dans ses oreilles, et il lui semblait
entendre un oracle fatal, inévitable, qui lui demandait du
sang innocent. Je n'essayerai pas de rendre les sensa-
25 tions du malheureux jeune homme, aussi confuses que
celles qui bouleversent la tête d'un fou. Longtemps il
demeura dans la même position, sans oser détourner la
tête. Enfin il se leva, ferma la cassette, et sortit précipitamment de sa maison, courant la campagne et mar-
30 chant devant lui sans savoir où il allait.

Peu à peu, le grand air le soulagea;[1] il devint plus
calme et examina avec quelque sang-froid sa position et

les moyens d'en sortir. Il ne soupçonnait point les Barricini de meurtre, on le sait déjà; mais il les accusait d'avoir supposé la lettre du bandit Agostini; et cette lettre, il le croyait du moins, avait causé la mort de son père. Les poursuivre comme faussaires, il sentait que 5 cela était impossible. Parfois, si les préjugés ou les instincts de son pays revenaient l'assaillir et lui montraient une vengeance facile au détour d'un sentier, il les écartait avec horreur en pensant à ses camarades de régiment, aux salons de Paris, surtout à miss Nevil. Puis il songeait 10 aux reproches de sa sœur, et ce qui restait de corse dans son caractère justifiait ces reproches et les rendait plus poignants. Un seul espoir lui restait dans ce combat entre sa conscience et ses préjugés, c'était d'entamer, sous un prétexte quelconque, une querelle avec un des fils 15 de l'avocat et de se battre en duel avec lui. Le tuer d'une balle ou d'un coup d'épée conciliait ses idées corses et ses idées françaises. L'expédient accepté, et méditant les moyens d'exécution, il se sentait déjà soulagé d'un grand poids, lorsque d'autres pensées plus douces con- 20 tribuèrent encore à calmer son agitation fébrile. Cicéron, désespéré de la mort de sa fille Tullia, oublia sa douleur en repassant dans son esprit toutes les belles choses qu'il pourrait dire à ce sujet. En discourant de la sorte, M. Shandy[1] se consola de la perte de son fils. Orso se 25 rafraîchit le sang[2] en pensant qu'il pourrait faire à miss Nevil un tableau de l'état de son âme, tableau qui ne pourrait manquer d'intéresser puissamment cette belle personne.

Il se rapprochait du village, dont il s'était fort éloigné sans s'en apercevoir, lorsqu'il entendit la voix d'une pe- 30 tite fille qui chantait, se croyant seule sans doute, dans un sentier au bord du maquis. C'était cet air lent et mono-

tone consacré aux lamentations funèbres, et l'enfant
chantait: "A mon fils, mon fils, en lointain pays — gardez ma croix et ma chemise sanglante. . . ."

— Que chantes-tu là, petite? dit Orso d'un ton de
5 colère, en paraissant tout à coup.

— C'est vous, Ors' Anton'! s'écria l'enfant un peu
effrayée. . . . C'est une chanson de mademoiselle Colomba. . . .

— Je te défends de la chanter, dit Orso d'une voix
10 terrible.

L'enfant, tournant la tête à droite et à gauche, semblait chercher de quel côté elle pourrait se sauver, et sans
doute elle se serait enfuie si elle n'eût été retenue par le
soin de conserver un gros paquet qu'on voyait sur l'herbe
15 à ses pieds.

Orso eut honte de sa violence.

— Que portes-tu là, ma petite? lui demandait-il le plus
doucement qu'il put.

Et comme Chilina hésitait à répondre, il souleva le
20 linge qui enveloppait le paquet, et vit qu'il contenait un
pain et d'autres provisions.

— A qui portes-tu ce pain, ma mignonne? lui demanda-t-il.

— Vous le savez bien, monsieur; à mon oncle.

25 — Et ton oncle n'est-il pas bandit?

— Pour vous servir, monsieur Ors' Anton'.

— Si les gendarmes te rencontraient, ils te demande-
raient où tu vas. . . .

— Je leur dirais, répondit l'enfant sans hésiter, que je
30 porte à manger aux Lucquois [1] qui coupent le maquis.

— Et si tu trouvais quelque chasseur affamé qui voulût
dîner à tes dépens et te prendre tes provisions? . . .

— On n'oserait. Je dirais que c'est pour mon oncle.

— En effet, il n'est point homme à se laisser prendre son dîner. . . . Il t'aime bien, ton oncle?

— Oh! oui, Ors' Anton'. Depuis que mon papa est mort, il a soin de la famille, de ma mère, de moi et de ma petite sœur. Avant que maman fût malade, il la recommandait aux riches pour qu'on lui donnât de l'ouvrage. Le maire me donne une robe tous les ans, et le curé me montre le catéchisme et à lire depuis que mon oncle leur a parlé. Mais c'est votre sœur surtout qui est bonne pour nous.

En ce moment un chien parut dans le sentier. La petite fille, portant deux doigts à sa bouche, fit entendre un sifflement aigu: aussitôt le chien vint à elle et la caressa, puis s'enfonça brusquement dans le maquis. Bientôt deux hommes mal vêtus, mais bien armés, se levèrent derrière une cépée¹ à quelques pas d'Orso. On eût dit qu'ils s'étaient avancés en rampant comme des couleuvres au milieu du fourré de cystes et de myrtes qui couvrait le terrain.

— O! Ors' Anton', soyez le bienvenu, dit le plus âgé de ces deux hommes. Eh quoi! vous ne me reconnaissez pas?

— Non, dit Orso le regardant fixement.

— C'est drôle comme une barbe et un bonnet pointu vous² changent un homme! Allons, mon lieutenant, regardez bien. Avez-vous donc oublié les anciens de Waterloo? Vous ne vous souvenez plus de Brando Savelli, qui a déchiré³ plus d'une cartouche à côté de vous dans ce jour de malheur?

— Quoi! c'est toi? dit Orso. Et tu as déserté en 1816!

— Comme vous dites, mon lieutenant.   Dame, le service ennuie, et puis j'avais un compte à régler dans ce
pays-ci. Ha! ha! Chili, tu es une brave fille. Sers-
nous vite, car nous avons faim.   Vous n'avez pas d'idée,
5 mon lieutenant, comme on a d'appétit dans le maquis.
Qu'est-ce qui nous envoie cela, mademoiselle Colomba
ou le maire ?

— Non, mon oncle; c'est la meunière qui m'a donné
cela pour vous et une couverture pour maman.

10   — Qu'est-ce qu'elle me veut ?

— Elle dit que ses Lucquois, qu'elle a pris pour défricher, lui demandent maintenant trente-cinq sous et les
châtaignes, à cause de la fièvre qui est dans le bas de
Pietranera.

15   — Les fainéants! . . . Je verrai. — Sans façon, mon
lieutenant, voulez-vous partager notre dîner ? Nous
avons fait de plus mauvais repas ensemble du temps de
notre pauvre compatriote qu'on a réformé.

— Grand merci . . .   On m'a réformé aussi, moi.

20   — Oui, je l'ai entendu dire; mais vous n'en avez pas
été bien fâché, je gage.   Histoire de régler votre compte
à vous.[1] — Allons, curé, dit le bandit à son camarade, à
table.   Monsieur Orso, je vous présente monsieur le curé,
c'est-à-dire, je ne sais pas trop s'il est curé, mais il en a la
25 science.[2]

— Un pauvre étudiant en théologie, monsieur, dit le
second bandit, qu'on a empêché de suivre sa vocation.
Qui sait ?   J'aurais pu être pape, Brandolaccio.

— Quelle cause a donc privé l'Eglise de vos lumières ?
30 demanda Orso.

— Un rien, un compte à régler, comme dit mon ami
Brandolaccio, une sœur à moi [3] qui avait fait des folies [4]

pendant que je dévorais les bouquins à l'université de
Pise. Il me fallut retourner au pays pour la marier.
Mais le futur, trop pressé, meurt de la fièvre trois jours
avant mon arrivée. Je m'adresse alors, comme vous
eussiez fait à ma place, au frère du défunt. On me dit
qu'il était marié. Que faire?

— En effet, cela était embarrassant. Que fîtes-vous?

— Ce sont de ces cas où il faut en venir à la pierre à
fusil.[1]

— C'est-à-dire que . . .

— Je lui mis une balle dans la tête, dit froidement le
bandit.

Orso fit un mouvement d'horreur. Cependant la curiosité, et peut-être aussi le désir de retarder le moment où
il faudrait rentrer chez lui, le firent rester à sa place et
continuer la conversation avec ces deux hommes, dont
chacun avait au moins un assassinat sur la conscience.

Pendant que son camarade parlait, Brandolaccio mettait devant lui du pain et de la viande; il se servit lui-
même, puis il fit la part de son chien, qu'il présenta à
Orso sous le nom de Brusco, comme doué du merveilleux
instinct de reconnaître un voltigeur sous quelque déguisement que ce fût. Enfin il coupa un morceau de pain et
une tranche de jambon cru qu'il donna à sa nièce.

— La belle vie que celle de bandit! s'écria l'étudiant
en théologie après avoir mangé quelques bouchées. Vous
en tâterez peut-être un jour, monsieur della Rebbia, et
vous verrez combien il est doux de ne connaître d'autre
maître que son caprice.

Jusque-là, le bandit s'était exprimé en italien; il poursuivit en français:

— La Corse n'est pas un pays bien amusant pour un

jeune homme; mais pour un bandit, quelle différence!
Les femmes sont folles de nous.

— Vous savez bien des langues, monsieur, dit Orso d'un
ton grave.

5 — Si je parle français, c'est que, voyez-vous, *maxima
debetur pueris reverentia*.[1] Nous entendons, Brandolaccio
et moi, que la petite tourne bien et marche droit.

— Quand viendront ses quinze ans, dit l'oncle de Chilina, je la marierai bien. J'ai déjà un parti en vue.

10 — C'est toi qui feras la demande? dit Orso.

— Sans doute. Croyez-vous que si je dis à un richard
du pays: "Moi, Brando Savelli, je verrais avec plaisir
que votre fils épousât Michelina Savelli," croyez-vous
qu'il se fera tirer les oreilles?[2]

15 — Je ne le lui conseillerais pas, dit l'autre bandit. Le
camarade a la main un peu lourde.

— Si j'étais un coquin, poursuivit Brandolaccio, une
canaille, un supposé,[3] je n'aurais qu'à ouvrir ma besace,
les pièces de cent sous y pleuvraient.

20 — Il y a donc dans ta besace, dit Orso, quelque chose
qui les attire?

— Rien; mais si j'écrivais, comme il y en a qui l'ont
fait, à un riche: "J'ai besoin de cent francs," il se dé-
pêcherait de me les envoyer. Mais je suis un homme
25 d'honneur, mon lieutenant.

— Savez-vous, monsieur della Rebbia, dit le bandit que
son camarade appelait le curé, savez-vous que, dans ce
pays de mœurs simples, il y a pourtant quelques misérables qui profitent de l'estime que nous inspirons au
30 moyen de nos passe-ports (il montrait son fusil), pour
tirer des lettres de change[4] en contrefaisant notre
écriture?

— Je le sais, dit Orso d'un ton brusque.   Mais quelles
lettres de change ?

— Il y a six mois, continua le bandit, que je me prome-
nais du côté d'Orezza,[1] quand vient à moi un manant qui
de loin m'ôte son bonnet [2] et me dit: "Ah! monsieur le
curé (ils m'appellent toujours ainsi), excusez-moi, donnez-
moi du temps; je n'ai pu trouver que cinquante-cinq
francs; mais, vrai, c'est tout ce que j'ai pu amasser.   Moi,
tout surpris: — Qu'est-ce à dire, maroufle! cinquante-
cinq francs ? lui dis-je. — Je veux dire soixante-cinq, me
répondit-il; mais pour cent que vous me demandez, c'est
impossible. — Comment, drôle! je te demande cent francs!
Je ne te connais pas."

— Alors il me remit une lettre, ou plutôt un chiffon tout
sale, par lequel on l'invitait à déposer cent francs dans
un lieu qu'on indiquait, sous peine de voir sa maison brûlée et ses vaches tuées par Giocanto Castriconi, c'est mon
nom.   Et l'on avait eu l'infamie de contrefaire ma sig-
nature!   Ce qui me piqua le plus, c'est que la lettre était
écrite en patois, pleine de fautes d'orthographe. . . .
Moi faire des fautes d'orthographe! moi qui avais tous
les prix à l'université!   Je commence par donner à mon
vilain un soufflet qui le fait tourner deux fois sur lui-
même. — "Ah! tu me prends pour un voleur, coquin que
tu es!" lui dis-je, et je lui donne un bon coup de pied.
Un peu soulagé, je lui dis: "— Quand dois-tu porter cet
argent au lieu désigné ? — Aujourd'hui même. — Bien!
va le porter." — C'était au pied d'un pin, et le lieu était
parfaitement indiqué.   Il porte l'argent, l'enterre au pied
de l'arbre et revient me trouver.   Je m'étais embusqué
aux environs.   Je demeurai là avec mon homme six mor-
telles heures.   Monsieur della Rebbia, je serais resté trois

jours s'il eût fallu. Au bout de six heures paraît un *Bas-tiaccio*,[1] un infâme usurier. Il se baisse pour prendre l'argent, je fais feu, et je l'avais si bien ajusté que sa tête porta en tombant sur les écus qu'il déterrait. — "Main-5 tenant, drôle! dis-je au paysan, reprends ton argent, et ne t'avise plus de soupçonner d'une bassesse Giocanto Cas-triconi."— Le pauvre diable, tout tremblant, ramassa ses soixante-cinq francs sans prendre la peine de les essuyer. Il me dit merci, je lui allonge un bon coup de pied 10 d'adieu, et il court encore.

— Ah! curé, dit Brandolaccio, je t'envie ce coup de fusil-là. Tu as dû bien rire?[2]

— J'avais attrapé le *Bastiaccio* à la tempe, continua le bandit et cela me rappela ces vers de Virgile: —

15   . . . Liquefacto tempora plumbo
          Diffidit, ac multâ porrectum extendit arenâ.[3]

Liquefacto! Croyez-vous, monsieur Orso, qu'une balle de plomb se fonde par la rapidité de son trajet dans l'air? Vous qui avez étudié la balistique, vous devriez bien me 20 dire si c'est une erreur ou une vérité?

Orso aimait mieux discuter cette question de physique que d'argumenter avec le licencié [4] sur la moralité de son action. Brandolaccio, que cette dissertation scientifique n'amusait guère, l'interrompit pour remarquer que le 25 soleil allait se coucher:

— Puisque vous n'avez pas voulu dîner avec nous, Ors' Anton', lui dit-il, je vous conseille de ne pas faire attendre plus longtemps mademoiselle Colomba. Et puis il ne fait pas toujours bon à courir les chemins quand le soleil est 30 couché. Pourquoi donc sortez-vous sans fusil? Il y a de mauvaises gens dans ces environs; prenez-y garde. Aujourd'hui vous n'avez rien à craindre; les Barricini

amènent le préfet chez eux; ils l'ont rencontré sur la
route, et il s'arrête un jour à Pietranera avant d'aller
poser à Corte une première pierre, comme on dit, . . .
une bêtise! Il couche ce soir chez les Barricini; mais
demain ils seront libres. Il y a Vincentello, qui est un 5
mauvais garnement, et Orlanduccio, qui ne vaut guère
mieux. . . . Tâchez de les trouver séparés, aujourd'hui
l'un, demain l'autre; mais méfiez-vous, je ne vous dis
que cela.

— Merci du conseil, dit Orso; mais nous n'avons rien 10
à démêler ensemble; jusqu'à ce qu'ils viennent me chercher, je n'ai rien à leur dire.

Le bandit tira la langue de côté et la fit claquer contre
sa joue d'un air ironique, mais il ne répondit rien. Orso
se levait pour partir: 15

— A propos, dit Brandolaccio, je ne vous ai pas remer-
cié de votre poudre; elle m'est venue bien à propos.
Maintenant rien ne me manque, . . . c'est-à-dire il me
manque encore des souliers, . . . mais je m'en ferai de
la peau d'un mouflon un de ces jours. 20

Orso glissa deux pièces de cinq francs dans la main du
bandit.

— C'est Colomba qui t'envoyait la poudre; voici pour
t'acheter des souliers.

— Pas de bêtises, mon lieutenant, s'écria Brandolaccio 25
en lui rendant les deux pièces. Est-ce que vous me prenez pour un mendiant? J'accepte le pain et la poudre,
mais je ne veux rien autre chose.

— Entre vieux soldats, j'ai cru qu'on pouvait s'aider.
Allons, adieu! 30

Mais, avant de partir, il avait mis l'argent dans la
besace du bandit sans qu'il s'en fût aperçu.

— Adieu, Ors' Anton'! dit le théologien. Nous nous retrouverons peut-être au maquis un de ces jours, et nous continuerons nos études sur Virgile.

Orso avait quitté ses honnêtes compagnons depuis un
5 quart d'heure, lorsqu'il entendit un homme qui courait derrière lui de toutes ses forces. C'était Brandolaccio.

— C'est un peu fort,[1] mon lieutenant, s'écria-t-il hors d'haleine, un peu trop fort! voilà vos dix francs. De la part d'un autre, je ne passerais pas l'espièglerie.[2] Bien
10 des choses de ma part à mademoiselle Colomba. Vous m'avez tout essoufflé! Bonsoir.

XII

Orso trouva Colomba un peu alarmée de sa longue absence; mais, en le voyant, elle reprit cet air de sérénité triste qui était son expression habituelle. Pendant le
15 repas du soir, ils ne parlèrent que de choses indifférentes, et Orso, enhardi par l'air calme de sa sœur, lui raconta sa rencontre avec les bandits, et hasarda même quelques plaisanteries sur l'éducation morale et religieuse que recevait le petite Chilina par les soins de son oncle et de son
20 honorable collègue, le sieur Castriconi.

— Brandolaccio est un honnête homme, dit Colomba; mais, pour Castriconi, j'ai entendu dire que c'était un homme sans principes.

— Je crois, dit Orso, qu'il vaut tout autant que Bran-
25 dolaccio, et Brandolaccio autant que lui. L'un et l'autre sont en guerre ouverte avec la société. Un premier crime les entraîne chaque jour à d'autres crimes; et pourtant ils ne sont peut-être pas aussi coupables que bien des gens qui n'habitent pas le maquis.

Un éclair de joie brilla sur le front de sa sœur.

— Oui, poursuivit Orso; ces misérables ont de l'honneur à leur manière. C'est un préjugé cruel et non une basse cupidité qui les a jetés dans la vie qu'ils mènent.

Il y eut un moment de silence. 5

— Mon frère, dit Colomba en lui versant du café, vous savez peut-être que Charles-Baptiste Pietri est mort la nuit passée? Oui, il est mort de la fièvre des marais.

— Qui est ce Pietri?

— C'est un homme de ce bourg, mari de Madeleine, 10 qui a reçu le portefeuille de notre père mourant. Sa veuve est venue me prier de paraître à sa veillée et d'y chanter quelque chose. Il convient que vous veniez aussi. Ce sont nos voisins, et c'est une politesse dont on ne peut se dispenser dans un petit endroit comme le nôtre. 15

— Au diable ta veillée, Colomba! Je n'aime point à voir ma sœur se donner ainsi en spectacle au public.[1]

— Orso, répondit Colomba, chacun honore ses morts à sa manière. La *ballata* nous vient de nos aïeux, et nous devons la respecter comme un usage antique. Madeleine 20 n'a pas le *don*, et la vieille Fiordispina, qui est la meilleure vocératrice du pays, est malade. Il faut bien quelqu'un pour la ballata.

— Crois-tu que Charles-Baptiste ne trouvera pas son chemin dans l'autre monde si l'on ne chante de mauvais 25 vers sur sa bière? Vas à la veillée si tu veux, Colomba: j'irai avec toi, si tu crois que je le doive, mais n'improvise pas; cela est inconvenant à ton âge, et . . . je t'en prie, ma sœur.

— Mon frère, j'ai promis. C'est la coutume ici, vous 30 le savez, et, je vous le répète, il n'y a que moi pour improviser.

— Sotte coutume!

— Je souffre beaucoup de chanter ainsi. Cela me rappelle tous nos malheurs. Demain j'en serai malade; mais il le faut. Permettez-le-moi, mon frère. Souvenez-
5 vous qu'à Ajaccio vous m'avez dit d'improviser pour amuser cette demoiselle anglaise qui se moque de nos vieux usages. Ne pourrai-je donc improviser aujourd'hui pour de pauvres gens qui m'en sauront gré, et que cela aidera à supporter leur chagrin?

10 — Allons, fais comme tu voudras. Je gage que tu as déjà composé ta ballata, et tu ne veux pas la perdre.

— Non, je ne pourrais pas composer cela d'avance, mon frère. Je me mets devant le mort, et je pense à ceux qui restent. Les larmes me viennent aux yeux, et
15 alors je chante ce qui me vient à l'esprit.

Tout cela était dit avec une simplicité telle qu'il était impossible de supposer le moindre amour-propre poétique chez la signora Colomba. Orso se laissa fléchir et se rendit avec sa sœur à la maison de Pietri. Le mort était
20 couché sur une table, la figure découverte, dans la plus grande pièce de la maison. Portes et fenêtres étaient ouvertes, et plusieurs cierges brûlaient autour de la table. A la tête du mort se tenait sa veuve, et derrière elle un grand nombre de femmes occupaient tout un côté de la
25 chambre; de l'autre étaient rangés les hommes, debout, tête nue, l'œil fixé sur le cadavre, observant un profond silence. Chaque nouveau visiteur s'approchait de la table, embrassait le mort,[1] faisait un signe de tête à sa veuve et à son fils, puis prenait place dans le cercle sans
30 proférer une parole. De temps en temps, néanmoins, un des assistants rompait le silence solennel pour adresser quelques mots au défunt. "Pourquoi as-tu quitté ta

bonne femme? disait une commère.[1] N'avait-elle pas bien
soin de toi?   Que te manquait-il?   Pourquoi ne pas
attendre un mois encore? ta bru t'aurait donné un fils."

Un grand jeune homme, fils de Pietri, serrant la main
froide de son père, s'écria: "Oh! pourquoi n'es-tu pas   5
mort de la *malemort?* [2]   Nous t'aurions vengé!"

Ce furent les premières paroles qu'Orso entendit en entrant. A sa vue le cercle s'ouvrit, et un faible murmure
de curiosité annonça l'attente de l'assemblée excitée par
la présence de la voceratrice. Colomba embrassa la   10
veuve, prit une de ses mains et demeura quelques minutes
recueillie et les yeux baissés. Puis elle rejeta son mezzaro en arrière, regarda fixement le mort, et, penchée sur
ce cadavre, presque aussi pâle que lui, elle commença de
la sorte: 15

"Charles-Baptiste! le Christ recoive ton âme! — Vivre, c'est
souffrir. Tu vas dans un lieu — où il n'y a ni soleil ni froidure.
—Tu n'as plus besoin de ta serpe, — ni de ta lourde pioche. —
Plus de travail pour toi. — Désormais tous tes jours sont des
dimanches. — Charles-Baptiste, le Christ ait ton âme! — Ton   20
fils gouverne ta maison. — J'ai vu tomber le chêne — desséché
par le Libeccio.[3] — J'ai cru qu'il était mort. — Je suis repassée,
et sa racine — avait poussé un rejeton. — Le rejeton est devenu
un chêne, — au vaste ombrage. — Sous ses fortes branches,
Maddelè,[4] repose-toi, — et pense au chêne qui n'est plus."   25

Ici Madeleine commença à sangloter tout haut, et deux
ou trois hommes qui, dans l'occasion, auraient tiré sur des
chrétiens avec autant de sang-froid que sur des perdrix,
se mirent à essuyer de grosses larmes sur leurs joues
basanées.   30

Colomba continua de la sorte pendant quelque temps,
s'adressant tantôt au défunt, tantôt à sa famille, quelque-

fois, par une prosopopée fréquente dans les *ballata*, faisant parler le mort lui-même pour consoler ses amis ou
leur donner des conseils. A mesure qu'elle improvisait,
sa figure prenait une expression sublime; son teint se
5 colorait d'un rose transparent qui faisait ressortir davantage l'éclat de ses dents et le feu de ses prunelles dilatées.
C'était la pythonisse sur son trépied.[1] Sauf quelques
soupirs, quelques sanglots étouffés, on n'eût pas entendu
le plus léger murmure dans la foule qui se pressait autour
10 d'elle. Bien que moins accessible qu'un autre à cette
poésie sauvage, Orso se sentit bientôt atteint par l'émotion générale. Retiré dans un coin obscur de la salle, il
pleura comme pleurait le fils de Pietri.

Tout à coup un léger mouvement se fit dans l'auditoire:
15 le cercle s'ouvrit, et plusieurs étrangers entrèrent. Au
respect qu'on leur montra, à l'empressement qu'on mit [2]
à leur faire place, il était évident que c'étaient des gens
d'importance dont la visite honorait singulièrement la
maison. Cependant, par respect pour la ballata, per-
20 sonne ne leur adressa la parole. Celui qui était entré le
premier paraissait avoir une quarantaine d'années. Son
habit noir, son ruban rouge à rosette,[3] l'air d'autorité et
de confiance qu'il portait sur sa figure, faisaient d'abord
deviner le préfet. Derrière lui venait un vieillard voûté,[4]
25 au teint bilieux, cachant mal sous des lunettes vertes un
regard timide et inquiet. Il avait un habit noir trop
large pour lui, et qui bien que tout neuf encore, avait été
évidemment fait plusieurs années auparavant. Toujours
à côté du préfet, on eût dit qu'il voulait se cacher dans
30 son ombre. Enfin, après lui, entrèrent deux jeunes gens
de haute taille, le teint brûlé par le soleil, les joues enter-
rées sous d'épais favoris, l'œil fier, arrogant, montrant une

impertinente curiosité. Orso avait eu le temps d'oublier
les physionomies des gens de son village; mais la vue du
vieillard en lunettes vertes réveilla sur-le-champ en son
esprit de vieux souvenirs. Sa présence à la suite du préfet suffisait pour le faire reconnaître. C'était l'avocat 5
Barricini, le maire de Pietranera, qui venait avec ses deux
fils donner au préfet la représentation d'une ballata. Il
serait difficile de définir ce qui se passa en ce moment
dans l'âme d'Orso; mais la présence de l'ennemi de son
père lui causa une espèce d'horreur, et, plus que jamais, 10
il se sentit accessible aux soupçons qu'il avait longtemps
combattus.

Pour Colomba, à la vue de l'homme à qui elle avait voué
une haine mortelle, sa physionomie mobile prit aussitôt
une expression sinistre. Elle pâlit; sa voix devint rauque, 15
le vers commencé expira sur ses lèvres. . . . Mais bientôt,
reprenant sa ballata, elle poursuivit avec une nouvelle
véhémence:

"Quand l'épervier se lamente — devant son nid vide —
les étourneaux voltigent alentour, — insultant à sa douleur." 20

Ici on entendit un rire étouffé; c'étaient les deux jeunes
gens nouvellement arrivés qui trouvaient sans doute la
métaphore trop hardie.

"L'épervier se réveillera; — il déploiera ses ailes, — il lavera
son bec dans le sang! — Et toi, Charles-Baptiste, que tes amis 25
— t'adressent leur dernier adieu. — Leurs larmes ont assez
coulé. La pauvre orpheline seule ne te pleurera pas. — Pourquoi te pleurerait-elle? — Tu t'es endormi plein de jours —
au milieu de ta famille, — préparé à comparaître — devant le
Tout-Puissant. — L'orpheline pleure son père, — surpris par 30
de lâches assassins, — frappé par derrière; — son père dont le
sang est rouge — sous l'amas de feuilles vertes. — Mais elle a

recueilli son sang, — ce sang noble et innocent; — elle l'a
répandu sur Pietranera, — pour qu'il devînt un poison mortel.
— Et Pietranera restera marquée, — jusqu'à ce qu'un sang
coupable — ait effacé la trace du sang innocent."

5   En achevant ces mots, Colomba se laissa tomber sur
une chaise, elle rabattit son mezzaro sur sa figure, et on
l'entendit sangloter. Les femmes en pleurs s'empres-
sèrent autour de l'improvisatrice; plusieurs hommes
jetaient des regards farouches sur le maire et ses fils;
10 quelques vieillards murmuraient contre le scandale qu'ils
avaient occasionné par leur présence. Le fils du défunt
fendit la presse [1] et se disposait à prier le maire de vider
la place au plus vite; mais celui-ci n'avait pas attendu
cette invitation. Il gagnait la porte, et déjà ses deux fils
15 étaient dans la rue. Le préfet adressa quelques compliments de condoléance [2] au jeune Pietri, et les suivit presque
aussitôt. Pour Orso, il s'approcha de sa sœur, lui prit
le bras et l'entraîna hors de la salle.

— Accompagnez-les, dit le jeune Pietri à quelques-uns
20 de ses amis. Ayez soin que rien ne leur arrive!

Deux ou trois jeunes gens mirent précipitamment leur
stylet dans la manche gauche de leur veste, et escortèrent
Orso et sa sœur jusqu'à la porte de leur maison.

XIII

Colomba, haletante, épuisée, était hors d'état de pro-
25 noncer une parole. Sa tête était appuyée sur l'épaule de
son frère, et elle tenait une de ses mains serrée entre les
siennes. Bien qu'il lui sût intérieurement assez mauvais
gré de sa péroraison, Orso était trop alarmé pour lui adresser le moindre reproche. Il attendait en silence la fin

de la crise nerveuse [1] à laquelle elle semblait en proie,
lorsqu'on frappa à la porte, et Saveria entra tout effarée
annonçant: "Monsieur le préfet!" A ce nom, Colomba
se releva comme honteuse de sa faiblesse, et se tint debout,
s'appuyant sur une chaise qui tremblait visiblement sous 5
sa main.

Le préfet débuta par quelques excuses banales sur
l'heure indue de sa visite, plaignit mademoiselle Colomba,
parla du danger des émotions fortes, blâma la coutume
des lamentations funèbres que le talent même de la vo- 10
ceratrice rendait encore plus pénibles pour les assistants;
il glissa avec adresse un léger reproche sur la tendance de
la dernière improvisation. Puis, changeant de ton:

— Monsieur della Rebbia, dit-il, je suis chargé de bien
des compliments pour vous par vos amis anglais: miss 15
Nevil fait mille amitiés [2] à mademoiselle votre sœur. J'ai
pour vous une lettre d'elle à vous remettre.

— Une lettre de miss Nevil? s'écria Orso.

— Malheureusement je ne l'ai pas sur moi, mais vous
l'aurez dans cinq minutes. Son père a été souffrant. 20
Nous avons craint un moment qu'il n'eût gagné nos terribles fièvres. Heureusement, le voilà hors d'affaire,[3] et
vous en jugerez par vous-même, car vous le verrez bientôt,
j'imagine.

— Miss Nevil a dû être bien inquiète? 25

— Par bonheur, elle n'a connu le danger que lorsqu'il
était déjà loin. Monsieur della Rebbia, miss Nevil m'a
beaucoup parlé de vous et de mademoiselle votre sœur.

Orso s'inclina.

— Elle a beaucoup d'amitié pour vous deux. Sous un 30
extérieur plein de grâce, sous une apparence de légèreté,
elle cache une raison parfaite.

— C'est une charmante personne, dit Orso.

— C'est presque à sa prière que je viens ici, monsieur.
Personne ne connaît mieux que moi une fatale histoire que
je voudrais bien n'être pas obligé de vous rappeler.   Puis-
5 que M. Barricini est encore maire de Pietranera, et moi,
préfet de ce département, je n'ai pas besoin de vous dire le
cas que je fais [1] de certains soupçons, dont, si je suis bien
informé quelques personnes imprudentes vous ont fait
part, et que vous avez repoussés, je le sais, avec l'indigna-
10 tion qu'on devait attendre de votre position et de votre
caractère.

—Colomba, dit Orso s'agitant sur sa chaise, tu es bien
fatiguée.   Tu devrais aller te coucher.

Colomba fit un signe de tête négatif.   Elle avait repris
15 son calme habituel et fixait des yeux ardents sur le préfet.

— M. Barricini, continua le préfet, désirerait vivement
voir cesser cette espèce d'inimitié, . . . c'est-à-dire cet
état d'incertitude où vous vous trouvez l'un vis-à-vis de
l'autre. . . . Pour ma part, je serais enchanté de vous
20 voir établir avec lui les rapports que doivent avoir ensemble des gens faits pour s'estimer. . . .

— Monsieur, interrompit Orso d'une voix émue, je n'ai
jamais accusé l'avocat Barricini d'avoir assassiné mon
père, mais il a fait une action qui m'empêchera toujours
25 d'avoir aucune relation avec lui.   Il a supposé une lettre
menaçante, au nom d'un certain bandit, . . . du moins
il l'a sourdement attribuée à mon père.   Cette lettre enfin, monsieur, a probablement été la cause indirecte de
sa mort.

30   Le préfet se recueillit un instant.

—Que monsieur votre père l'ait cru, lorsque, emporté
par la vivacité de son caractère, il plaidait contre M.

Barricini, la chose est excusable; mais, de votre part, un semblable aveuglement n'est plus permis. Réfléchissez donc que Barricini n'avait point intérêt à supposer cette lettre. . . . Je ne vous parle pas de son caractère, . . . vous ne le connaissez point, vous êtes prévenu contre lui 5 . . . mais vous ne supposez pas qu'un homme connaissant les lois . . .

— Mais, monsieur, dit Orso en se levant, veuillez songer que me dire que cette lettre n'est pas l'ouvrage de M. Barricini, c'est l'attribuer à mon père. Son honneur, 10 monsieur, est le mien.

— Personne plus que moi, monsieur, poursuivit le préfet, n'est convaincu de l'honneur du colonel della Rebbia . . . mais . . . l'auteur de cette lettre est connu maintenant.

— Qui? s'écria Colomba s'avançant vers le préfet. 15

— Un misérable, coupable de plusieurs crimes, . . . de ces crimes que vous ne pardonnez pas, vous autres Corses, un voleur, un certain Tomaso Bianchi, à présent détenu dans les prisons de Bastia, a révélé qu'il était l'auteur de cette fatale lettre. 20

— Je ne connais pas cet homme, dit Orso. Quel aurait pu être son but?

— C'est un homme de ce pays, dit Colomba, frère d'un ancien meunier à nous.[1] C'est un méchant et un menteur, indigne qu'on le croie. 25

— Vous allez voir, continua le préfet, l'intérêt qu'il avait dans l'affaire. Le meunier dont parle mademoiselle votre sœur, — il se nommait, je crois, Théodore, — tenait à loyer[2] du colonel un moulin sur le cours d'eau dont M. Barricini contestait la possession à monsieur votre père. 30 Le colonel, généreux à son habitude, ne tirait presque aucun profit de son moulin. Or, Tomaso a cru que si M.

D

Barricini obtenait le cours d'eau, il aurait un loyer con-
sidérable à lui payer, car on sait que M. Barricini aime
assez l'argent. Bref, pour obliger son frère, Tomaso a
contrefait la lettre du bandit, et voilà toute l'histoire.
5 Vous savez que les liens de famille sont si puissants en
Corse, qu'ils entraînent quelquefois au crime. . . . Veuillez prendre connaissance [1] de cette lettre que m'écrit le
procureur général, elle vous confirmera ce que je viens de
vous dire.

10   Orso parcourut la lettre qui relatait en détail les aveux
de Tomaso, et Colomba lisait en même temps par-dessus
l'épaule de son frère.

Lorsqu'elle eut fini, elle s'écria:

— Orlanduccio Barricini est allé à Bastia il y a un mois,
15 lorsqu'on a su que mon frère allait revenir. Il aura vu [2]
Tomaso et lui aura acheté ce mensonge.

— Mademoiselle, dit le préfet avec impatience, vous ex-
pliquez tout par des suppositions odieuses; est-ce le moyen
de découvrir la vérité? Vous, monsieur, vous êtes de
20 sang-froid; dites-moi, que pensez-vous maintenant? Croyez-vous, comme mademoiselle, qu'un homme qui n'a à
redouter qu'une condamnation assez légère se charge de
gaîté de cœur d'un crime de faux pour obliger quelqu'un
qu'il ne connaît pas?

25   Orso relut la lettre du procureur général, pesant chaque
mot avec une attention extraordinaire; car, depuis qu'il
avait vu l'avocat Barricini, il se sentait plus difficile à
convaincre qu'il ne l'eût été quelques jours auparavant.
Enfin il se vit contraint d'avouer que l'explication lui pa-
30 raissait satisfaisante. Mais Colomba s'écria avec force:

— Tomaso Bianchi est un fourbe. Il ne sera pas condamné, ou il s'échappera de prison, j'en suis sûre.

Le préfet haussa les épaules.

— Je vous ai fait part, monsieur, dit-il, des renseignements que j'ai reçus. Je me retire, et je vous abandonne
à vos réflexions. J'attendrai que votre raison vous ait
éclairé, et j'espère qu'elle sera plus puissante que les . . . 5
suppositions de votre sœur.

Orso, après quelques paroles pour excuser Colomba,
répéta qu'il croyait maintenant que Tomaso était le seul
coupable.

Le préfet s'était levé pour sortir. 10

— S'il n'était pas si tard, dit-il, je vous proposerais de
venir avec moi prendre la lettre de miss Nevil. . . . Par
la même occasion, vous pourriez dire à M. Barricini ce
que vous venez de me dire, et tout serait fini.

— Jamais Orso della Rebbia n'entrera chez un Barri- 15
cini! s'écria Colomba avec impétuosité.

— Mademoiselle est le *tintinajo* [1] de la famille, à ce qu'il
paraît, dit le préfet d'un air de raillerie.

— Monsieur, dit Colomba d'une voix ferme, on vous
trompe. Vous ne connaissez pas l'avocat. C'est le plus 20
rusé, le plus fourbe des hommes. Je vous en conjure, ne
faites pas faire à Orso une action qui le couvrirait de
honte.

— Colomba! s'écria Orso, la passion te fait déraisonner.

— Orso! Orso! par la cassette que je vous ai remise, je 25
vous en supplie, écoutez-moi. Entre vous et les Barricini
il y a du sang; vous n'irez pas chez eux!

— Ma sœur!

— Non, mon frère, vous n'irez point, ou je quitterai
cette maison, et vous ne me reverrez plus. . . . Orso, ayez 30
pitié de moi.

Et elle tomba à genoux.

— Je suis désolé, dit le préfet, de voir mademoiselle della Rebbia si peu raisonnable. Vous la convaincrez, j'en suis sûr.

Il entr'ouvrit la porte et s'arrêta, paraissant attendre qu'Orso le suivît.

— Je ne puis la quitter maintenant, dit Orso. . . . Demain, si. . . .

— Je pars de bonne heure, dit le préfet.

— Au moins, mon frère, s'écria Colomba, les mains jointes, attendez jusqu'à demain matin. Laissez-moi revoir les papiers de mon père. . . . Vous ne pouvez me refuser cela.

— Eh bien! tu les verras ce soir, mais au moins tu ne me tourmenteras plus ensuite avec cette haine extravagante. . . . Mille pardons, monsieur le préfet. . . . Je me sens moi-même si mal à mon aise. . . . Il vaut mieux que ce soit demain.

— La nuit porte conseil, dit le préfet en se retirant, j'espère que demain toutes vos irrésolutions auront cessé.

— Saveria, s'écria Colomba, prends la lanterne et accompagne monsieur le préfet. Il te remettra une lettre pour mon frère.

Elle ajouta quelques mots que Saveria seule entendit.

— Colomba, dit Orso lorsque le préfet fut parti, tu m'as fait beaucoup de peine. Te refuseras-tu donc toujours à l'évidence ? [1]

— Vous m'avez donné jusqu'à demain, répondit-elle. J'ai bien peu de temps, mais j'espère encore.

Puis elle prit un trousseau de clefs et courut dans une chambre de l'étage supérieur. Là, on l'entendit ouvrir précipitamment des tiroirs et fouiller dans un secrétaire où le colonel della Rebbia enfermait autrefois ses papiers importants.

XIV

Saveria fut longtemps absente, et l'impatience d'Orso était à son comble lorsqu'elle reparut enfin, tenant une lettre, et suivie de la petite Chilina, qui se frottait les 5 yeux, car elle avait été réveillée de son premier somme.

— Enfant, dit Orso, que viens-tu faire ici à cette heure?

— Mademoiselle me demande, répondit Chilina.

— Que diable lui veut-elle?[1] pensa Orso; mais il se hâta de décacheter la lettre de miss Lydia, et, pendant 10 qu'il lisait, Chilina montait auprès de sa sœur.

Mon père a été un peu malade, monsieur, disait miss Nevil, et il est d'ailleurs si paresseux pour écrire, que je suis obligée de lui servir de secrétaire. L'autre jour, vous savez qu'il s'est mouillé les pieds sur le bord de la mer, au lieu d'admirer le 15 paysage avec nous, et il n'en faut pas davantage pour donner la fièvre dans votre charmante île. Je vois d'ici la mine que vous faites; vous cherchez sans doute votre stylet, mais j'espère que vous n'en avez plus. Donc, mon père a eu un peu de fièvre, et moi beaucoup de frayeur; le préfet, que je persiste à 20 trouver très aimable, nous a donné un médecin fort aimable aussi, qui, en deux jours, nous a tirés de peine: l'accès n'a pas reparu, et mon père veut retourner à la chasse; mais je la lui défends encore. — Comment avez-vous trouvé votre château des montagnes? Votre tour du nord est-elle toujours à la 25 même place? Y a-t-il des fantômes? Je vous demande tout cela, parce que mon père se souvient que vous lui avez promis daims, sangliers, mouflons. . . . Est-ce bien là le nom de cette bête étrange? En allant nous embarquer à Bastia, nous comptons vous demander l'hospitalité, et j'espère que le château della 30 Rebbia, que vous dites si vieux et si délabré, ne s'écroulera pas

sur nos têtes. Quoique le préfet soit si aimable qu'avec lui on
ne manque jamais de sujet de conversation, — *by the bye*, je
me flatte de lui avoir fait tourner la tête, — nous avons parlé
de votre seigneurie. Les gens de loi de Bastia lui ont envoyé
5 certaines révélations d'un coquin qu'ils tiennent sous les ver-
rous, et qui sont de nature à détruire vos derniers soupçons;
votre inimitié, qui parfois m'inquiétait, doit cesser dès lors.
Vous n'avez pas d'idée comme cela m'a fait plaisir. Quand
vous êtes parti avec la belle voceratrice, le fusil à la main, le
10 regard sombre, vous m'avez paru plus Corse qu'à l'ordinaire
. . . trop Corse même. *Basta!*[1] je vous en écris si long, parce
que je m'ennuie. Le préfet va partir, hélas! Nous vous en-
verrons un message lorsque nous nous mettrons en route pour
vos montagnes, et je prendrai la liberté d'écrire à mademoiselle
15 Colomba pour lui demander un bruccio, *ma solenne*.[2] En attendant, dites-lui mille tendresses.[3] Je fais grand usage de son
stylet, j'en coupe les feuillets d'un roman que j'ai apporté;
mais ce fer terrible s'indigne de cet usage et me déchire mon
livre d'une façon pitoyable. Adieu, monsieur; mon père vous
20 envoie *his best love*. Ecoutez le préfet, il est homme de bon conseil, et se détourne de sa route, je crois, à cause de vous; il va
poser une première pierre à Corte; je m'imagine que ce doit
être une cérémonie bien imposante, et je regrette fort de n'y
pas assister. Un monsieur en habit brodé, bas de soie, écharpe
25 blanche,[4] tenant une truelle! . . . et un discours; la cérémonie se terminera par les cris mille fois répétés de *vive le roi!*
— Vous allez être bien fat de m'avoir fait remplir les quatre
pages; mais je m'ennuie, monsieur, je vous le répète, et, par
cette raison, je vous permets de m'écrire très longuement. A
30 propos, je trouve extraordinaire que vous ne m'ayez pas encore
mandé votre heureuse arrivée dans Pietranera-Castle.

LYDIA.

P. S. Je vous demande d'écouter le préfet, et de faire ce
qu'il vous dira. Nous avons arrêté [5] ensemble que vous deviez
en agir ainsi, et cela me fera plaisir.

Orso lut trois ou quatre fois cette lettre, accompagnant mentalement chaque lecture de commentaires sans nombre; puis il fit une longue réponse, qu'il chargea Saveria de porter à un homme du village qui partait la nuit même pour Ajaccio. Déjà il ne pensait guère à discuter avec sa 5 sœur les griefs vrais ou faux des Barricini, la lettre de miss Lydia lui faisait tout voir en couleur de rose;[1] il n'avait plus ni soupçons ni haine. Après avoir attendu quelque temps que sa sœur redescendît, et ne la voyant pas reparaître, il alla se coucher, le cœur plus léger qu'il ne se 10 l'était senti depuis longtemps. Chilina ayant été congédiée avec des instructions secrètes, Colomba passa la plus grande partie de la nuit à lire de vieilles paperasses. Un peu avant le jour, quelques petits cailloux furent lancés contre sa fenêtre; à ce signal, elle descendit au jardin, 15 ouvrit une porte dérobée,[2] et introduisit dans sa maison deux hommes de fort mauvaise mine; son premier soin fut de les mener à la cuisine et de leur donner à manger. Ce qu'étaient ces hommes, on le saura tout à l'heure.

XV

Le matin, vers six heures, un domestique du préfet frap- 20 pait à la maison d'Orso. Reçu par Colomba, il lui dit que le préfet allait partir, et qu'il attendait son frère. Colomba répondit sans hésiter que son frère venait de tomber dans l'escalier et de se fouler le pied; qu'étant hors d'état de faire un pas, il suppliait monsieur le préfet de l'excuser, 25 et serait très reconnaissant, s'il daignait prendre la peine de passer chez lui. Peu après ce message, Orso descendit et demanda à sa sœur si le préfet ne l'avait pas envoyé chercher.

— Il vous prie de l'attendre ici, dit-elle avec la plus grande assurance.

Une demi-heure s'écoula sans qu'on aperçût le moindre mouvement du côté de la maison des Barricini; cepen-5 dant Orso demandait à Colomba si elle avait fait quelque découverte; elle répondit qu'elle s'expliquerait devant le préfet. Elle affectait un grand calme, mais son teint et ses yeux annonçaient une agitation fébrile.

Enfin, on vit s'ouvrir la porte de la maison Barricini; le 10 préfet, en habit de voyage sortit le premier, suivi du maire et de ses deux fils. Quelle fut la stupéfaction des habitants de Pietranera, aux aguets [1] depuis le lever du soleil, pour assister au départ du premier magistrat du département, lorsqu'ils le virent, accompagné des trois 15 Barricini, traverser la place en droite ligne et entrer dans la maison della Rebbia. "Ils font la paix!" s'écrièrent les politiques du village.

— Je vous le disais bien, ajouta un vieillard, Orso Antonio a trop vécu sur le continent pour faire les choses 20 comme un homme de cœur.

— Pourtant, répondit un rebbianiste, remarquez que ce sont les Barricini qui viennent le trouver. Ils demandent grâce.

— C'est le préfet qui les a tous embobelinés,[2] répliqua 25 le vieillard; on n'a plus de courage aujourd'hui, et les jeunes gens ne se soucient pas du sang de leur père.

Le préfet ne fut pas médiocrement surpris de trouver Orso debout et marchant sans peine. En deux mots, Colomba s'accusa de son mensonge et lui en demanda pardon:

30 — Si vous aviez demeuré ailleurs, monsieur le préfet, dit-elle, mon frère serait allé dès hier vous présenter ses respects.

Orso se confondait en excuses,[1] protestant qu'il n'était
pour rien dans cette ruse ridicule, dont il était profondément mortifié. Le préfet et le vieux Barricini parurent
croire à la sincérité de ses regrets, justifiés d'ailleurs par
sa confusion et les reproches qu'il adressait à sa sœur; 5
mais les fils du maire ne parurent pas satisfaits:

— On se moque de nous, dit Orlanduccio, assez haut
pour être entendu.

— Si ma sœur me jouait de ces tours,[2] dit Vincentello,
je lui ôterais bien vite l'envie de recommencer. 10

Ces paroles, et le ton dont elles furent prononcées, dé-
plurent à Orso et lui firent perdre un peu de sa bonne
volonté. Il échangea avec les jeunes Barricini des regards où ne se peignait nulle bienveillance.

Cependant tout le monde étant assis, à l'exception de 15
Colomba, qui se tenait debout près de la porte de la cuisine, le préfet prit la parole, et, après quelques lieux
communs sur les préjugés du pays, rappela que la plupart
des inimitiés les plus invétérées n'avaient pour cause que
des malentendus. Puis, s'adressant au maire, il lui dit 20
que M. della Rebbia n'avait jamais cru que la famille
Barricini eût pris une part directe ou indirecte dans
l'événement déplorable qui l'avait privé de son père;
qu'à la vérité il avait conservé quelques doutes relatifs à
une particularité du procès qui avait existé entre les deux 25
familles; que ce doute s'excusait par la longue absence de
M. Orso et la nature des renseignements qu'il avait reçus;
qu'éclairé maintenant par des révélations récentes, il se
tenait pour complètement satisfait, et désirait établir avec
M. Barricini et ses fils des relations d'amitié et de bon 30
voisinage.

Orso s'inclina d'un air contraint; M. Barricini balbutia

quelques mots que personne n'entendit; ses fils regardè-
rent les poutres du plafond. Le préfet, continuant sa
harangue, allait adresser à Orso la contre-partie de ce qu'il
venait de débiter à M. Barricini, lorsque Colomba, tirant
5 de dessous son fichu quelques papiers, s'avança gravement
entre les parties contractantes:

— Ce serait avec un bien vif plaisir, dit-elle, que je verrais finir la guerre entre nos deux familles; mais pour que
la réconciliation soit sincère, il faut s'expliquer et ne rien
10 laisser dans le doute.

— Monsieur le préfet, la déclaration de Tomaso Bianchi m'était à bon droit suspecte, venant d'un homme
aussi mal famé. — J'ai dit que vos fils peut-être avaient
vu cet homme dans la prison de Bastia . . .

15 — Cela est faux, interrompit Orlanduccio, je ne l'ai
point vu.

Colomba lui jeta un regard de mépris, et poursuivit
avec beaucoup de calme en apparence:

— Vous avez expliqué l'intérêt que pouvait avoir To-
20 maso à menacer M. Barricini au nom d'un bandit redoutable, par le désir qu'il avait de conserver à son frère
Théodore le moulin que mon père lui louait à bas prix?

— Cela est évident, dit le préfet.

— De la part d'un misérable comme paraît être ce
25 Bianchi, tout s'explique, dit Orso, trompé par l'air de
modération de sa sœur.

— La lettre contrefaite, continua Colomba, dont les
yeux commençaient à briller d'un éclat plus vif, est datée
du 11 juillet. Tomaso était alors chez son frère, au
30 moulin.

— Oui, dit le maire un peu inquiet.

— Quel intérêt avait donc Tomaso Bianchi? s'écria

Colomba d'un air de triomphe. Le bail de son frère était expiré; mon père lui avait donné congé[1] le 1er juillet. Voici le registre de mon père, la minute du congé, la lettre d'un homme d'affaires[2] d'Ajaccio qui nous proposait un nouveau meunier. 5

En parlant ainsi, elle remit au préfet les papiers qu'elle tenait à la main.

Il y eut un moment d'étonnement général. Le maire pâlit visiblement; Orso, fronçant le sourcil, s'avança pour prendre connaissance des papiers que le préfet lisait avec 10 beaucoup d'attention.

— On se moque de nous! s'écria de nouveau Orlanduccio en se levant avec colère. Allons-nous-en, mon père, nous n'aurions jamais dû venir ici!

Un instant suffit à M. Barricini pour reprendre son 15 sang-froid. Il demanda à examiner les papiers; le préfet les lui remit sans dire un mot. Alors, relevant ses lunettes vertes sur son front, il les parcourut d'un air assez indifférent, pendant que Colomba l'observait avec les yeux d'une tigresse qui voit un daim s'approcher de la tanière 20 de ses petits.

— Mais, dit M. Barricini rabaissant ses lunettes et rendant les papiers au préfet, — connaissant la bonté de feu M. le colonel . . . Tomaso a pensé . . . il a dû penser . . . que M. le colonel reviendrait sur sa résolution 25 de lui donner congé . . . De fait, il est resté en possession du moulin, donc . . .

— C'est moi, dit Colomba d'un ton de mépris, qui le lui ai conservé. Mon père était mort, et dans ma position je devais ménager les clients de ma famille. 30

— Pourtant, dit le préfet, ce Tomaso reconnaît qu'il a écrit la lettre, . . . cela est clair.

— Ce qui est clair pour moi, interrompit Orso, c'est qu'il y a de grandes infamies cachées dans toute cette affaire.

— J'ai encore à contredire une assertion de ces messieurs, dit Colomba.

Elle ouvrit la porte de la cuisine, et aussitôt entrèrent dans la salle Brandolaccio, le licencié [1] en théologie et le chien Brusco. Les deux bandits étaient sans armes, au moins apparentes; ils avaient la cartouchière à la ceinture, mais point le pistolet qui en est le complément obligé. En entrant dans la salle, ils ôtèrent respectueusement leurs bonnets.

On peut concevoir l'effet que produisit leur subite apparition. Le maire pensa tomber à la renverse; [2] ses fils se jetèrent bravement devant lui, la main dans la poche de leur habit, cherchant leurs stylets. Le préfet fit un mouvement vers la porte, tandis qu'Orso, saisissant Brandolaccio au collet, lui cria:

— Que viens tu faire ici, misérable?

— C'est un guet-apens! s'écria le maire essayant d'ouvrir la porte; mais Saveria l'avait fermée en dehors à double tour, d'après l'ordre des bandits, comme on le sut ensuite.

— Bonnes gens! dit Brandolaccio, n'ayez pas peur de moi; je ne suis pas si diable que je suis noir. Nous n'avons nulle mauvaise intention. Monsieur le préfet, je suis bien votre serviteur. — Mon lieutenant, de la douceur, vous m'étranglez. — Nous venons ici comme témoins. Allons, parle, toi, Curé, tu as la langue bien pendue.

— Monsieur le préfet, dit le licencié, je n'ai pas l'honneur d'être connu de vous. Je m'appelle Giocanto Castriconi, plus connu sous le nom du Curé. . . . Ah! vous

me remettez.[1]   Mademoiselle, que je n'avais pas l'avantage de connaître non plus, m'a fait prier de lui donner
des renseignements sur un nommé Tomaso Bianchi, avec
lequel j'étais détenu, il y a trois semaines, dans les prisons
de Bastia.   Voici ce que j'ai à vous dire. . . .   5

— Ne prenez pas cette peine, dit le préfet; je n'ai rien
à entendre d'un homme comme vous. . . . Monsieur della
Rebbia, j'aime à croire que vous n'êtes pour rien[2] dans
cet odieux complot.   Mais êtes-vous maître chez vous?
Faites ouvrir cette porte.   Votre sœur aura peut-être à 10
rendre compte des étranges relations qu'elle entretient
avec des bandits.

— Monsieur le préfet, s'écria Colomba, daignez entendre ce que va dire cet homme.   Vous êtes ici pour rendre
justice à tous, et votre devoir est de rechercher la vérité. 15
Parlez, Giocanto Castriconi.

— Ne l'écoutez pas! s'écrièrent en chœur les trois
Barricini.

— Si tout le monde parle à la fois, dit le bandit en souriant, ce n'est pas le moyen de s'entendre.   Dans la prison 20
donc, j'avais pour compagnon, non pour ami, ce Tomaso
en question.   Il recevait de fréquentes visites de M.
Orlanduccio. . . .

— C'est faux, s'écrièrent à la fois les deux frères.

— Deux négations valent une affirmation, observa froi- 25
dement Castriconi.   Tomaso avait de l'argent; il mangeait et buvait du meilleur.   J'ai toujours aimé la bonne
chère[3] (c'est là mon moindre défaut[4]), et, malgré ma répugnance à frayer[5] avec ce drôle, je me laissai aller à
dîner plusieurs fois avec lui.   Par reconnaissance, je lui 30
proposai de s'évader avec moi. . . . Une petite . . .
pour qui j'avais eu des bontés, m'en avait fourni les

moyens. . . . Je ne veux compromettre personne. Tomaso refusa, me dit qu'il était sûr de son affaire, que
l'avocat Barricini l'avait recommandé à tous les juges,
qu'il sortirait de là blanc comme neige et avec de l'argent
5 dans la poche. Quant à moi, je crus devoir prendre
l'air. *Dixi*.[1]

— Tout ce que dit cet homme est un tas de mensonges,
répéta résolument Orlanduccio. Si nous étions en rase
campagne,[2] chacun avec notre fusil, il ne parlerait pas de
10 la sorte.

— En voilà une de bêtise![3] s'écria Brandolaccio. Ne
vous brouillez pas avec le Curé, Orlanduccio.

— Me laisserez-vous sortir enfin, monsieur della Rebbia? dit le préfet frappant du pied d'impatience.

15 — Saveria! Saveria! criait Orso, ouvrez la porte, de
par le diable![4]

— Un instant, dit Brandolaccio. Nous avons d'abord
à filer, nous, de notre côté. Monsieur le préfet, il est
d'usage, quand on se rencontre chez des amis communs,
20 de se donner une demi-heure de trève en se quittant.

Le préfet lui lança un regard de mépris.

— Serviteur à toute la compagnie, dit Brandolaccio.
Puis étendant le bras horizontalement: Allons, Brusco,
dit-il à son chien, saute pour M. le préfet!

25 Le chien sauta, les bandits reprirent à la hâte leurs
armes dans la cuisine, s'enfuirent par le jardin, et à un
coup de sifflet aigu la porte de la salle s'ouvrit comme par
enchantement.

— Monsieur Barricini, dit Orso avec une fureur con-
30 centrée, je vous tiens pour un faussaire. Dès aujourd'hui
j'enverrai ma plainte contre vous au procureur du roi,
pour faux et pour complicité avec Bianchi. Peut-être

aurai-je encore une plainte plus terrible à porter contre
vous.

— Et moi, monsieur della Rebbia, dit le maire, je por-
terai ma plainte contre vous pour guet-apens et pour
complicité avec des bandits. En attendant, M. le préfet 5
vous recommandera à la gendarmerie.

— Le préfet fera son devoir, dit celui-ci d'un ton sévère.
Il veillera à ce que l'ordre ne soit pas troublé à Pietranera, il prendra soin que justice soit faite. Je parle à
vous tous, messieurs! 10

Le maire et Vincentello étaient déjà hors de la salle, et
Orlanduccio les suivait à reculons lorsque Orso lui dit à
voix basse:

— Votre père est un vieillard que j'écraserais d'un soufflet: c'est à vous que j'en destine,[1] à vous et à votre frère. 15

Pour réponse, Orlanduccio tira son stylet et se jeta sur
Orso comme un furieux; mais, avant qu'il pût faire usage
de son arme, Colomba lui saisit le bras, qu'elle tordit avec
force pendant qu'Orso, le frappant du poing au visage, le
fit reculer quelques pas et heurter rudement contre le 20
chambranle de la porte. Le stylet échappa de la main
d'Orlanduccio, mais Vincentello avait le sien et rentrait
dans la chambre, lorsque Colomba, sautant sur un fusil,
lui prouva que la partie n'était pas égale. En même
temps le préfet se jeta entre les combattants. 25

— A bientôt, Ors' Anton'! cria Orlanduccio; et, tirant
violemment la porte de la salle, il la ferma à clef pour se
donner le temps de faire retraite.

Orso et le préfet demeurèrent un quart d'heure sans
parler, chacun à un bout de la salle. Colomba, l'orgueil 30
du triomphe sur le front, les considérait tour à tour, appuyée sur le fusil qui avait décidé de la victoire.

— Quel pays! quel pays! s'écria enfin le préfet en se levant impétueusement. Monsieur della Rebbia, vous avez eu tort. Je vous demande votre parole d'honneur de vous abstenir de toute violence et d'attendre que la
5 justice décide dans cette maudite affaire.

— Oui, monsieur le préfet, j'ai eu tort de frapper ce misérable; mais enfin je l'ai frappé, et je ne puis lui refuser la satisfaction qu'il m'a demandée.

— Eh! non, il ne veut pas se battre avec vous! . . .
10 Mais s'il vous assassine. . . . Vous avez bien fait tout ce qu'il fallait pour cela.

— Nous nous garderons, dit Colomba.

— Orlanduccio, dit Orso, me paraît un garçon de courage, et j'augure mieux de lui, monsieur le préfet. Il a
15 été prompt à tirer son stylet, mais à sa place j'en aurais peut-être agi de même; et je suis heureux que ma sœur n'ait pas un poignet de petite maîtresse.[1]

— Vous ne vous battrez pas! s'écria le préfet; je vous le défends!

20 — Permettez-moi de vous dire, monsieur, qu'en matière d'honneur je ne reconnais d'autre autorité que celle de ma conscience.

— Je vous dis que vous ne vous battrez pas!

— Vous pouvez me faire arrêter, monsieur, . . . c'est-
25 à-dire si je me laisse prendre. Mais, si cela arrivait, vous ne feriez que différer une affaire maintenant inévitable. Vous êtes homme d'honneur, monsieur le préfet, et vous savez bien qu'il n'en peut être autrement.

— Si vous faisiez arrêter mon frère, ajouta Colomba, la
30 moitié du village prendrait son parti, et nous verrions une belle fusillade.

— Je vous préviens, monsieur, dit Orso, et je vous

supplie de ne pas croire que je fais une bravade; je vous préviens que, si M. Barricini abuse de son autorité de maire pour me faire arrêter, je me défendrai.

— Dès aujourd'hui, dit le préfet, M. Barricini est suspendu de ses fonctions. . . . Il se justifiera, je l'espère. 5 . . . Tenez, monsieur, vous m'intéressez. Ce que je vous demande est bien peu de chose: restez chez vous tranquille jusqu'à mon retour de Corte. Je ne serai que trois jours absent. Je reviendrai avec le procureur du roi, et nous débrouillerons alors complètement cette triste 10 affaire. Me promettez-vous de vous abstenir jusque-là de toute hostilité?

— Je ne puis le promettre, monsieur, si, comme je le pense, Orlanduccio me demande une rencontre.

— Comment! monsieur della Rebbia, vous, militaire 15 français, vous voulez vous battre avec un homme que vous soupçonnez d'un faux?

— Je l'ai frappé, monsieur.

— Mais, si vous aviez frappé un galérien et qu'il vous en demandât raison,[1] vous vous battriez donc avec lui? 20 Allons, monsieur Orso! Eh bien! je vous demande encore moins: ne cherchez pas Orlanduccio. . . . Je vous permets de vous battre s'il vous demande un rendez-vous.

— Il m'en demandera, je n'en doute point, mais je vous promets de ne pas lui donner d'autres soufflets pour l'en- 25 gager à se battre.

— Quel pays! répétait le préfet en se promenant à grands pas. Quand donc reviendrai-je en France?

— Monsieur le préfet, dit Colomba de sa voix la plus douce, il se fait tard, nous feriez-vous l'honneur de dé- 30 jeuner ici?

Le préfet ne put s'empêcher de rire.

— Je suis demeuré déjà trop longtemps ici . . . cela ressemble à de la partialité. . . . Et cette maudite pierre! . . . Il faut que je parte. . . . mademoiselle della Rebbia, . . . que de malheurs vous avez préparés peut-être aujourd'hui!

— Au moins, monsieur le préfet, vous rendrez à ma sœur la justice de croire que ses convictions sont profondes; et, j'en suis sûr maintenant, vous les croyez vous-même bien établies.

— Adieu, monsieur, dit le préfet en lui faisant un signe de la main. Je vous préviens que je vais donner l'ordre au brigadier de gendarmerie de suivre toutes vos démarches.[1]

Lorsque le préfet fut sorti:

— Orso, dit Colomba, vous n'êtes point ici sur le continent. Orlanduccio n'entend rien à vos duels,[2] et d'ailleurs ce n'est pas de la mort d'un brave que ce misérable doit mourir.

—Colomba, ma bonne, tu es la femme forte. Je t'ai de grandes obligations pour m'avoir sauvé un bon coup de couteau. Donne-moi ta petite main que je la baise. Mais, vois-tu, laisse-moi faire.[3] Il y a certaines choses que tu n'entends pas. Donne-moi à déjeuner; et, aussitôt que le préfet se sera mis en route, fais-moi venir la petite Chilina, qui paraît s'acquitter à merveille des commissions qu'on lui donne. J'aurai besoin d'elle pour porter une lettre.

Pendant que Colomba surveillait les apprêts du déjeuner, Orso monta dans sa chambre et écrivit le billet suivant: —

Vous devez être pressé de me rencontrer; je ne le suis pas moins. Demain matin nous pourrons nous trouver à six heures

dans la vallée d'Acquaviva. Je suis très adroit au pistolet, et
je ne vous propose pas cette arme. On dit que vous tirez bien
le fusil: prenons chacun un fusil à deux coups.[1] Je viendrai
accompagné d'un homme de ce village. Si votre frère veut
vous accompagner, prenez un second témoin et prévenez-moi. 5
Dans ce cas seulement j'aurai deux témoins.

Orso Antonio della Rebbia.

Le préfet, après être resté une heure chez l'adjoint du
maire, après être entré pour quelques minutes chez les
Barricini, partit pour Corte, escorté d'un seul gendarme. 10
Un quart d'heure après, Chilina porta la lettre qu'on
vient de lire et la remit à Orlanduccio en propres mains.

La réponse se fit attendre et ne vint que dans la soirée.
Elle était signée de M. Barricini père, et il annonçait à
Orso qu'il déférait au [2] procureur du roi la lettre de me- 15
naces adressée à son fils. "Fort de ma conscience, ajoutait-il en terminant, j'attends que la justice ait prononcé
sur vos calomnies."

Cependant, cinq ou six bergers mandés par Colomba arrivèrent pour garnisonner[3] la tour des della Rebbia. Mal- 20
gré les protestations d'Orso, on pratiqua des *archere* aux
fenêtres donnant sur[4] la place, et toute la soirée il reçut
des offres de service de différentes personnes du bourg.
Une lettre arriva même du théologien bandit, qui pro-
mettait, en son nom et en celui de Brandolaccio, d'inter- 25
venir si le maire se faisait assister de la gendarmerie. Il
finissait par ce *postscriptum:* "Oserai-je vous demander
ce que pense monsieur le préfet de l'excellente éducation
que mon ami donne au chien Brusco? Après Chilina, je
ne connais pas d'élève plus docile et qui montre de plus 30
heureuses dispositions."

XVI

Le lendemain se passa sans hostilités. De part et d'autre on se tenait sur la défensive. Orso ne sortit pas de sa maison, et la porte des Barricini resta constamment fermée. On voyait les cinq gendarmes laissés en garnison à Pietranera se promener sur la place ou aux environs du village, assistés du garde champêtre, seul représentant de la milice urbaine. L'adjoint ne quittait pas son écharpe; mais, sauf les *archere* aux fenêtres des deux maisons ennemies, rien n'indiquait la guerre. Un Corse seul aurait remarqué que sur la place, autour du chêne vert, on ne voyait que des femmes.

A l'heure du souper, Colomba montra d'un air joyeux à son frère la lettre suivante qu'elle venait de recevoir de miss Nevil: —

Ma chère mademoiselle Colomba, j'apprends avec bien du plaisir, par une lettre de votre frère, que vos inimitiés sont finies. Recevez-en mes compliments. Mon père ne peut plus souffrir Ajaccio depuis que votre frère n'est plus là pour parler guerre et chasser avec lui. Nous partons aujourd'hui, et nous irons coucher chez votre parente, pour laquelle nous avons une lettre. Après demain, vers onze heures, je viendrai vous demander à goûter de ce bruccio des montagnes, si supérieur, dites-vous, à celui de la ville.

Adieu, chère mademoiselle Colomba. — Votre amie,

LYDIA NEVIL.

— Elle n'a donc pas reçu ma seconde lettre? s'écria Orso.

— Vous voyez, par la date de la sienne, que mademoiselle Lydia devait être en route quand votre lettre est arrivée à Ajaccio. Vous lui disiez donc de ne pas venir?

— Je lui disais que nous étions en état de siège. Ce n'est pas, ce me semble, une situation à recevoir du monde.

— Bah! ces Anglais sont des gens singuliers. Elle me disait, la dernière nuit que j'ai passée dans sa chambre, qu'elle serait fâchée de quitter la Corse sans avoir vu une 5 belle vendette. Si vous le vouliez, Orso, on pourrait lui donner le spectacle d'un assaut contre la maison de nos ennemis?

— Sais-tu, dit Orso, que la nature a eu tort de faire de toi une femme, Colomba? Tu aurais été un excellent 10 militaire.

— Peut-être. En tout cas je vais faire mon bruccio.

— C'est inutile. Il faut envoyer quelqu'un pour les prévenir et les arrêter avant qu'ils se mettent en route.

— Oui? vous voulez envoyer un messager par le temps 15 qu'il fait,[1] pour qu'un torrent l'emporte avec votre lettre. . . . Que je plains les pauvres bandits par cet orage! Heureusement, ils ont de bons *piloni*[2] . . . Savez-vous ce qu'il faut faire, Orso? Si l'orage cesse, partez demain de très bonne heure, et arrivez chez notre parente avant que 20 vos amis se soient mis en route. Cela vous sera facile, miss Lydia se lève toujours tard. Vous leur conterez ce qui s'est passé chez nous; et s'ils persistent à venir, nous aurons grand plaisir à les recevoir.

Orso se hâta de donner son assentiment à ce projet, et 25 Colomba, après quelques moments de silence: —

— Vous croyez peut-être, Orso, reprit-elle, que je plaisantais lorsque je vous parlais d'un assaut contre la maison Barricini? Savez-vous que nous sommes en force, deux contre un au moins? Depuis que le préfet a sus- 30 pendu le maire, tous les hommes d'ici sont pour nous. Nous pourrions les hacher. Il serait facile d'entamer

l'affaire. Si vous le vouliez, j'irais à la fontaine, je me
moquerais de leurs femmes; ils sortiraient. . . . Peut-être
. . . car ils sont si lâches! peut-être tireraient-ils sur moi
par leurs *archere;* ils me manqueraient. Tout est dit
5 alors: ce sont eux qui attaquent. Tant pis pour les
vaincus: dans une bagarre où trouver ceux qui ont fait
un bon coup? [1] Croyez-en votre sœur, Orso; les robes
noires [2] qui vont venir saliront du papier, diront bien des
mots inutiles. Il n'en résultera rien. Le vieux renard
10 trouverait moyen de leur faire voir des étoiles en plein
midi. [3] Ah! si le préfet ne s'était pas mis devant Vincentello, il y en avait un de moins.

Tout cela était dit avec le même sang-froid qu'elle mettait l'instant d'auparavant à parler des préparatifs du
15 bruccio.

Orso, stupéfait, regardait sa sœur avec une admiration
mêlée de crainte.

— Ma douce Colomba, dit-il en se levant de table, tu
es, je le crains, le diable en personne; mais sois tranquille.
20 Si je ne parviens à faire pendre les Barricini, je trouverai
moyen d'en venir à bout [4] d'une autre manière. Balle
chaude ou fer froid! Tu vois que je n'ai pas oublié le
corse.

— Le plus tôt serait le mieux, dit Colomba en soupi-
25 rant. Quel cheval monterez-vous demain, Ors' Anton'?

— Le noir. Pourquoi me demandes-tu cela?

— Pour lui faire donner de l'orge.

Orso s'étant retiré dans sa chambre, Colomba envoya
coucher Saveria et les bergers, et demeura seule dans la
30 cuisine où se préparait le bruccio. De temps en temps
elle prêtait l'oreille et paraissait attendre impatiemment
que son frère se fût couché. Lorsqu'elle le crut enfin en-

dormi, elle prit un couteau, s'assura qu'il était tranchant, mit ses petits pieds dans de gros souliers, et, sans faire le moindre bruit, elle entra dans le jardin.

Le jardin, fermé de murs, touchait à un terrain assez vaste, enclos de haies, où l'on mettait les chevaux, car les 5 chevaux corses ne connaissent guère l'écurie. En général on les lâche dans un champ et l'on s'en rapporte à leur intelligence pour trouver à se nourrir et à s'abriter contre le froid et la pluie.

Colomba ouvrit la porte du jardin avec la même précau- 10 tion, entra dans l'enclos, et en sifflant doucement elle attira près d'elle les chevaux, à qui elle portait souvent du pain et du sel. Dès que le cheval noir fut à sa portée, elle le saisit fortement par la crinière et lui fendit l'oreille avec son couteau. Le cheval fit un bond terrible et s'enfuit 15 en faisant entendre ce cri aigu qu'une vive douleur arrache quelquefois aux animaux de son espèce. Satisfaite alors, Colomba rentrait dans le jardin, lorsque Orso ouvrit sa fenêtre et cria: "Qui va là?" En même temps elle entendit qu'il armait son fusil. Heureusement pour elle, la 20 porte du jardin était dans une obscurité complète, et un grand figuier la couvrait en partie. Bientôt, aux lueurs intermittentes qu'elle vit briller dans la chambre de son frère, elle conclut qu'il cherchait à rallumer sa lampe. Elle s'empressa alors de fermer la porte du jardin, et se 25 glissant le long des murs, de façon que son costume noir se confondît avec le feuillage sombre des espaliers, elle parvint à rentrer dans la cuisine quelques moments avant qu'Orso ne parût.

— Qu'y a-t-il? lui demanda-t-elle. 30

— Il m'a semblé, dit Orso, qu'on ouvrait la porte du jardin.

— Impossible. Le chien aurait aboyé. Au reste, allons voir.

Orso fit le tour du jardin, et après avoir constaté que la porte extérieure était bien fermée, un peu honteux de cette fausse alerte, il se disposa à regagner sa chambre.

— J'aime à voir, mon frère, dit Colomba, que vous devenez prudent, comme on doit l'être dans votre position.

— Tu me formes, répondit Orso. Bonsoir.

Le matin avec l'aube Orso était levé, prêt à partir. Son costume annonçait à la fois la prétention à l'élégance d'un homme qui va se présenter devant une femme à qui il veut plaire, et la prudence d'un Corse en vendette. Par-dessus une redingote bleue bien serrée à la taille, il portait en bandoulière une petite boîte de fer-blanc contenant des cartouches, suspendue à un cordon de soie verte; son stylet était placé dans une poche de côté, et il tenait à la main le beau fusil de Manton chargé à balles. Pendant qu'il prenait à la hâte une tasse de café versée par Colomba, un berger était sorti pour seller et brider le cheval. Orso et sa sœur le suivirent de près et entrèrent dans l'enclos. Le berger s'était emparé du cheval, mais il avait laissé tomber selle et bride, et paraissait saisi d'horreur, pendant que le cheval, qui se souvenait de la blessure de la nuit précédente et qui craignait pour son autre oreille, se cabrait, ruait, hennissait, faisait le diable à quatre.[1]

— Allons, dépêche-toi! lui cria Orso.

— Ha! Ors' Anton'! ha! Ors' Anton'! s'écriait le berger, sang de la Madone![2] etc.

C'étaient des imprécations sans nombre et sans fin, dont la plupart ne pourraient se traduire.

— Qu'est-il donc arrivé? demanda Colomba.

Tout le monde s'approcha du cheval, et, le voyant sanglant et l'oreille fendue, ce fut une exclamation générale
de surprise et d'indignation. Il faut savoir que mutiler
le cheval de son ennemi est, pour les Corses, à la fois une 5
vengeance, un défi et une menace de mort. "Rien qu'un
coup de fusil n'est capable d'expier ce forfait." Bien
qu'Orso, qui avait longtemps vécu sur le continent, sentît
moins qu'un autre l'énormité de l'outrage, cependant, si
dans ce moment quelque barriciniste se fût présenté à lui, 10
il est probable qu'il lui eût fait immédiatement expier une
insulte qu'il attribuait à ses ennemis.

— Les lâches coquins! s'écria-t-il, se venger sur une
pauvre bête, lorsqu'ils n'osent me rencontrer en face!

— Qu'attendons-nous? s'écria Colomba impétueuse- 15
ment. Ils viennent nous provoquer, mutiler nos chevaux,
et nous ne leur répondrions pas! Etes-vous hommes?

— Vengeance! répondirent les bergers. Promenons le
cheval dans le village et donnons l'assaut à leur maison.

— Il y a une grange couverte de paille qui touche à leur 20
tour, dit le vieux Polo Griffo, en un tour de main[1] je la
ferai flamber.

Un autre proposait d'aller chercher les échelles du
clocher de l'église; un troisième, d'enfoncer les portes de
la maison Barricini au moyen d'une poutre déposée sur 25
la place et destinée à quelque bâtiment en construction.
Au milieu de toutes ces voix furieuses, on entendait celle
de Colomba annonçant à ses satellites qu'avant de se
mettre à l'œuvre chacun allait recevoir d'elle un grand
verre d'anisette. 30

Malheureusement, ou plutôt heureusement, l'effet qu'elle
s'était promis de sa cruauté envers le pauvre cheval était

perdu en grande partie pour Orso. Il ne doutait pas que cette mutilation sauvage ne fût l'œuvre d'un de ses ennemis, et c'était Orlanduccio qu'il soupçonnait particulièrement; mais il ne croyait pas que ce jeune homme, provoqué et frappé par lui, eût effacé sa honte en fendant l'oreille à un cheval. Au contraire, cette basse et ridicule vengeance augmentait son mépris pour ses adversaires, et il pensait maintenant avec le préfet que de pareilles gens ne méritaient pas de se mesurer avec lui.[1] Aussitôt qu'il put se faire entendre, il déclara à ses partisans confondus qu'ils eussent à renoncer à leurs intentions belliqueuses, et que la justice, qui allait venir, vengerait fort bien l'oreille de son cheval.

— Je suis le maître ici, ajouta-t-il d'un ton sévère, et j'entends qu'on m'obéisse. Le premier qui s'avisera de parler encore de tuer ou de brûler, je pourrai bien le brûler à son tour. Allons! qu'on me selle le cheval gris.

— Comment, Orso, dit Colomba en le tirant à l'écart, vous souffrez qu'on nous insulte? Du vivant de notre père, jamais les Barricini n'eussent osé mutiler une bête à nous.

— Je te promets qu'ils auront lieu de s'en repentir; mais c'est aux gendarmes et aux geôliers à punir des misérables qui n'ont de courage que contre des animaux. Je te l'ai dit, la justice me vengera d'eux . . . ou sinon . . . tu n'auras besoin de me rappeler de qui je suis fils . . .

— Patience! dit Colomba en soupirant.

— Souviens-toi bien, ma sœur, poursuivit Orso, que si à mon retour je trouve qu'on a fait quelque démonstration contre les Barricini, jamais je ne te le pardonnerai. Puis, d'un ton plus doux: Il est fort possible, fort probable même, ajouta-t-il, que je reviendrai ici avec le colonel

et sa fille; fais en sorte [1] que leurs chambres soient en ordre, que le déjeuner soit bon, enfin que nos hôtes soient
le moins mal possible.[2]   C'est très bien, Colomba, d'avoir
du courage, mais il faut encore qu'une femme sache tenir
une maison.   Allons, embrasse-moi, sois sage; voilà le 5
cheval gris sellé.

— Orso, dit Colomba, vous ne partirez point seul.

— Je n'ai besoin de personne, dit Orso, et je te réponds
que je ne me laisserai pas couper l'oreille.

— Oh! jamais je ne vous laisserai partir seul en temps 10
de guerre.   Ho! Polo Griffo! Gian' Francè! Memmo!
prenez vos fusils; vous allez accompagner mon frère.

Après une discussion assez vive, Orso dut se résigner à
se faire suivre d'une escorte.   Il prit parmi ses bergers les
plus animés ceux qui avaient conseillé le plus haut de 15
commencer la guerre; puis, après avoir renouvelé ses in-
jonctions à sa sœur et aux bergers restants, il se mit en
route, prenant cette fois un détour pour éviter la maison
Barricini.

Déjà ils étaient loin de Pietranera, et marchaient de 20
grande hâte, lorsqu'au passage d'un petit ruisseau qui se
perdait dans un marécage le vieux Polo Griffo aperçut
plusieurs cochons confortablement couchés dans la boue,
jouissant à la fois du soleil et de la fraîcheur de l'eau.
Aussitôt, ajustant le plus gros, il lui tira un coup de fusil 25
dans la tête et le tua sur la place.   Les camarades du mort
se levèrent et s'enfuirent avec une légèreté surprenante;
et bien que l'autre berger fît feu à son tour, ils gagnèrent
sains et saufs un fourré où ils disparurent.

— Imbéciles! s'écria Orso; vous prenez des cochons 30
pour des sangliers.

— Non pas, Ors' Anton', répondit Polo Griffo; mais ce

troupeau appartient à l'avocat, et c'est pour lui apprendre
à mutiler nos chevaux.

— Comment, coquins! s'écria Orso transporté de fureur, vous imitez les infamies de nos ennemis! Quittez-
5 moi, misérables! Je n'ai pas besoin de vous. Vous n'êtes
bons qu'à vous battre contre des cochons. Je jure Dieu
que si vous osez me suivre je vous casse la tête!

Les deux bergers s'entre-regardèrent interdits. Orso
donna des éperons à son cheval et disparut au galop.

10 — Eh bien! dit Polo Griffo, en voilà d'une bonne![1]
Aimez donc les gens pour qu'ils vous traitent comme cela!
Le colonel, son père, t'en a voulu parce que tu as une fois
couché en joue l'avocat. . . . Grande bête, de ne pas
tirer! . . . Et le fils . . . tu vois ce que j'ai fait pour
15 lui. . . . Il parle de me casser la tête, comme on fait
d'une gourde qui ne tient plus le vin. Voilà ce qu'on ap-
prend sur le continent, Memmo!

— Oui, et si l'on sait que tu as tué ce cochon, on te fera
un procès, et Ors' Anton' ne voudra pas parler aux juges
20 ni payer l'avocat. Heureusement personne ne t'a vu, et
sainte Nega est là pour te tirer d'affaire.[2]

Après une courte délibération, les deux bergers conclurent que le plus prudent était de jeter le porc dans une
fondrière; projet qu'ils mirent à exécution, bien entendu
25 après avoir pris chacun quelques grillades sur l'innocente
victime de la haine des della Rebbia et des Barricini.

XVII

Débarrassé de son escorte indisciplinée, Orso continuait sa route, plus préoccupé du plaisir de revoir miss
Nevil que de la crainte de rencontrer ses ennemis. "Le

procès que je vais avoir avec ces misérables Barricini, se
disait-il, va m'obliger d'aller à Bastia. Pourquoi n'ac-
compagnerais-je pas miss Nevil ? Pourquoi, de Bastia,
n'irions-nous pas ensemble aux eaux d'Orezza [1] ?'' Tout
à coup des souvenirs d'enfance lui rappelèrent nettement 5
ce site pittoresque. Il se crut transporté sur une verte
pelouse au pied des châtaigniers séculaires. Sur un gazon
d'une herbe lustrée, parsemé de fleurs bleues ressemblant
à des yeux qui lui souriaient, il voyait miss Lydia assise
auprès de lui. Elle avait ôté son chapeau, et ses cheveux 10
blonds, plus fins et plus doux que la soie, brillaient comme
de l'or au soleil, qui pénétrait au travers du feuillage.
Ses yeux, d'un bleu si pur, lui paraissaient plus bleus que
le firmament. La joue appuyée sur une main, elle écoutait toute pensive les paroles d'amour qu'il lui adressait 15
en tremblant. Elle avait cette robe de mousseline qu'elle
portait le dernier jour qu'il l'avait vue à Ajaccio. Sous
les plis de cette robe s'échappait un petit pied dans un
soulier de satin noir. Orso se disait qu'il serait bien heureux de baiser ce pied; mais une des mains de miss Lydia 20
n'était pas gantée, et elle tenait une pâquerette. Orso
lui prenait cette pâquerette, et la main de Lydia serrait
la sienne; et il baisait la pâquerette, et puis la main, et
on ne se fâchait pas. . . . Et toutes ces pensées l'empê-
chaient de faire attention à la route qu'il suivait, et ce- 25
pendant il trottait toujours. Il allait pour la seconde fois
baiser en imagination la blanche main de miss Nevil,
quand il pensa [2] baiser en réalité la tête de son cheval qui
s'arrêta tout à coup. C'est que la petite Chilina lui barrait le chemin et lui saisissait la bride. 30
— Où allez-vous ainsi, Ors' Anton' ? disait-elle. Ne
savez-vous pas que votre ennemi est près d'ici ?

— Mon ennemi! s'écria Orso furieux de se voir interrompu dans un moment aussi intéressant. Où est-il?

— Orlanduccio est près d'ici. Il vous attend. Retournez, retournez.

5   — Ah! il m'attend! Tu l'as vu?

— Oui, Ors' Anton', j'étais couchée dans la fougère quand il a passé. Il regardait de tous les côtés avec sa lunette.

— De quel côté allait-il?

10 — Il descendait par là, du côté où vous allez.

— Merci.

— Ors' Anton', ne feriez-vous pas bien d'attendre mon oncle? Il ne peut tarder, et avec lui vous seriez en sûreté.

— N'aie pas peur, Chili, je n'ai pas besoin de ton oncle.

15 — Si vous vouliez, j'irais devant vous.

— Merci, merci.

Et Orso, poussant son cheval, se dirigea rapidement du côté que la petite fille lui avait indiqué.

Son premier mouvement avait été un aveugle transport
20 de fureur, et il s'était dit que la fortune lui offrait une excellente occasion de corriger ce lâche qui mutilait un cheval pour se venger d'un soufflet. Puis, tout en avançant, l'espèce de promesse qu'il avait faite au préfet, et surtout la crainte de manquer la visite de miss Nevil,
25 changeaient ses dispositions et lui faisaient presque désirer de ne pas rencontrer Orlanduccio. Bientôt le souvenir de son père, l'insulte faite à son cheval, les menaces des Barricini rallumaient sa colère, et l'excitaient à chercher son ennemi pour le provoquer et l'obliger à se battre.
30 Ainsi agité par des résolutions contraires, il continuait de marcher en avant, mais, maintenant, avec précaution, examinant les buissons et les haies, et quelquefois même

s'arrêtant pour écouter les bruits vagues qu'on entend
dans la campagne. Dix minutes après avoir quitté la
petite Chilina (il était alors environ neuf heures du matin), il se trouva au bord d'un coteau extrêmement rapide.
Le chemin, ou plutôt le sentier à peine tracé qu'il suivait, 5
traversait un maquis récemment brûlé. En ce lieu la
terre était chargée de cendres blanchâtres, et çà et là des
arbrisseaux et quelques gros arbres noircis par le feu et
entièrement dépouillés de leurs feuilles se tenaient debout,
bien qu'ils eussent cessé de vivre. En voyant un maquis 10
brûlé, on se croit transporté dans un site du Nord au milieu
de l'hiver, et le contraste de l'aridité des lieux que la
flamme a parcourus avec la végétation luxuriante d'alentour les fait paraître encore plus tristes et désolés. Mais
dans ce paysage Orso ne voyait en ce moment qu'une 15
chose, importante, il est vrai, dans sa position: la terre
étant nue ne pouvait cacher une embuscade, et celui qui
peut craindre à chaque instant de voir sortir d'un fourré
un canon de fusil dirigé contre sa poitrine, regarde comme
une espèce d'oasis un terrain uni ou rien n'arrête la vue. 20
Au maquis brûlé succédaient plusieurs champs en culture,
enclos, selon l'usage du pays, de murs en pierres sèches à
hauteur d'appui.[1] Le sentier passait entre ces enclos,
où d'énormes châtaigniers, plantés confusément, présen-
taient de loin l'apparence d'un bois touffu. 25

Obligé par la roideur de la pente à mettre pied à terre,
Orso, qui avait laissé la bride sur le cou de son cheval,
descendait rapidement en glissant sur la cendre; et il
n'était guère qu'à vingt-cinq pas d'un de ces enclos en
pierre à droite du chemin, lorsqu'il aperçut, précisément 30
en face de lui, d'abord un canon de fusil, puis une tête dé-
passant la crête du mur. Le fusil s'abaissa, et il reconnut

Orlanduccio prêt à faire feu.   Orso fut prompt à se mettre
en défense, et tous les deux, se couchant en joue, se re-
gardèrent quelques secondes avec cette émotion poignante
que le plus brave éprouve au moment de donner ou de
5 recevoir la mort.

— Misérable lâche! s'écria Orso . . .

Il parlait encore quand il vit la flamme du fusil d'Orlanduccio, et presque en même temps un second coup
partit à sa gauche, de l'autre côté du sentier, tiré par un
10 homme qu'il n'avait point aperçu, et qui l'ajustait posté
derrière un autre mur.   Les deux balles l'atteignirent:
l'une, celle d'Orlanduccio, lui traversa le bras gauche,
qu'il lui présentait en le couchant en joue; l'autre le frappa
à la poitrine, déchira son habit, mais, rencontrant heu-
15 reusement la lame de son stylet, s'aplatit dessus et ne lui
fit qu'une contusion légère.   Le bras gauche d'Orso tomba
immobile le long de sa cuisse, et le canon de son fusil
s'abaissa un instant; mais il le releva aussitôt, et, dirigeant son arme de sa seule main droite, il fit feu sur Or-
20 landuccio.   La tête de son ennemi, qu'il ne découvrait que
jusqu'aux yeux, disparut derrière le mur.   Orso, se tournant à sa gauche, lâcha son second coup sur un homme
entouré de fumée qu'il apercevait à peine.   A son tour,
cette figure disparut.   Les quatre coups de fusil s'étaient
25 succédé avec une rapidité incroyable, et jamais soldats
exercés ne mirent moins d'intervalle dans un feu de file.
Après le dernier coup d'Orso, tout rentra dans le silence.
La fumée sortie de son arme montait lentement vers le
ciel; aucun mouvement derrière le mur, pas le plus léger
30 bruit.   Sans la douleur qu'il ressentait au bras, il aurait
pu croire que ces hommes sur qui il venait de tirer étaient
des fantômes de son imagination.

S'attendant à une seconde décharge, Orso fit quelques pas pour se placer derrière un des arbres brûlés restés debout dans le maquis. Derrière cet abri, il plaça son fusil entre ses genoux et le rechargea à la hâte. Cependant son bras gauche le faisait cruellement souffrir, et il lui semblait qu'il soutenait un poids énorme. Qu'étaient devenus ses adversaires? Il ne pouvait le comprendre. S'ils s'étaient enfuis, s'ils avaient été blessés, il aurait assurément entendu quelque bruit, quelque mouvement dans le feuillage. Etaient-ils donc morts, ou bien plutôt n'attendaient-ils pas, à l'abri de leur mur, l'occasion de tirer de nouveau sur lui? Dans cette incertitude, et sentant ses forces diminuer, il mit en terre le genou droit, appuya sur l'autre son bras blessé et se servit d'une branche qui partait du tronc de l'arbre brûlé pour soutenir son fusil. Le doigt sur la détente, l'œil fixé sur le mur, l'oreille attentive au moindre bruit, il demeura immobile pendant quelques minutes, qui lui parurent un siècle. Enfin, bien loin derrière lui, un cri éloigné se fit entendre, et bientôt un chien, descendant le coteau avec la rapidité d'une flèche, s'arrêta auprès de lui en remuant la queue. C'était Brusco, le disciple et le compagnon des bandits, annonçant sans doute l'arrivée de son maître; et jamais honnête homme ne fut plus impatiemment attendu. Le chien, le museau en l'air, tourné du côté de l'enclos le plus proche, flairait avec inquiétude. Tout à coup il fit entendre un grognement sourd, franchit le mur d'un bond, et presque aussitôt remonta sur la crête, d'où il regarda fixement Orso, exprimant dans ses yeux la surprise aussi clairement que chien le peut faire; puis il se remit le nez au vent,[1] cette fois dans la direction de l'autre enclos, dont il sauta encore le mur. Au bout d'une seconde, il

E

reparaissait sur la crête, montrant le même air d'étonnement et d'inquiétude; puis il sauta dans le maquis, la
queue entre les jambes, regardant toujours Orso et s'éloignant de lui à pas lents, par une marche de côté, jusqu'à
5 ce qu'il s'en trouvât à quelque distance.   Alors, reprenant
sa course, il remonta le coteau presque aussi vite qu'il
l'avait descendu, à la rencontre d'un homme qui s'avan-
çait rapidement malgré la roideur de la pente.

— A moi, Brando! s'écria Orso dès qu'il le crut à por-
10 tée de la voix.

— Ho! Ors' Anton'! vous êtes blessé! lui demanda
Brandolaccio accourant tout essoufflé.   Dans le corps ou
dans les membres? . . .

— Au bras.

15 — Au bras! ce n'est rien.   Et l'autre?

— Je crois l'avoir touché.

Brandolaccio, suivant son chien, courut à l'enclos le
plus proche et se pencha pour regarder de l'autre côté
du mur.   Là, ôtant son bonnet:

20 — Salut[1] au seigneur Orlanduccio, dit-il.   Puis, se
tournant du côté d'Orso, il le salua à son tour d'un air
grave:

— Voilà, dit-il, ce que j'appelle un homme proprement
accommodé.

25 — Vit-il encore? demanda Orso respirant avec peine.

— Oh! il s'en garderait:[2] il a trop de chagrin de la balle
que vous lui avez mise dans l'œil.   Sang de la Madone,
quel trou!   Bon fusil, ma foi!   Quel calibre!   Ça vous
écarbouille une cervelle!   Dites donc, Ors' Anton', quand
30 j'ai entendu d'abord pif! pif! je me suis dit: Sacrebleu!
ils escofient[3] mon lieutenant.   Puis j'entends boum!
boum!   Ah! je dis, voilà le fusil anglais qui parle: il

riposte. . . . Mais, Brusco, qu'est-ce que tu me veux
donc?

Le chien le mena à l'autre enclos.

— Excusez! s'écria Brandolaccio stupéfait. Coup double! rien que cela![1] Peste! on voit bien que la poudre 5
est chère, car vous l'économisez.

— Qu'y a-t-il, au nom de Dieu! demanda Orso.

— Allons! ne faites donc pas le farceur,[2] mon lieutenant! vous jetez le gibier par terre, et vous voulez qu'on
vous le ramasse. . . . En voilà un qui va en avoir un 10
drôle de dessert[3] aujourd'hui! c'est l'avocat Barricini.
De la viande de boucherie, en veux-tu, en voilà![4] Maintenant qui diable héritera?

— Quoi! Vincentello mort aussi?

— Très mort. Bonne santé à nous autres![5] Ce qu'il y 15
a de bon avec vous, c'est que vous ne les faites pas souffrir.
Venez donc voir Vincentello: il est encore à genoux, la tête
appuyée contre le mur. Il a l'air de dormir. C'est là le
cas de dire: Sommeil de plomb. Pauvre diable!

Orso détourna la tête avec horreur. 20

— Es-tu sûr qu'il soit mort?

— Vous êtes comme Sampiero Corso, qui ne donnait
jamais qu'un coup. Voyez-vous, là, . . . dans la poitrine, à gauche? tenez, comme Vincileone fut attrapé à
Waterloo. Je parierais bien que la balle n'est pas loin 25
du cœur. Coup double! Ah! je ne me mêle plus de tirer.[6] Deux en deux coups! . . . A balle! . . . Les deux
frères! . . . S'il avait eu un troisième coup, il aurait tué
le papa. . . . On fera mieux une autre fois. . . . Quel
coup, Ors' Anton'! . . . Et dire que cela n'arrivera ja- 30
mais à un brave garçon comme moi de faire coup double
sur des gendarmes!

Tout en parlant, le bandit examinait le bras d'Orso et fendait sa manche avec son stylet.

— Ce n'est rien, dit-il. Voilà une redingote qui donnera de l'ouvrage à mademoiselle Colomba . . . Hein! qu'est-ce que je vois? cet accroc sur la poitrine? . . . Rien n'est entré par là? Non, vous ne seriez pas si gaillard. Voyons, essayez de remuer les doigts. . . . Sentez-vous mes dents quand je vous mords le petit doigt? . . . Pas trop? . . . C'est égal, ce ne sera rien. Laissez-moi prendre votre mouchoir et votre cravate. . . . Voilà votre redingote perdue. . . . Pourquoi diable vous faire si beau? Alliez-vous à la noce? . . . Là, buvez une goutte de vin. . . . Pourquoi donc ne portez-vous pas de gourde? Est-ce qu'un Corse sort jamais sans gourde?

Puis, au milieu du pansement, il s'interrompait pour s'écrier:

— Coup double! tous les deux roides morts! . . . C'est le curé qui va rire. . . . Coup double! Ah! voici enfin cette petite tortue de Chilina.

Orso ne répondait pas. Il était pâle comme un mort et tremblait de tous ses membres.

— Chili, cria Brandolaccio, va regarder derrière ce mur. Hein?

L'enfant, s'aidant des pieds et des mains, grimpa sur le mur, et aussitôt qu'elle eut aperçu le cadavre d'Orlanduccio, elle fit le signe de la croix.

— Ce n'est rien, continua le bandit : va voir plus loin, là-bas.

L'enfant fit un nouveau signe de croix.

— Est-ce vous, mon oncle? demanda-t-elle timidement.

— Moi! est-ce que je ne suis pas devenu un vieux bon

à rien? Chili, c'est de l'ouvrage de monsieur. Fais-lui ton compliment.

— Mademoiselle en aura bien de la joie, dit Chilina, et elle sera bien fâchée de vous savoir blessé, Ors' Anton'.

— Allons, Ors' Anton', dit le bandit après avoir achevé 5 le pansement, voilà Chilina qui a rattrapé votre cheval. Montez et venez avec moi au maquis de la Stazzona. Bien avisé qui[1] vous y trouverait. Nous vous y traiterons de notre mieux. Quand nous serons à la croix de Sainte-Christine, il faudra mettre pied à terre. Vous donnerez 10 votre cheval à Chilina, qui s'en ira prévenir mademoiselle, et, chemin faisant, vous la chargerez de vos commissions. Vous pouvez tout dire à la petite, Ors' Anton': elle se ferait plutôt hacher que de trahir ses amis. Et d'un ton de tendresse: "Va, coquine, disait-il, sois excommuniée, 15 sois maudite, friponne!" Brandolaccio, superstitieux comme beaucoup de bandits, craignait de fasciner les enfants en leur adressant des bénédictions ou des éloges, car on sait que les puissances mystérieuses qui président à l'*Annocchiatura*[2] ont la mauvaise habitude d'exécuter 20 le contraire de nos souhaits.

— Où veux-tu que j'aille, Brando? dit Orso d'une voix éteinte.

— Parbleu! vous avez à choisir: en prison ou bien au maquis. Mais un della Rebbia ne connaît pas le chemin 25 de la prison. Au maquis, Ors' Anton'!

— Adieu donc toutes mes espérances! s'écria douloureusement le blessé.

— Vos espérances? Diantre! espériez-vous faire mieux avec un fusil à deux coups? . . . Ah çà![3] comment 30 diable vous ont-ils touché? Il faut que ces gaillards-là aient la vie plus dure que les chats.

— Ils ont tiré les premiers, dit Orso.

— C'est vrai, j'oubliais. . . . Pif! pif! boum! boum! . . .
coup double d'une main! [1] . . . Quand on fera mieux, je
m'irai pendre! Allons, vous voilà monté . . . avant de
5 partir, regardez donc un peu votre ouvrage. Il n'est pas
poli de quitter ainsi la compagnie sans lui dire adieu.

Orso donna des éperons à son cheval; pour rien au
monde il n'eût voulu voir les malheureux à qui il venait
de donner la mort.

10 — Tenez, Ors' Anton', dit le bandit s'emparant de la
bride du cheval, voulez-vous que je vous parle franchement? Eh bien! sans vous offenser, ces deux pauvres
jeunes gens me font de la peine. Je vous prie de
m'excuser. . . . Si beaux . . . si forts . . . si jeunes! . . .
15 Orlanduccio avec qui j'ai chassé tant de fois . . . Il m'a
donné, il y a quatre jours, un paquet de cigares. . . . Vincentello, qui était toujours de si belle humeur! . . . C'est
vrai que vous avez fait ce que vous deviez faire . . . et
d'ailleurs le coup est trop beau pour qu'on le regrette. . . .
20 Mais moi, je n'étais pas dans votre vengeance. . . . Je
sais que vous avez raison; quand on a un ennemi, il faut
s'en défaire. Mais les Barricini, c'était une vieille famille.
. . . En voilà encore une qui fausse compagnie! [2] . . . et
par un coup double! c'est piquant.

25 Faisant ainsi l'oraison funèbre des Barricini, Brandolaccio conduisait en hâte Orso, Chilina et le chien Brusco
vers le maquis de la Stazzona.

XVIII

Cependant Colomba, peu après le départ d'Orso, avait appris par ses espions que les Barricini tenaient la campagne,[1] et, dès ce moment, elle fut en proie à une vive inquiétude. On la voyait parcourir la maison en tous sens,[2] allant de la cuisine aux chambres préparées pour ses hôtes, 5 ne faisant rien et toujours occupée, s'arrêtant sans cesse pour regarder si elle n'apercevait pas dans le village un mouvement inusité. Vers onze heures une cavalcade assez nombreuse entra dans Pietranera; c'étaient le colonel, sa fille, leurs domestiques et leur guide. En les recevant, 10 le premier mot de Colomba fut: "Avez-vous vu mon frère?" Puis elle demanda au guide quel chemin ils avaient pris, à quelle heure ils étaient partis; et, sur ses réponses, elle ne pouvait comprendre qu'ils ne se fussent pas rencontrés. 15

Peut être que votre frère aura pris par le haut,[3] dit le guide, nous, nous sommes venus par le bas.

Mais Colomba secoua la tête et renouvela ses questions. Malgré sa fermeté naturelle, augmentée encore par l'orgueil de cacher toute faiblesse à des étrangers, il lui était 20 impossible de dissimuler ses inquiétudes, et bientôt elle les fit partager au colonel et surtout à miss Lydia, lorsqu'elle les eut mis au fait de la tentative [4] de réconciliation qui avait eu une si malheureuse issue. Miss Nevil s'agitait, voulait qu'on envoyât des messagers dans toutes les 25 directions, et son père offrait de remonter à cheval et d'aller avec le guide à la recherche d'Orso. Les craintes de ses hôtes rappelèrent à Colomba ses devoirs de maîtresse de maison. Elle s'efforça de sourire, pressa le

colonel de se mettre à table, et trouva pour expliquer le
retard de son frère vingt motifs plausibles qu'au bout d'un
instant elle détruisait elle-même. Croyant qu'il était de
son devoir d'homme de chercher à rassurer des femmes, le
5 colonel proposa son explication aussi.

— Je gage, dit-il, que della Rebbia aura rencontré du
gibier; il n'a pu résister à la tentation, et nous allons le
voir revenir la carnassière toute pleine. Parbleu! ajouta-
t-il, nous avons entendu sur la route quatre coups de
10 fusil. Il y en avait deux plus forts que les autres, et j'ai
dit à ma fille: Je parie que c'est della Rebbia qui chasse.
Ce ne peut être que mon fusil qui fait tant de bruit.

Colomba pâlit, et Lydia, qui l'observait avec attention,
devina sans peine quels soupçons la conjecture du colonel
15 venait de lui suggérer. Après un silence de quelques
minutes, Colomba demanda vivement si les deux fortes
détonations avaient précédé ou suivi les autres. Mais ni
le colonel, ni sa fille, ni le guide, n'avaient fait grande
attention à ce point capital.

20 Vers une heure, aucun des messagers envoyés par Colomba n'étant encore revenu, elle rassembla tout son
courage et força ses hôtes à se mettre à table; mais,
sauf le colonel, personne ne put manger. Au moindre
bruit sur la place, Colomba courait à la fenêtre, puis
25 revenait s'asseoir tristement, et, plus tristement encore,
s'efforçait de continuer avec ses amis une conversation
insignifiante à laquelle personne ne prêtait la moindre
attention et qu'interrompaient de longs intervalles de
silence.

30 Tout d'un coup on entendit le galop d'un cheval.

— Ah! cette fois, c'est mon frère, dit Colomba en se
levant.

Mais à la vue de Chilina montée à califourchon [1] sur le cheval d'Orso:

— Mon frère est mort! s'écria-t-elle d'une voix déchirante.

Le colonel laissa tomber son verre, miss Nevil poussa un cri, tous coururent à la porte de la maison. Avant que Chilina pût sauter à bas de sa monture, elle était enlevée comme une plume par Colomba qui la serrait à l'étouffer.[2] L'enfant comprit son terrible regard, et sa première parole fut celle du chœur d'Othello:[3] "Il vit!" Colomba cessa de l'étreindre, et Chilina tomba à terre aussi lestement qu'une jeune chatte.

— Les autres? demanda Colomba d'une voix rauque.

Chilina fit le signe de la croix avec l'index et le doigt du milieu. Aussitôt une vive rougeur succéda, sur la figure de Colomba, à sa pâleur mortelle. Elle jeta un regard ardent sur la maison des Barricini, et dit en souriant à ses hôtes: — Rentrons prendre le café.

L'Iris des bandits [4] en avait long à raconter. Son patois, traduit par Colomba en italien tel quel,[5] puis en anglais par miss Nevil, arracha plus d'une imprécation au colonel, plus d'un soupir à miss Lydia; mais Colomba écoutait d'un air impassible; seulement elle tordait sa serviette damassée de façon à la mettre en pièces. Elle interrompit l'enfant cinq ou six fois pour se faire répéter que Brandolaccio disait que la blessure n'était pas dangereuse et qu'il en avait vu bien d'autres. En terminant, Chilina rapporta qu'Orso demandait avec instance du papier pour écrire, et qu'il chargeait sa sœur de supplier une dame qui peut-être se trouverait dans sa maison, de n'en point partir avant d'avoir reçu une lettre de lui. — C'est, ajouta l'enfant, ce qui le tourmentait le plus; et

j'étais déjà en route quand il m'a rappelée pour me recommander cette commission.   C'était pour la troisième
fois qu'il me la répétait.   A cette injonction de son frère,
Colomba sourit légèrement et serra fortement la main de
5 l'Anglaise, qui fondit en larmes et ne jugea pas à propos
de traduire à son père cette partie de la narration.

— Oui, vous resterez avec moi, ma chère amie, s'écria
Colomba en embrassant miss Nevil, et vous nous aiderez.

Puis, tirant d'une armoire quantité de vieux linge, elle
10 se mit à le couper pour faire des bandes et de la charpie.
En voyant ses yeux étincelants, son teint animé, cette
alternative de préoccupation et de sang-froid, il eût été
difficile de dire si elle était plus touchée de la blessure de
son frère qu'enchantée de la mort de ses ennemis.   Tan-
15 tôt elle versait du café au colonel et lui vantait son talent
à le préparer;   tantôt, distribuant de l'ouvrage à miss
Nevil et à Chilina, elle les exhortait à coudre les bandes
et à les rouler;   elle demandait pour la vingtième fois si la
blessure d'Orso le faisait beaucoup souffrir.   Continuelle-
20 ment elle s'interrompait au milieu de son travail pour dire
au colonel:

— Deux hommes si adroits! si terribles! . . . Lui seul,
blessé, n'ayant qu'un bras . . . il les a abattus tous les
deux.   Quel courage, colonel!   N'est-ce pas un héros?
25 Ah! miss Nevil, qu'on est heureux de vivre dans un pays
tranquille comme le vôtre! . . . Je suis sûre que vous ne
connaissiez pas encore mon frère! . . . Je l'avais dit:
l'épervier déploiera ses ailes! . . . Vous vous trompiez à
son air si doux.[1] . . . C'est qu'auprès de vous, miss Nevil
30 . . . Ah! s'il vous voyait travailler pour lui. . . . Pauvre
Orso!

Miss Lydia ne travaillait guère et ne trouvait pas une

parole. Son père demandait pourquoi l'on ne se hâtait pas de porter plainte [1] devant un magistrat. Il parlait de l'enquête du *coroner* et de bien d'autres choses également inconnues en Corse. Enfin il voulait savoir si la maison de campagne de ce bon M. Brandolaccio, qui avait donné des secours au blessé, était fort éloignée de Pietranera, et s'il ne pourrait pas aller lui-même voir son ami.

Et Colomba répondait avec son calme accoutumé qu'Orso était dans le maquis; qu'il avait un bandit pour le soigner; qu'il courait grand risque s'il se montrait avant qu'on se fût assuré des dispositions du préfet et des juges; enfin qu'elle ferait en sorte qu'un chirurgien habile se rendît en secret auprès de lui.

— Surtout, monsieur le colonel, souvenez-vous bien, disait-elle, que vous avez entendu les quatre coups de fusil, et que vous m'avez dit qu'Orso avait tiré le second.

Le colonel ne comprenait rien à l'affaire, et sa fille ne faisait que soupirer [2] et s'essuyer les yeux.

Le jour était déjà fort avancé lorsqu'une triste procession entra dans le village. On rapportait à l'avocat Barricini les cadavres de ses enfants, chacun couché en travers d'une mule que conduisait un paysan. Une foule de clients et d'oisifs suivait le lugubre cortège. Avec eux on voyait les gendarmes, qui arrivent toujours trop tard, et l'adjoint, qui levait les bras au ciel, répétant sans cesse: "Que dira M. le préfet!" Quelques femmes, entre autres une nourrice d'Orlanduccio, s'arrachaient les cheveux et poussaient des hurlements sauvages. Mais leur douleur bruyante produisait moins d'impression que le désespoir muet d'un personnage qui attirait tous les regards. C'était le malheureux père, qui allant d'un cadavre à l'autre, soulevait leurs têtes souillées de terre, baisait leurs lèvres vio-

lettes, soutenait leurs membres déjà roidis, comme pour
leur éviter les cahots de la route. Parfois on le voyait
ouvrir la bouche pour parler, mais il n'en sortait pas un
cri, pas une parole. Toujours les yeux fixés sur les cada-
5 vres, il se heurtait contre les pierres, contre les arbres,
contre tous les obstacles qu'il rencontrait.

Les lamentations des femmes, les imprécations des
hommes redoublèrent lorsqu'on se trouva en vue de la
maison d'Orso. Quelques bergers rebbianistes ayant osé
10 faire entendre une acclamation de triomphe, l'indignation
de leurs adversaires ne put se contenir. "Vengeance!
vengeance!" crièrent quelques voix. On lança des pierres, et deux coups de fusil dirigés contre les fenêtres de la
salle où se trouvaient Colomba et ses hôtes percèrent les
15 contrevents et firent voler des éclats de bois jusque sur la
table près de laquelle les deux femmes étaient assises.
Miss Lydia poussa des cris affreux, le colonel saisit un
fusil, et Colomba, avant qu'il pût la retenir, s'élança vers
la porte de la maison et l'ouvrit avec impétuosité. Là,
20 debout sur le seuil élevé, les deux mains étendues pour
maudire ses ennemis:

—Lâches! s'écria-t-elle, vous tirez sur des femmes,
sur des étrangers! Etes-vous Corses? êtes-vous hommes?
Misérables qui ne savez qu'assassiner par derrière, avan-
25 cez! je vous défie. Je suis seule; mon frère est loin.
Tuez-moi, tuez mes hôtes; cela est digne de vous. . . .
Vous n'osez, lâches que vous êtes! vous savez que nous
nous vengeons. Allez, allez pleurer comme des femmes,
et remerciez-nous de ne pas vous demander plus de sang!
30 Il y avait dans la voix et dans l'attitude de Colomba
quelque chose d'imposant et de terrible; à sa vue, la foule
recula épouvantée, comme à l'apparition de ces fées mal-

faisantes dont on raconte en Corse plus d'une histoire effrayante dans les veillées d'hiver. L'adjoint, les gendarmes et un certain nombre de femmes profitèrent de ce mouvement pour se jeter entre les deux partis; car les bergers rebbianistes préparaient déjà leurs armes, et l'on put craindre un moment qu'une lutte générale ne s'engageât sur la place. Mais les deux factions étaient privées de leurs chefs, et les Corses, disciplinés [1] dans leurs fureurs, en viennent rarement aux mains dans l'absence des principaux auteurs de leurs guerres intestines. D'ailleurs, Colomba, rendue prudente par le succès, contint sa petite garnison:

— Laissez pleurer ces pauvres gens, disait-elle; laissez ce vieillard emporter sa chair. A quoi bon tuer ce vieux renard qui n'a plus de dents pour mordre? — Giudice Barricini! souviens-toi du deux août! Souviens-toi du portefeuille sanglant où tu as écrit de ta main de faussaire! Mon père y avait inscrit ta dette; tes fils l'ont payée. Je te donne quittance, vieux Barricini!

Colomba, les bras croisés, le sourire du mépris sur les lèvres, vit porter les cadavres dans la maison de ses ennemis, puis la foule se dissiper lentement. Elle referma sa porte, et rentrant dans la salle à manger, dit au colonel:

— Je vous demande bien pardon pour mes compatriotes, monsieur. Je n'aurais jamais cru que des Corses tirassent sur une maison où il y a des étrangers, et je suis honteuse pour mon pays.

Le soir, miss Lydia s'étant retirée dans sa chambre, le colonel l'y suivit et lui demanda s'ils ne feraient pas bien de quitter dès le lendemain un village où l'on était exposé à chaque instant à recevoir une balle dans la tête, et le plus tôt possible un pays où l'on ne voyait que meurtres et trahisons.

Miss Nevil fut quelque temps sans répondre, et il était évident que la proposition de son père ne lui causait pas 5 un médiocre embarras. Enfin elle dit:

— Comment pourrions-nous quitter cette malheureuse jeune personne dans un moment où elle a tant besoin de consolation? Ne trouvez-vous pas, mon père, que cela serait cruel à nous?

10 — C'est pour vous que je parle, ma fille, dit le colonel; et si je vous savais en sûreté dans l'hôtel d'Ajaccio, je vous assure que je serais fâché de quitter cette île maudite sans avoir serré la main à ce brave della Rebbia.

— Eh bien! mon père, attendons encore, et, avant de 15 partir, assurons-nous bien que nous ne pouvons leur rendre aucun service.

— Bon cœur! dit le colonel en baisant sa fille au front. J'aime à te voir ainsi te sacrifier pour adoucir le malheur des autres. Restons; on ne se repent jamais d'avoir fait 20 une bonne action.

Miss Lydia s'agitait dans son lit sans pouvoir dormir. Tantôt les bruits vagues qu'elle entendait lui paraissaient les préparatifs d'une attaque contre la maison; tantôt, rassurée pour elle-même, elle pensait au pauvre blessé, 25 étendu probablement à cette heure sur la terre froide, sans autres secours que ceux qu'il pouvait attendre de la charité d'un bandit. Elle se le représentait couvert de sang, se débattant dans des souffrances horribles; et ce qu'il y a de singulier, c'est que, toutes les fois que l'image d'Orso 30 se présentait à son esprit, il lui apparaissait toujours tel qu'elle l'avait vu au moment de son départ, pressant sur ses lèvres le talisman qu'elle lui avait donné. . . . Puis

elle songeait à sa bravoure. Elle se disait que le danger
terrible auquel il venait d'échapper, c'était à cause d'elle,
pour la voir un peu plus tôt, qu'il s'y était exposé. Peu
s'en fallait qu'elle ne se persuadât[1] que c'était pour la
défendre, qu'Orso s'était fait casser le bras. Elle se re-   5
prochait sa blessure, mais elle l'en admirait davantage; et
si le fameux coup double n'avait pas, à ses yeux, autant
de mérite qu'à ceux de Brandolaccio et de Colomba, elle
trouvait cependant que peu de héros de roman auraient
montré autant d'intrépidité, autant de sang-froid dans 10
un aussi grand péril.

  La chambre qu'elle occupait était celle de Colomba.
Au-dessus d'une espèce de prie-Dieu en chêne, à côté
d'une palme bénite,[2] était suspendu à la muraille un portrait en miniature d'Orso en uniforme de sous-lieutenant. 15
Miss Nevil détacha ce portrait, le considéra longtemps, et
le posa enfin auprès de son lit, au lieu de le remettre à sa
place. Elle ne s'endormit qu'à la pointe du jour, et le
soleil était déjà fort élevé au-dessus de l'horizon lorsqu'elle s'éveilla. Devant son lit elle aperçut Colomba, 20
qui attendait immobile le moment où elle ouvrirait les
yeux.

  — Et bien! mademoiselle, n'êtes-vous pas bien mal
dans notre pauvre maison? lui dit Colomba. Je crains
que vous n'ayez guère dormi.   25

  — Avez-vous de ses nouvelles, ma chère amie? dit
miss Nevil en se levant sur son séant.[3]

  Elle aperçut le portrait d'Orso, et se hâta de jeter un
mouchoir pour le cacher.

  — Oui, j'ai de ses nouvelles, dit Colomba en souriant. 30
Et, prenant le portrait:

  — Le trouvez-vous ressemblant? Il est mieux que cela.

— Mon Dieu! . . . dit miss Nevil toute honteuse, j'ai
détaché . . . par distraction . . . ce portrait. . . . J'ai
le défaut de toucher à tout . . . et de ne ranger rien . . . .
Comment est votre frère?

5   — Assez bien. Giocanto est venu ici ce matin avant
quatre heures. Il m'apportait une lettre . . . pour vous,
miss Lydia; Orso ne m'a pas écrit, à moi. Il y a bien sur
l'adresse: A Colomba; mais plus bas: Pour miss N. . . .
Les sœurs ne sont point jalouses. Giocanto dit qu'il a
10 bien souffert pour écrire. Giocanto, qui a une main superbe,[1] lui avait offert d'écrire sous sa dictée. Il n'a pas
voulu. Il écrivait avec un crayon, couché sur le dos.
Brandolaccio tenait le papier. A chaque instant mon
frère voulait se lever, et alors, au moindre mouvement,
15 c'étaient dans son bras des douleurs atroces. C'était pitié,
disait Giocanto. Voici sa lettre.

Miss Nevil lut la lettre, qui était écrite en anglais,
sans doute par surcroît de précaution. Voici ce qu'elle
contenait.

20 MADEMOISELLE, — Une malheureuse fatalité m'a poussé;
j'ignore ce que diront mes ennemis, quelles calomnies ils inven-
teront. Peu m'importe, si vous, mademoiselle, vous n'y don-
nez pas créance. Depuis que je vous ai vue, je m'étais bercé
de rêves insensés. Il a fallu cette catastrophe pour me mon-
25 trer ma folie; je suis raisonnable maintenant. Je sais quel est
l'avenir qui m'attend, et il me trouvera résigné. Cette bague
que vous m'avez donnée et que je croyais un talisman de bonheur, je n'ose la garder. Je crains, miss Nevil, que vous n'ayez
du regret d'avoir si mal placé vos dons; ou plutôt, je crains
30 qu'elle ne me rappelle le temps où j'étais fou. Colomba vous
la remettra. . . . Adieu, mademoiselle, vous allez quitter la
Corse, et je ne vous verrai plus; mais dites à ma sœur que j'ai

encore votre estime, et, je le dis avec assurance, je la mérite toujours.

O. D. R.

Miss Lydia s'était détournée pour lire cette lettre, et Colomba, qui l'observait attentivement, lui remit la bague égyptienne en lui demandant du regard ce que cela signifiait. Mais miss Lydia n'osait lever la tête, et elle considérait tristement la bague, qu'elle mettait à son doigt et qu'elle retirait alternativement.

— Chère miss Nevil, dit Colomba, ne puis-je savoir ce que vous dit mon frère? Vous parle-t-il de son état?

— Mais . . . dit miss Lydia en rougissant, il n'en parle pas. . . . Sa lettre est en anglais. . . . Il me charge de dire à mon père. . . . Il espère que le préfet pourra arranger. . . .

Colomba, souriant avec malice, s'assit sur le lit, prit les deux mains de miss Nevil, et la regardant avec ses yeux pénétrants:

— Serez-vous bonne? lui dit-elle. N'est-ce pas que vous répondrez à mon frère? Vous lui ferez tant de bien! Un moment l'idée m'est venue de vous réveiller lorsque sa lettre est arrivée, et puis je n'ai pas osé.

— Vous avez eu bien tort, dit miss Nevil, si un mot de moi pouvait le . . .

— Maintenant je ne puis lui envoyer de lettres. Le préfet est arrivé, et Pietranera est pleine de ses estafiers. Plus tard nous verrons. Ah! si vous connaissiez mon frère, miss Nevil, vous l'aimeriez comme je l'aime. . . . Il est si bon! si brave! songez donc à ce qu'il a fait! Seul contre deux et blessé!

Le préfet était de retour. Instruit par un exprès de l'adjoint, il était venu accompagné de gendarmes et de

voltigeurs, amenant de plus procureur du roi, greffier et le
reste pour instruire sur la nouvelle et terrible catastrophe
qui compliquait, ou si l'on veut qui terminait les inimitiés
des familles de Pietranera. Peu après son arrivée, il vit
5 le colonel Nevil et sa fille, et ne leur cacha pas qu'il craignait que l'affaire ne prît une mauvaise tournure.

— Vous savez, dit-il, que le combat n'a pas eu de témoins; et la réputation d'adresse et de courage de ces
deux malheureux jeunes gens était si bien établie, que tout
10 le monde se refuse à croire que M. della Rebbia ait pu
les tuer sans l'assistance des bandits auprès desquels on
le dit réfugié.

— C'est impossible, s'écria le colonel; Orso della Rebbia est un garçon plein d'honneur; je réponds de lui.

15 — Je le crois, dit le préfet, mais le procureur du roi
(ces messieurs soupçonnent toujours) ne me paraît pas
très favorablement disposé. Il a entre les mains une
pièce fâcheuse pour votre ami. C'est une lettre menaçante adressée à Orlanduccio, dans laquelle il lui donne
20 un rendez-vous . . . et ce rendez-vous lui paraît une
embuscade.

— Cet Orlanduccio, dit le colonel, a refusé de se battre
comme un galant homme.

— Ce n'est pas l'usage ici. On s'embusque, on se tue
25 par derrière, c'est la façon du pays. Il y a bien une déposition favorable; c'est celle d'une enfant qui affirme avoir
entendu quatre détonations, dont les deux dernières, plus
fortes que les autres, provenaient d'une arme de gros calibre comme le fusil de M. della Rebbia. Malheureuse-
30 ment cette enfant est la nièce de l'un des bandits que l'on
soupçonne de complicité, et elle a sa leçon faite.[1]

— Monsieur, interrompit miss Lydia, rougissant jusqu'au blanc des yeux, nous étions sur la route quand les coups de fusil ont été tirés, et nous avons entendu la même chose.

— En vérité? Voilà qui est important. Et vous, colonel, vous avez sans doute fait la même remarque? 5

— Oui, reprit vivement miss Nevil; c'est mon père, qui a l'habitude des armes, qui a dit: Voilà M. della Rebbia qui tire avec mon fusil.

— Et ces coups de fusil que vous avez reconnus, c'étaient bien les derniers? 10

— Les deux derniers, n'est-ce pas, mon père?

Le colonel n'avait pas très bonne mémoire; mais en toute occasion il n'avait garde de contredire sa fille.[1]

— Il faut sur-le-champ parler de cela au procureur du roi, colonel. Au reste, nous attendons ce soir un chirur- 15 gien qui examinera les cadavres et vérifiera si les blessures ont été faites avec l'arme en question.

— C'est moi qui l'ai donnée à Orso, dit le colonel, et je voudrais la savoir au fond de la mer. . . . C'est-à-dire . . . le brave garçon! je suis bien aise qu'il l'ait eue entre les 20 mains; car, sans mon Manton, je ne sais trop comment il s'en serait tiré.[2]

XIX

Le chirurgien arriva un peu tard. Il avait eu son aven- ture sur la route. Rencontré par Giocanto Castriconi, il avait été sommé avec la plus grande politesse de venir 25 donner ses soins à un homme blessé. On l'avait conduit auprès d'Orso, et il avait mis le premier appareil à sa bles- sure. Ensuite le bandit l'avait reconduit assez loin, et l'avait fort édifié en lui parlant des plus fameux profes- seurs de Pise, qui, disait-il, étaient ses intimes amis. 30

— Docteur, dit le théologien en le quittant, vous m'avez inspiré trop d'estime pour que je croie nécessaire de vous rappeler qu'un médecin doit être aussi discret qu'un confesseur. Et il faisait jouer la batterie de son fusil.[1] Vous
5 avez oublié le lieu où nous avons eu l'honneur de nous voir. Adieu, enchanté d'avoir fait votre connaissance.

Colomba supplia le colonel d'assister à l'autopsie des cadavres.

— Vous connaissez mieux que personne le fusil de mon
10 frère, dit-elle, et votre présence sera fort utile. D'ailleurs il y a tant de méchantes gens ici que nous courrions de grands risques si nous n'avions personne pour défendre nos intérêts.

Restée seule avec miss Lydia, elle se plaignit d'un
15 grand mal de tête, et lui proposa une promenade à quelques pas du village.

— Le grand [2] air me fera du bien, disait-elle. Il y a si longtemps que je ne l'ai respiré! Tout en marchant elle lui parlait de son frère; et miss Lydia, que ce sujet inté-
20 ressait assez vivement, ne s'apercevait pas qu'elle s'éloignait beaucoup de Pietranera. Le soleil se couchait quand elle en fit l'observation et engagea Colomba à rentrer. Colomba connaissait une traverse [3] qui, disait-elle, abrégeait beaucoup le retour: et, quittant le sentier qu'elle
25 suivait, elle en prit un autre en apparence beaucoup moins fréquenté. Bientôt elle se mit à gravir un coteau tellement escarpé qu'elle était obligée continuellement pour se soutenir de s'accrocher d'une main à des branches d'arbres, pendant que de l'autre elle tirait sa compagne après
30 elle. Au bout d'un grand quart d'heure de cette pénible ascension elles se trouvèrent sur un petit plateau couvert de myrtes et d'arbousiers, au milieu de grandes masses de

granit qui perçaient le sol de tous côtés. Miss Lydia était très fatiguée, le village ne paraissait pas, et il faisait presque nuit.

— Savez-vous, ma chère Colomba, dit-elle, que je crains que nous ne nous soyons égarées ?

— N'ayez pas peur, répondit Colomba. Marchons toujours,[1] suivez-moi.

— Mais je vous assure que vous vous trompez; le village ne peut pas être de ce côté-là. Je parierais que nous lui tournons le dos. Tenez, ces lumières que nous voyons si loin, certainement c'est là qu'est Pietranera.

— Ma chère amie, dit Colomba d'un air agité, vous avez raison; mais à deux cents pas d'ici . . . dans ce maquis . . .

— Eh bien ?

— Mon frère y est; je pourrais le voir et l'embrasser si vous vouliez.

Miss Nevil fit un mouvement de surprise.

— Je suis sortie de Pietranera, poursuivit Colomba, sans être remarquée, parce que j'étais avec vous . . . autrement on m'aurait suivie. . . . Etre si près de lui et ne pas le voir! . . . Pourquoi ne viendriez-vous pas avec moi voir mon pauvre frère ? Vous lui feriez tant de plaisir!

— Mais, Colomba . . . ce ne serait pas convenable de ma part.

— Je comprends. Vous autres femmes des villes, vous vous inquiétez toujours de ce qui est convenable; nous autres femmes de village, nous ne pensons qu'à ce qui est bien.

— Mais il est si tard! . . . Et votre frère, que pensera-t-il de moi ?

— Il pensera qu'il n'est point abandonné par ses amis, et cela lui donnera du courage pour souffrir.

— Et mon père, il sera si inquiet . . .

— Il vous sait avec moi. . . . Eh bien! décidez-vous.
. . . Vous regardiez son portrait ce matin, ajouta-t-elle avec un sourire de malice.

— Non . . . vraiment, Colomba, je n'ose . . . ces bandits qui sont là . . .

— Eh bien! ces bandits ne vous connaissent pas, qu'importe? Vous désiriez en voir! . . .

— Mon Dieu!

— Voyons, mademoiselle, prenez un parti. Vous laisser seule ici, je ne le puis pas; on ne sait pas ce qui pourrait arriver. Allons voir Orso, ou bien retournons ensemble au village. . . . Je verrai mon frère . . . Dieu sait quand . . . , peut-être jamais. . . .

— Que dites-vous, Colomba? . . . Eh bien! allons! mais pour une minute seulement, et nous reviendrons aussitôt.

Colomba lui serra la main, et, sans répondre, elle se mit à marcher avec une telle rapidité, que miss Lydia avait peine à la suivre. Heureusement Colomba s'arrêta bientôt en disant à sa compagne:

— N'avançons pas davantage avant de les avoir prévenus; nous pourrions peut-être attraper un coup de fusil.

Elle se mit alors à siffler entre ses doigts; bientôt après on entendit un chien aboyer, et la sentinelle avancée des bandits ne tarda pas à paraître. C'était notre vieille connaissance, le chien Brusco, qui reconnut aussitôt Colomba, et se chargea de lui servir de guide. Après maints détours dans les sentiers étroits du maquis, deux hommes armés jusqu'aux dents se présentèrent à leur rencontre.

— Est-ce vous, Brandolaccio ? demanda Colomba. Où est mon frère ?

— Là-bas! répondit le bandit. Mais avancez douce-ment: il dort, et c'est la première fois que cela lui arrive depuis son accident. Vive Dieu![1] on voit bien que par où passe le diable une femme passe bien aussi.

Les deux femmes s'approchèrent avec précaution, et auprès d'un feu dont on avait prudemment masqué l'éclat en construisant autour un petit mur en pierres sèches,[2] elles aperçurent Orso couché sur un tas de fougère et cou-vert d'un pilone. Il était fort pâle, et l'on entendait sa respiration oppressée. Colomba s'assit auprès de lui, et le contempla en silence les mains jointes, comme si elle priait mentalement. Miss Lydia, se couvrant le visage de son mouchoir, se serra contre elle; mais de temps en temps elle levait la tête pour voir le blessé par-dessus l'épaule de Colomba. Un quart d'heure se passa sans que personne ouvrît la bouche. Sur un signe du théo-logien, Brandolaccio s'était enfoncé avec lui dans le ma-quis, au grand contentement de miss Lydia, qui, pour la première fois, trouvait que les grandes barbes et l'équipe-ment des bandits avaient trop de couleur locale.[3]

Enfin Orso fit un mouvement. Aussitôt Colomba se pencha sur lui et l'embrassa à plusieurs reprises, l'acca-blant de questions sur sa blessure, ses souffrances, ses besoins. Après avoir répondu qu'il était aussi bien que possible, Orso lui demanda à son tour si miss Nevil était encore à Pietranera, et si elle lui avait écrit. Colomba, courbée sur son frère, lui cachait complètement sa com-pagne, que l'obscurité, d'ailleurs, lui aurait difficilement permis de reconnaître. Elle tenait une main de miss Nevil, et de l'autre elle soulevait légèrement la tête du blessé.

— Non, mon frère, elle ne m'a pas donné de lettre pour vous; . . . mais vous pensez toujours à miss Nevil, vous l'aimez donc bien ?

— Si je l'aime, Colomba ! . . . Mais elle . . . elle me
5 méprise peut-être à présent !

En ce moment, miss Nevil fit un effort pour retirer sa main; mais il n'était pas facile de faire lâcher prise à Colomba;[1] et, quoique petite et bien formée, sa main possédait une force dont on a vu quelques preuves.

10 — Vous mépriser ! s'écria Colomba, après ce que vous avez fait. . . . Au contraire, elle dit du bien de vous. . . . Ah ! Orso, j'aurais bien des choses d'elle à vous conter.

La main voulait toujours s'échapper, mais Colomba l'attirait toujours plus près d'Orso.

15 — Mais enfin, dit le blessé, pourquoi ne pas me répondre ? . . . Une seule ligne, et j'aurais été content.

A force de tirer la main de miss Nevil, Colomba finit par la mettre dans celle de son frère. Alors, s'écartant tout à coup en éclatant de rire :

20 — Orso, s'écria-t-elle, prenez garde de dire du mal de miss Lydia, car elle entend très bien le corse.

Miss Lydia retira aussitôt sa main et balbutia quelques mots inintelligibles. Orso croyait rêver.

— Vous ici, miss Nevil ! Mon Dieu ! comment avez-
25 vous osé ? Ah ! que vous me rendez heureux !

Et, se soulevant avec peine, il essaya de se rapprocher d'elle.

— J'ai accompagné votre sœur, dit miss Lydia . . . pour qu'on ne pût soupçonner où elle allait . . . et puis,
30 je voulais aussi . . . m'assurer. . . . Hélas ! que vous êtes mal ici !

Colomba s'était assise derrière Orso. Elle le souleva

avec précaution et de manière à lui soutenir la tête sur ses genoux. Elle lui passa les bras autour du cou, et fit signe à miss Lydia de s'approcher.

— Plus près! plus près! dit-elle: il ne faut pas qu'un malade élève trop la voix. Et comme miss Lydia hési- 5 tait, elle lui prit la main et la força de s'asseoir tellement près, que sa robe touchait Orso, et que sa main, qu'elle tenait toujours, reposait sur l'épaule du blessé.

— Il est très bien comme cela, dit Colomba d'un air gai. N'est-ce pas, Orso, qu'on est bien dans le maquis 10 au bivac, par une belle nuit comme celle-ci?

— Oh oui! la belle nuit! dit Orso. Je ne l'oublierai jamais!

— Que vous devez souffrir? dit miss Nevil.

— Je ne souffre plus, dit Orso, et je voudrais mourir ici. 15

Et sa main droite se rapprochait de celle de miss Lydia, que Colomba tenait toujours emprisonnée.

— Il faut absolument qu'on vous transporte quelque part où l'on pourra vous donner des soins, monsieur della Rebbia, dit miss Nevil. Je ne pourrai plus dormir, main- 20 tenant que je vous ai vu si mal couché . . . en plein air. . . .

— Si je n'eusse craint de vous rencontrer, miss Nevil, j'aurais essayé de retourner à Pietranera, et je me serais constitué prisonnier. 25

— Et pourquoi craigniez-vous de la rencontrer, Orso? demanda Colomba.

— Je vous avais désobéi, miss Nevil . . . et je n'aurais pas osé vous voir en ce moment.

— Savez-vous, miss Lydia, que vous faites faire à mon 30 frère tout ce que vous voulez? dit Colomba en riant. Je vous empêcherai de le voir.

— J'espère, dit miss Nevil, que cette malheureuse affaire va s'éclaircir, et que bientôt vous n'aurez plus rien à
craindre. . . . Je serai bien contente si, lorsque nous par-
tirons, je sais qu'on vous a rendu justice et qu'on a reconnu
5 votre loyauté comme votre bravoure.

— Vous partez, miss Nevil! Ne dites pas encore ce
mot-là.

— Que voulez-vous . . . mon père ne peut pas chasser
toujours. . . . Il veut partir.

10 Orso laissa retomber sa main qui touchait celle de miss
Lydia, et il y eut un moment de silence.

— Bah! reprit Colomba, nous ne vous laisserons pas
partir si vite. Nous avons encore bien des choses à vous
montrer à Pietranera. . . . D'ailleurs, vous m'avez pro-
15 mis de faire mon portrait, et vous n'avez pas encore
commencé. . . . Et puis je vous ai promis de vous faire
une *serenata* en soixante et quinze couplets. . . . Et puis
. . . Mais qu'a donc Brusco à grogner?[1] . . . Voilà
Brandolaccio qui court après lui. . . . Voyons ce que c'est.

20 Aussitôt elle se leva, et posant sans cérémonie la tête
d'Orso sur les genoux de miss Nevil, elle courut auprès
des bandits.

Un peu étonnée de se trouver ainsi soutenant un beau
jeune homme, en tête-à-tête avec lui au milieu d'un ma-
25 quis, miss Nevil ne savait trop que faire, car, en se retirant
brusquement, elle craignait de faire mal au blessé. Mais
Orso quitta lui-même le doux appui que sa sœur venait de
lui donner, et, se soulevant sur son bras droit:

— Ainsi, vous partez bientôt, miss Lydia? je n'avais ja-
30 mais pensé que vous dussiez prolonger votre séjour dans
ce malheureux pays, . . . et pourtant, . . . depuis que
vous êtes venue ici, je souffre cent fois plus en songeant

qu'il faut vous dire adieu. . . . Je suis un pauvre lieutenant, . . . sans avenir, . . . proscrit maintenant. . . .
Quel moment, miss Lydia, pour vous dire que je vous
aime . . . mais c'est sans doute la seule fois que je pourrai vous le dire, et il me semble que je suis moins mal- 5
heureux, maintenant que j'ai soulagé mon cœur

Miss Lydia détourna la tête, comme si l'obscurité ne
suffisait pas pour cacher sa rougeur:

— Monsieur della Rebbia, dit-elle d'une voix trem-
blante, serais-je venue en ce lieu si . . . Et, tout en 10
parlant, elle mettait dans la main d'Orso le talisman
égyptien. Puis, faisant un effort violent pour reprendre
le ton de plaisanterie qui lui était habituel:

— C'est bien mal à vous, monsieur Orso, de parler
ainsi. . . . Au milieu du maquis, entourée de vos bandits, 15
vous savez bien que je n'oserais jamais me fâcher contre
vous.

Orso fit un mouvement pour baiser la main qui lui rendait le talisman; et comme miss Lydia la retirait un peu
vite, il perdit l'équilibre et tomba sur son bras blessé. Il 20
ne put retenir un gémissement douloureux.

— Vous vous êtes fait mal, mon ami? s'écria-t-elle en
le soulevant; c'est ma faute! pardonnez-moi. . . . Ils se
parlèrent encore quelque temps à voix basse, et fort rapprochés l'un de l'autre. Colomba, qui accourait précipi- 25
tamment, les trouva précisément dans la position où elle
les avait laissés.

— Les voltigeurs! s'écria-t-elle. Orso, essayez de vous
lever et de marcher, je vous aiderai.

— Laissez-moi, dit Orso. Dis aux bandits de se sauver; 30
. . . qu'on me prenne, peu m'importe; mais emmène
miss Lydia: au nom de Dieu, qu'on ne la voie pas ici!

— Je ne vous laisserai pas, dit Brandolaccio qui suivait Colomba.   Le sergent des voltigeurs est un filleul de l'avocat; au lieu de vous arrêter, il vous tuera, et puis il dira qu'il ne l'a pas fait exprès.

5   Orso essaya de se lever, il fit même quelques pas; mais, s'arrêtant bientôt:

—Je ne puis marcher, dit-il. Fuyez, vous autres. Adieu, miss Nevil; donnez-moi la main, et adieu!

— Nous ne vous quitterons pas! s'écrièrent les deux
10 femmes.

— Si vous ne pouvez marcher, dit Brandolaccio, il faudra que je vous porte. Allons, mon lieutenant, un peu de courage; nous aurons le temps de décamper par le ravin, là derrière.   M. le curé va leur donner de l'occu-
15 pation.

— Non, laissez-moi, dit Orso en se couchant à terre. Au nom de Dieu, Colomba, emmène miss Nevil!

— Vous êtes forte, mademoiselle Colomba, dit Brandolaccio; empoignez-le par les épaules, moi je tiens les pieds;
20 bon! en avant, marche!

Ils commencèrent à le porter rapidement, malgré ses protestations; miss Lydia les suivait, horriblement effrayée, lorsqu'un coup de fusil se fit entendre, auquel cinq ou six autres répondirent aussitôt. Miss Lydia poussa
25 un cri, Brandolaccio une imprécation, mais il redoubla de vitesse, et Colomba, à son exemple, courait au travers du maquis, sans faire attention aux branches qui lui fouettaient la figure ou qui déchiraient sa robe:

— Baissez-vous, baissez-vous, ma chère, disait-elle à sa
30 compagne, une balle peut vous attraper.

On marcha ou plutôt on courut environ cinq cents pas de la sorte, lorsque Brandolaccio déclara qu'il n'en pouvait

plus,[1] et se laissa tomber à terre, malgré les exhortations
et les reproches de Colomba.

— Où est miss Nevil ? demandait Orso.

Miss Nevil, effrayée par les coups de fusil, arrêtée à
chaque instant par l'épaisseur du maquis, avait bientôt 5
perdu la trace des fugitifs, et était demeurée seule en
proie aux plus vives angoisses.

— Elle est restée en arrière, dit Brandolaccio, mais elle
n'est pas perdue, les femmes se retrouvent toujours.
Ecoutez donc, Ors' Anton', comme le curé fait du tapage 10
avec votre fusil. Malheureusement on n'y voit goutte,[2]
et l'on ne se fait pas grand mal à se tirailler de nuit.

— Chut! s'écria Colomba; j'entends un cheval, nous
sommes sauvés.

En effet, un cheval qui passait dans le maquis, effrayé 15
par le bruit de la fusillade, s'approchait de leur côté.

— Nous sommes sauvés! répéta Brandolaccio. Courir
au cheval, le saisir par les crins, lui passer dans la bouche
un nœud de corde en guise de bride, fut pour le bandit,
aidé de Colomba, l'affaire d'un moment: 20

— Prévenons maintenant le curé, dit-il.

Il siffla deux fois; un sifflet éloigné répondit à ce
signal, et le fusil de Manton cessa de faire entendre sa
grosse voix. Alors Brandolaccio sauta sur le cheval. Colomba plaça son frère devant le bandit, qui d'une main le 25
serra fortement, tandis que de l'autre il dirigeait sa monture. Malgré sa double charge, le cheval, excité par deux
bons coups de pied dans le ventre, partit lestement et
descendit au galop un coteau escarpé où tout autre qu'un
cheval corse se serait tué cent fois. 30

Colomba revint alors sur ses pas, appelant miss Nevil
de toutes ses forces, mais aucune voix ne répondait à la

sienne. . . . Après avoir marché quelque temps à l'aventure, cherchant à retrouver le chemin qu'elle avait suivi,
elle rencontra dans un sentier deux voltigeurs qui lui
crièrent: "Qui vive?"

5 — Eh bien! messieurs, dit Colomba d'un ton railleur,
voilà bien du tapage. Combien de morts?

— Vous étiez avec les bandits, dit un des soldats, vous
allez venir avec nous.

— Très volontiers, répondit-elle; mais j'ai une amie ici,
10 et il faut que nous la trouvions d'abord.

— Votre amie est déjà prise, et vous irez avec elle
coucher en prison.

— En prison? c'est ce qu'il faudra voir; mais, en attendant, menez-moi auprès d'elle.

15 Les voltigeurs la conduisirent alors dans le campement
des bandits, où ils rassemblaient les trophées de leur expédition, c'est-à-dire le pilone qui couvrait Orso, une
vieille marmite et une cruche pleine d'eau. Dans le même
lieu se trouvait miss Nevil, qui, rencontrée par les soldats,
20 à demi morte de peur, répondait par des larmes à toutes
leurs questions sur le nombre des bandits et la direction
qu'ils avaient prise.

Colomba se jeta dans ses bras et lui dit à l'oreille : "Ils
sont sauvés."

25 Puis, s'adressant au sergent des voltigeurs:

— Monsieur, lui dit-elle, vous voyez bien que mademoiselle ne sait rien de ce que vous lui demandez. Laissez nous revenir au village, où l'on nous attend avec
impatience.

30 — On vous y mènera, et plus tôt que vous ne le désirez,
ma mignonne, dit le sergent, et vous aurez à expliquer ce
que vous faisiez dans le maquis à cette heure avec les bri-

gands qui viennent de s'enfuir. Je ne sais quel sortilège emploient ces coquins, mais ils fascinent sûrement les filles, car partout où il y a des bandits on est sûr d'en trouver de jolies.

— Vous êtes galant, monsieur le sergent, dit Colomba, mais vous ne ferez pas mal de faire attention à vos paroles.[1] Cette demoiselle est une parente du préfet, et il ne faut pas badiner avec elle.

— Parente du préfet! murmura un voltigeur à son chef; en effet, elle a un chapeau.[2]

— Le chapeau n'y fait rien,[3] dit le sergent. Elles étaient toutes les deux avec le curé, qui est le plus grand enjôleur du pays, et mon devoir est de les emmener. Aussi bien, n'avons-nous plus rien à faire ici. Sans ce maudit caporal Taupin, . . . l'ivrogne de Français s'est montré avant que je n'eusse cerné le maquis . . . sans lui, nous les prenions comme dans un filet.

— Vous êtes sept? demanda Colomba. Savez-vous, messieurs, que si par hasard les trois frères Gambini, Sarocchi et Théodore Poli se trouvaient à la croix de Sainte-Christine avec Brandolaccio et le curé, ils pourraient vous donner bien des affaires.[4] Si vous devez avoir une conversation avec le *commandant de la campagne*[5] je ne me soucierais pas de m'y trouver. Les balles ne connaissent personne la nuit.

La possibilité d'une rencontre avec les redoutables bandits que Colomba venait de nommer parut faire impression sur les voltigeurs. Toujours pestant contre le caporal Taupin, le chien de Français, le sergent donna l'ordre de la retraite, et sa petite troupe prit le chemin de Pietranera, emportant le pilone et la marmite. Quant à la cruche, un coup de pied en fit justice.[6] Un voltigeur voulut prendre

le bras de miss Lydia; mais Colomba le repoussant aussitôt:

— Que personne ne la touche! dit-elle.   Croyez-vous
que nous ayons envie de nous enfuir?   Allons, Lydia, ma
5 chère, appuyez-vous sur moi, et ne pleurez pas comme un
enfant.   Voilà une aventure, mais elle ne finira pas mal;
dans une demi-heure nous serons à souper.   Pour ma
part, j'en meurs d'envie.

— Que pensera-t-on de moi? disait tout bas miss Nevil.

10 — On pensera que vous vous êtes égarée dans le maquis, voilà tout.

— Que dira le préfet? . . . que dira mon père surtout?

— Le préfet? . . . vous lui répondrez qu'il se mêle de
sa préfecture.   Votre père? . . . à la manière dont vous
15 causiez avec Orso, j'aurais cru que vous aviez quelque
chose à dire à votre père.

Miss Nevil lui serra le bras sans répondre.

— N'est-ce pas, murmura Colomba dans son oreille,
que mon frère mérite qu'on l'aime?   Ne l'aimez-vous pas
20 un peu?

— Ah! Colomba, répondit miss Nevil souriant malgré
sa confusion, vous m'avez trahie, moi qui avais tant de
confiance en vous!

Colomba lui passa un bras autour de la taille, et, l'em-
25 brassant sur le front:

— Ma petite sœur, dit-elle bien bas, me pardonnez-
vous?

— Il le faut bien, ma terrible sœur, répondit Lydia en
lui rendant son baiser.

30 Le préfet et le procureur du roi logeaient chez l'adjoint
de Pietranera, et le colonel, fort inquiet de sa fille, venait
pour la vingtième fois leur en demander des nouvelles,

lorsqu'un voltigeur, détaché en courrier par le sergent, leur fit le récit du terrible combat livré contre les brigands, combat dans lequel il n'y avait eu, il est vrai, ni morts ni blessés, mais où l'on avait pris une marmite, un pilone et deux filles qui étaient, disait-il, les femmes ou 5 les espionnes des bandits. Ainsi annoncées comparurent les deux prisonnières au milieu de leur escorte armée. On devine la contenance radieuse de Colomba, la honte de sa compagne, la surprise du préfet, la joie et l'étonnement du colonel. Le procureur du roi se donna le malin 10 plaisir[1] de faire subir à la pauvre Lydia une espèce d'interrogatoire qui ne se termina que lorsqu'il lui eut fait perdre toute contenance.

— Il me semble, dit le préfet, que nous pouvons bien mettre tout le monde en liberté. Ces demoiselles ont été 15 se promener, rien de plus naturel par un beau temps; elles ont rencontré par hasard un aimable jeune homme blessé, rien de plus naturel encore.

Puis, prenant à part Colomba:

— Mademoiselle, dit-il, vous pouvez mander à votre 20 frère que son affaire tourne mieux que je ne l'espérais. L'examen des cadavres, la déposition du colonel, démontrent qu'il n'a fait que riposter, et qu'il était seul au moment du combat. Tout s'arrangera, mais il faut qu'il quitte le maquis au plus vite et qu'il se constitue prisonnier. 25

Il était près de onze heures lorsque le colonel, sa fille et Colomba se mirent à table devant un souper refroidi. Colomba mangeait de bon appétit, se moquant du préfet, du procureur du roi et des voltigeurs. Le colonel mangeait, mais ne disait mot, regardant toujours sa fille 30 qui ne levait pas les yeux de dessus son assiette. Enfin, d'une voix douce, mais grave:

F

— Lydia, lui dit-il en anglais, vous êtes donc engagée avec della Rebbia ?

— Oui, mon père, depuis aujourd'hui, répondit-elle en rougissant, mais d'une voix ferme.

5 Puis elle leva les yeux, et, n'apercevant sur la physionomie de son père aucun signe de courroux, elle se jeta dans ses bras et l'embrassa, comme les demoiselles bien élevées font en pareille occasion.

— A la bonne heure, dit le colonel, c'est un brave gar-
10 çon; mais, par Dieu! nous ne demeurerons pas dans son diable de pays! ou je refuse mon consentement.

— Je ne sais pas l'anglais, dit Colomba, qui les regardait avec une extrême curiosité; mais je parie que j'ai deviné ce que vous dites.

15 — Nous disons, répondit le colonel, que nous vous mènerons faire un voyage en Irlande.

— Oui, volontiers, et je serai la *surella*[1] *Colomba*. Est-ce fait, colonel ? Nous frappons-nous dans la main?[2]

— On s'embrasse dans ce cas-là, dit le colonel.

XX

20 Quelques mois après le coup double qui plongea la commune de Pietranera dans la consternation (comme dirent les journaux), un jeune homme, le bras gauche en écharpe, sortit à cheval de Bastia dans l'après-midi, et se dirigea vers le village de Cardo, célèbre par sa fontaine,
25 qui, en été, fournit aux gens délicats de la ville une eau délicieuse. Une jeune femme, d'une taille élevée et d'une beauté remarquable, l'accompagnait montée sur un petit cheval noir dont un connaisseur eût admiré la force et l'élégance, mais qui malheureusement avait une oreille

déchiquetée par un accident bizarre. Dans le village, la
jeune femme sauta lestement à terre, et, après avoir aidé
son compagnon à descendre de sa monture, détacha d'assez lourdes sacoches attachées à l'arçon de sa selle. Les
chevaux furent remis à la garde d'un paysan, et la femme 5
chargée des sacoches qu'elle cachait sous son mezzaro, le
jeune homme portant un fusil double, prirent le chemin
de la montagne en suivant un sentier fort roide et qui ne
semblait conduire à aucune habitation. Arrivés à un
des gradins élevés du mont Quercio, ils s'arrêtèrent, et 10
tous les deux s'assirent sur l'herbe. Ils paraissaient attendre quelqu'un, car ils tournaient sans cesse les yeux
vers la montagne, et la jeune femme consultait souvent
une jolie montre d'or, peut-être autant pour contempler
un bijou qu'elle semblait posséder depuis peu de temps 15
que pour savoir si l'heure d'un rendez-vous était arrivée.
Leur attente ne fut pas longue. Un chien sortit du maquis, et, au nom de Brusco prononcé par la jeune femme,
il s'empressa de venir les caresser. Peu après parurent
deux hommes barbus, le fusil sous le bras, la cartouchière 20
à la ceinture, le pistolet au côté. Leurs habits déchirés et
couverts de pièces contrastaient avec leurs armes bril-
lantes et d'une fabrique renommée du continent. Malgré
l'inégalité apparente de leur position, les quatre personnages de cette scène s'abordèrent familièrement et comme 25
de vieux amis.

— Eh bien! Ors' Anton', dit le plus âgé des bandits
au jeune homme, voilà votre affaire finie.[1] Ordonnance
de non-lieu. Mes compliments. Je suis fâché que l'avocat ne soit plus dans l'île pour le voir enrager. Et votre 30
bras? . . .

— Dans quinze jours,[2] répondit le jeune homme, on

me dit que je pourrai quitter mon écharpe. — Brando, mon brave, je vais partir demain pour l'Italie, et j'ai voulu te dire adieu, ainsi qu'à M. le curé. C'est pourquoi je vous ai priés de venir.

5   — Vous êtes bien pressé, dit Brandolaccio; vous êtes acquitté d'hier et vous partez demain ?

— On a des affaires, dit gaiement la jeune femme. Messieurs, je vous ai apporté à souper: mangez, et n'oubliez pas mon ami Brusco.

10   — Vous gâtez Brusco, mademoiselle Colomba, mais il est reconnaissant. Vous allez voir. Allons, Brusco, dit-il, étendant son fusil horizontalement, saute pour les Barricini,

Le chien demeura immobile, se léchant le museau et regardant son maître.

15   — Saute pour les della Rebbia!

Et il sauta deux pieds plus haut qu'il n'était nécessaire.

— Ecoutez, mes amis, dit Orso, vous faites un vilain métier; et s'il ne vous arrive pas de terminer votre carrière sur cette place que nous voyons là-bas,[1] le mieux qui

20 vous puisse advenir, c'est de tomber dans un maquis sous la balle d'un gendarme.

— Eh bien! dit Castriconi, c'est une mort comme une autre, et qui vaut mieux que la fièvre qui vous tue dans un lit, au milieu des larmoiements plus ou moins sincères

25 de vos héritiers. Quand on a, comme nous, l'habitude du grand air, il n'y a rien de tel que de mourir dans ses souliers, comme disent nos gens de village.

— Je voudrais, poursuivit Orso, vous voir quitter ce pays . . . et mener une vie plus tranquille. Par exem-

30 ple, pourquoi n'iriez-vous pas vous établir en Sardaigne,[2] ainsi qu'ont fait plusieurs de vos camarades? Je pourrais vous en faciliter les moyens.

— En Sardaigne! s'écria Brandolaccio. *Istos Sardos!*[1]
que le diable les emporte avec leur patois. C'est trop
mauvaise compagnie pour nous.

— Il n'y a pas de ressource en Sardaigne, ajouta le
théologien. Pour moi, je méprise les Sardes. Pour donner la chasse aux bandits, ils ont une milice à cheval;
cela fait la critique à la fois des bandits et du pays.[2] Fi de
la Sardaigne![3] C'est une chose qui m'étonne, monsieur
della Rebbia, que vous, qui êtes un homme de goût et de
savoir, vous n'ayez pas adopté notre vie du maquis, en
ayant goûté comme vous avez fait.

— Mais, dit Orso en souriant, lorsque j'avais l'avantage
d'être votre commensal, je n'étais pas trop en état d'apprécier les charmes de votre position, et les côtes me font
mal encore quand je me rappelle la course que je fis une
belle nuit, mis en travers comme un paquet sur un cheval
sans selle que conduisait mon ami Brandolaccio.

— Et le plaisir d'échapper à la poursuite, reprit Castriconi, le comptez-vous pour rien? Comment pouvez-vous
être insensible au charme d'une liberté absolue sous un
beau climat comme le nôtre? Avec ce porte-respect[4] (il
montrait son fusil), on est roi partout, aussi loin qu'il
peut porter la balle. On commande, on redresse les torts
. . . C'est un divertissement très moral, monsieur, et très
agréable, que nous ne nous refusons point. Quelle plus
belle vie que celle de chevalier errant, quand on est mieux
armé et plus sensé que don Quichotte?[5] Tenez, l'autre
jour, j'ai su que l'oncle de la petite Lilla Luigi, le vieux
ladre qu'il est, ne voulait pas lui donner une dot, je lui
ai écrit, sans menaces, ce n'est pas ma manière; eh bien!
voilà un homme à l'instant convaincu; il l'a mariée. J'ai
fait le bonheur de deux personnes. Croyez-moi, mon-

sieur Orso, rien n'est comparable à la vie de bandit. Bah!
vous deviendriez peut-être des nôtres sans une certaine
Anglaise que je n'ai fait qu'entrevoir,[1] mais dont ils par-
lent tous, à Bastia, avec admiration.

5   — Ma belle-sœur future n'aime pas le maquis, dit Colomba en riant, elle y a eu trop peur.

— Enfin, dit Orso, voulez-vous rester ici? Soit. Dites-
moi si je puis faire quelque chose pour vous?

— Rien, dit Brandolaccio, que de nous conserver un
10 petit souvenir. Vous nous avez comblés. Voilà Chilina
qui a une dot, et qui, pour bien s'établir,[2] n'aura pas besoin que mon ami le curé écrive des lettres sans menaces.
Nous savons que votre fermier nous donnera du pain et
de la poudre en nos nécessités: ainsi, adieu. J'espère
15 vous revoir en Corse un de ces jours.

— Dans un moment pressant, dit Orso, quelques pièces
d'or font grand bien. Maintenant que nous sommes de
vieilles connaissances, vous ne me refuserez pas cette petite cartouche[3] qui peut vous servir à vous en procurer
20 d'autres.

— Pas d'argent entre nous, lieutenant, dit Brandolaccio
d'un ton résolu.

— L'argent fait tout dans le monde, dit Castriconi;
mais dans le maquis on ne fait cas que d'un cœur brave
25 et d'un fusil qui ne rate pas.[4]

— Je ne voudrais pas vous quitter, reprit Orso, sans
vous laisser quelque souvenir. Voyons, que puis-je te
laisser, Brando?

Le bandit se gratta la tête, et, jetant sur le fusil d'Orso
30 un regard oblique:

— Dame, mon lieutenant . . . si j'osais . . . mais
non, vous y tenez trop.

— Qu'est-ce que tu veux?

— Rien . . . la chose n'est rien. . . . Il faut encore la manière de s'en servir. Je pense toujours à ce diable de coup double et d'une seule main. . . . Oh! cela ne se fait pas deux fois.   5

— C'est ce fusil que tu veux? . . . Je te l'apportais; mais sers-t-en le moins que tu pourras.

— Oh! je ne vous promets pas de m'en servir comme vous; mais, soyez tranquille, quand un autre l'aura, vous pourrez bien dire que Brando Savelli a passé l'arme à 10 gauche.[1]

— Et vous, Castriconi, que vous donnerai-je?

— Puisque vous voulez absolument me laisser un souvenir matériel de vous, je vous demanderai sans façon de m'envoyer un Horace du plus petit format possible. Cela 15 me distraira et m'empêchera d'oublier mon latin. Il y a une petite qui vend des cigares, à Bastia, sur le port; donnez-le-lui, et elle me le remettra.

— Vous aurez un elzévir,[2] monsieur le savant; il y en a précisément un parmi les livres que je voulais emporter. 20

— Eh bien! mes amis, il faut nous séparer. Une poignée de main. Si vous pensez un jour à la Sardaigne, écrivez-moi; l'avocat N. vous donnera mon adresse sur le continent.

— Mon lieutenant, dit Brando, demain, quand vous 25 serez hors du port, regardez sur la montagne, à cette place; nous y serons, et nous vous ferons signe avec nos mouchoirs.

Ils se séparèrent alors; Orso et sa sœur prirent le chemin de Cardo, et les bandits, celui de la montagne. 30

XXI

Par une belle matinée d'avril, le colonel sir Thomas
Nevil, sa fille, mariée depuis peu de jours, Orso et Colomba,
sortirent de Pise en calèche pour aller visiter un hypogée
étrusque,[1] nouvellement découvert, que tous les étrangers
5 allaient voir. Descendus dans l'intérieur du monument,
Orso et sa femme tirèrent des crayons et se mirent en devoir[2] d'en dessiner les peintures; mais le colonel et Colomba, l'un et l'autre assez indifférents pour l'archéologie,
les laissèrent seuls et se promenèrent aux environs.

10   — Ma chère Colomba, dit le colonel, nous ne reviendrons jamais à Pise à temps pour notre *luncheon*. Est-ce
que vous n'avez pas faim ? Voilà Orso et sa femme dans
les antiquités; quand ils se mettent à dessiner ensemble,
ils n'en finissent pas.[3]

15   —Oui, dit Colomba, et pourtant ils ne rapportent pas
un bout de dessin.

    — Mon avis serait, continua le colonel, que nous allas-
sions à cette petite ferme là-bas. Nous y trouverons du
pain, et peut-être de l'*aleatico*,[4] qui sait ? même de la
20 crème et des fraises, et nous attendrons patiemment nos
dessinateurs.

    — Vous avez raison, colonel. Vous et moi, qui sommes
les gens raisonnables de la maison, nous aurions bien
tort de nous faire les martyrs de ces amoureux, qui ne
25 vivent que de poésie. Donnez-moi le bras. N'est-ce
pas que je me forme ? Je prends le bras, je mets des
chapeaux, des robes à la mode; j'ai des bijoux; j'apprends
je ne sais combien de belles choses; je ne suis plus du tout
une sauvagesse. Voyez un peu la grâce que j'ai à porter
30 ce châle. . . . Ce blondin, cet officier de votre régiment,

qui était au mariage . . . mon Dieu! je ne puis pas
retenir son nom; un grand frisé, que je jetterais par terre
d'un coup de poing . . .

— Chatworth? dit le colonel.

— A la bonne heure! mais je ne le prononcerai jamais. 5
Eh bien! il est amoureux fou de moi.[1]

— Ah! Colomba, vous devenez bien coquette. . . .
Nous aurons dans peu un autre mariage.

— Moi! me marier?   Et qui donc élèverait mon neveu?
qui donc lui apprendrait à parler corse? . . . Oui, il par- 10
lera corse, et je lui ferai un bonnet pointu pour vous faire
enrager.[2]

— Attendons d'abord que vous ayez un neveu; et puis
vous lui apprendrez à jouer du stylet, si bon vous semble.

— Adieu les stylets, dit gaiement Colomba; mainte- 15
nant j'ai un éventail, pour vous en donner sur les doigts[3]
quand vous direz du mal de mon pays.

Causant ainsi, ils entrèrent dans la ferme, où ils trouvèrent vin, fraises et crème. Colomba aida la fermière à
cueillir des fraises pendant que le colonel buvait de l'*ale-* 20
atico. Au détour d'une allée, Colomba aperçut un vieillard assis au soleil sur une chaise de paille, malade, comme
il semblait; car il avait les joues creuses, les yeux enfon-
cés; il était d'une maigreur extrême, et son immobilité,
sa pâleur, son regard fixe, le faisaient ressembler à un 25
cadavre plutôt qu'à un être vivant. Pendant plusieurs
minutes, Colomba le contempla avec tant de curiosité
qu'elle attira l'attention de la fermière.

— Ce pauvre vieillard, dit-elle, c'est un de vos compatriotes, car je connais bien à votre parler que vous êtes de 30
la Corse, mademoiselle. Il a eu des malheurs dans son
pays; ses enfants sont morts d'une façon terrible. On

dit, je vous demande pardon, mademoiselle, que vos
compatriotes ne sont pas tendres dans leurs inimitiés.
Pour lors, ce pauvre monsieur, resté seul, s'en est venu à
Pise, chez une parente éloignée, qui est la propriétaire de
5 cette ferme. Le brave homme est un peu timbré;[1] c'est
le malheur et le chagrin. . . . C'est gênant pour madame, qui reçoit beaucoup de monde; elle l'a donc envoyé
ici. Il est bien doux, pas gênant; il ne dit pas trois paroles dans un jour. Par exemple, la tête a déménagé.[2]
10 Le médecin vient toutes les semaines, et il dit qu'il n'en
a pas pour longtemps.[3]

— Ah! il est condamné? dit Colomba. Dans sa position, c'est un bonheur d'en finir.

— Vous devriez, mademoiselle, lui parler un peu corse;
15 cela le regaillardirait peut-être[4] d'entendre le langage de
son pays.

— Il faut voir, dit Colomba avec un sourire ironique.

Et elle s'approcha du vieillard jusqu'à ce que son
ombre vînt lui ôter le soleil. Alors le pauvre idiot leva la
20 tête et regarda fixement Colomba, qui le regardait de
même, souriant toujours. Au bout d'un instant, le vieillard passa la main sur son front, et ferma les yeux comme
pour échapper au regard de Colomba. Puis il les rouvrit,
mais démesurément; ses lèvres tremblaient; il voulait
25 étendre les mains; mais, fasciné par Colomba, il demeurait
cloué sur sa chaise, hors d'état de parler ou de se mouvoir.
Enfin de grosses larmes coulèrent de ses yeux, et quelques
sanglots s'échappèrent de sa poitrine.

— Voilà la première fois que je le vois ainsi, dit la
30 jardinière. Mademoiselle est une demoiselle de votre
pays; elle est venue pour vous voir, dit-elle au vieillard.

— Grâce! s'écria celui-ci d'une voix rauque; grâce!

n'es-tu pas satisfaite? Cette feuille . . . que j'avais
brûlée . . . comment as-tu fait pour la lire? . . . Mais
pourquoi tous les deux? . . . Orlanduccio, tu n'as rien
pu lire contre lui. . . . Il fallait m'en laisser un . . . un
seul . . . Orlanduccio . . . tu n'as pas lu son nom. . . . 5

— Il me les fallait tous des deux, lui dit Colomba à voix
basse et dans le dialecte corse. Les rameaux sont coupés;
et, si la souche n'était pas pourrie, je l'eusse arrachée.
Va, ne te plains pas; tu n'as pas longtemps à souffrir.
Moi, j'ai souffert deux ans! 10

Le vieillard poussa un cri, et sa tête tomba sur sa poitrine. Colomba lui tourna le dos, et revint à pas lents
vers la maison en chantant quelques mots incompréhensi-
bles d'une ballata: "Il me faut la main qui a tiré, l'œil
qui a visé, le cœur qui a pensé. . . ." 15

Pendant que la jardinière s'empressait à secourir le
vieillard, Colomba, le teint animé, l'œil en feu, se mettait
à table devant le colonel.

— Qu'avez-vous donc? dit-il, je vous trouve l'air que
vous aviez à Pietranera, ce jour où, pendant notre dîner, 20
on nous envoya des balles.

— Ce sont des souvenirs de la Corse qui me sont revenus en tête. Mais voilà qui est fini. Je serai marraine,
n'est-ce pas? Oh! quels beaux noms je lui donnerai:
Ghilfuccio-Tomaso-Orso-Leone! 25

La jardinière rentrait en ce moment.

— Eh bien! demanda Colomba du plus grand sang-
froid, est-il mort, ou évanoui seulement?

— Ce n'était rien, mademoiselle; mais c'est singulier
comme votre vue lui a fait de l'effet. 30

— Et le médecin dit qu'il n'en a pas pour longtemps?

— Pas pour deux mois, peut-être.

— Ce ne sera pas une grande perte, observa Colomba.

— De qui diable parlez-vous ? demanda le colonel.

— D'un idiot de mon pays, dit Colomba d'un air d'indifférence, qui est en pension ici.[1] J'enverrai savoir de
temps en temps de ses nouvelles.[2] Mais, colonel Nevil,
laissez donc des fraises pour mon frère et pour Lydia.

Lorsque Colomba sortit de la ferme pour remonter dans
la calèche, la fermière la suivit des yeux quelque temps.

— Tu vois bien cette demoiselle si jolie, dit-elle à sa
fille, eh bien! je suis sûre qu'elle a le mauvais œil.[3]

NOTES

Page 1. — 1. These lines in Corsican may be translated as follows:

> To work out thy revenge,
> Fear not, she too has pluck enough.

Vocero is explained in note 3 to page 16. — **Niolo** is a small village in central Corsica.

2. **descendit,** *alighted,* or *put up.*

3. **Marseille,** the most important seaport on the Mediterranean, and one of the commercial centres of France. The town is very ancient, having been founded by the Phocæans about 600 B.C.

4. **se singulariser,** 'single themselves out,' *differentiate themselves (from the great majority).*

5. **nil admirari,** *to wonder at nothing;* a quotation from the Roman poet Horace: *Epistles,* I. vi. 1.

6. **La Transfiguration,** *The Transfiguration,* one of the masterpieces of the Italian painter Raphael (1483–1520), which is now in the Vatican gallery at Rome.

7. **En somme,** *in short.*

8. **couleur locale,** a favorite expression among the first advocates of the romantic school. The *couleur locale,* on the whole, consists in representing the realistic side of things, in portraying characters or personages with all the peculiarities impressed upon them by their nationality, their education, and general surroundings. The treatment of weird and antiquated subjects, as found especially in foreign nations or countries which have preserved many characteristic manners and customs, afforded a very favorable ground on which to exemplify the *couleur locale.*

9. **Explique qui pourra,** *let him who can do so explain.* This sentence contains a double ellipsis. First, the *que* preceding the subjunctive is often omitted in ejaculatory and exclamatory

sentences, and its suppression adds a certain vivacity and force
to the discourse; cf. *le Christ reçoive ton âme* (page 85, line 16);
*vive le roi; périsse ma grandeur; entre qui voudra; sorte qui
pourra; plût au ciel que; sauve qui peut.* Second, the antecedent
of the relative pronoun *qui* may be left out when this pronoun
is used absolutely. Such a use is, however, very restricted in
modern French. It is found, as we may see in instances given
above, in ejaculatory and exclamatory sentences, and in sentences
having a general or proverbial meaning; e.g., *qui vivra verra;
qui dort dîne; qui trop embrasse mal étreint; qui bien fera bien
trouvera.*

10. **que je comprenais . . . et que je n'entends plus,** *which
I understood, . . . and which I no longer understand.* When
Mérimée wrote *Colomba*, he had somewhat modified his views
concerning the *couleur locale* and the general tendencies of the
romantic school. *Comprendre* and *entendre* express the same
idea, though not without a shade of difference in meaning; *comprendre* is more colloquial.

11. **s'était flattée de,** *flattered herself that she would.*

12. **les honnêtes gens,** *well-bred people.*

13. **M. Jourdain,** the principal character in Molière's comedy
Le Bourgeois gentilhomme (Act III, Sc. 3).

Page 2. — 1. **sans que** is one of the conjunctive phrases which
is often followed by an untranslated *ne* with the subjunctive.

2. **ce Raphaël;** names of celebrated painters are elliptically
used to designate their paintings, and, when so used, take the
mark of the plural; cf. *Il y a deux Raphaëls dans ce musée; j'ai
acheté deux Corots.*

3. **de parti pris,** *deliberately.*

4. **Segni,** *Signia,* a city of ancient Latium (of which Rome
was the capital); remarkable relics of the earliest forms of Greek
masonry are found here. The Pelasgi were a prehistoric people;
the Cyclops, a one-eyed fabled race of giants.

5. **figurait . . ., enluminée à grand renfort de terre de Sienne,**
appeared . . ., colored with plenty of sienna. Sienna is an earthy
pigment of a brownish yellow color, a silicate of iron and alumina.
It derives its name from Siena, a town in Italy.

6. **dix lieues au grand soleil,** *ten leagues in the glaring sun.*
The French league is equal to about two miles and a half.

7. **méchantes,** *paltry, wretched.*

8. **venait de passer,** *had just spent;* this common idiom of
venir de with an infinitive should be carefully noted. — **Corse,**
Corsica; the island of Corsica was ceded to France by the Genoese in 1768. It is famous as the birthplace of Napoleon.

9. **dont on l'avait . . . entretenue,** *with which she had been
. . . entertained;* it is often best to translate *on* by a passive
construction.

Page 3. — 1. **où elle soit;** relative pronouns, and the adverb
où used as a relative pronoun, when preceded by words expressing
a negative or a superlative idea, such as, *le seul, l'unique, le
premier, le dernier, pas un, pas de,* are followed by the subjunctive.

2. **force sangliers,** *many wild boars;* the noun *force* here used
adverbially.

3. **l'on se fait une mauvaise affaire,** *one gets into a quarrel.*

4. **maquis,** the local word for 'thicket.'

5. **se font payer leurs bêtes,** *insist on payment for their ani-
mals;* notice that *se* is dative after *payer.*

6. **mouflon,** *mufflon,* an animal somewhat like a sheep, with
broad curving horns.

7. **vendette transversale,** the author gives the following explanation of *transversale:* "C'est la vengeance que l'on fait tomber
sur un parent plus ou moins éloigné de l'auteur de l'offence."

8. **il acheva de l'enthousiasmer,** *he finally worked up her
enthusiasm.*

9. **monture en cuivre,** *brass mounting.*

10. **garanti pour s'être enfoncé,** *warranted to have been thrust.*
This use of reflexive verbs constitutes one of the most prominent
characteristics of the genius of the French language, at least as
compared with that of the English. French reflexive expressions
are very frequently best translated by a passive.

11. **De son côté,** 'on his part,' *as for the colonel, he . . .*

Page 4. — 1. **la grotte,** *the grotto (of Napoleon),* one of the
prettiest spots in Ajaccio.

2. **eût,** see page 3, note 1.

3. **elle se faisait une fête . . . au bivac,** *she was delighted at the idea of sleeping in the open air.*

4. **en partance,** *ready to sail.*

5. **décommander,** *to countermand* (*the engagement of*).

6. **fit marché,** *struck a bargain.*

7. **qui allait faire voile,** *which was about to sail.* — **Ajaccio,** the most important town on the island of Corsica; Napoleon I was born there, August 15, 1769.

Page 5. — 1. **un vieux sien matelot,** *an old sailor of his;* this use of *sien* as an adjective is a remnant from old French. Such a use of the pronoun is now considered archaic.

2. **bouille-abaisse,** *fish soup;* a dish much relished by the people of Provence (southern France). It is strongly flavored, and its principal ingredients are fish, garlic, olive oil, and saffron.

3. **raser les côtes,** 'graze the shores,' *coast along, keep close to the shore.*

4. **Canebière,** a large and beautiful street in Marseilles, the boast of its people.

5. **chasseurs à pied,** *light infantry.*

6. **l'Autre,** *the Other One.* The name of Napoleon Bonaparte had too ill-omened a sound to be acceptable to the intolerant government of the Restoration, and the partisans of the Emperor used to speak of him as "l'Autre."

7. **qui nous gâtera . . . de la traversée,** *who will spoil all the pleasure of our trip across.* The tendency of the French, as contrasted with that of the English, is to avoid qualifying a noun by a possessive adjective, whenever a dative personal pronoun or a definite article can, with perfect clearness, be used instead; cf. page 6, line 21, *le cœur ferme,* and numerous other places in this text.

Page 6. — 1. **moue,** *pouting.*

2. **un éloge en trois points,** *an elaborate praise;* lit. 'containing three points ' (exordium, main part, and peroration), i.e., a regular discourse.

3. **un homme très comme il faut,** *a very well-bred man.*

4. **Caporaux,** *tribunes;* this is explained on page 10, line 19 ff.

5. **monsieur le colonel;** when speaking or writing to, or of, any one who has a title, politeness usually requires before the definite article or the possessive adjective, the word *Monsieur, Madame,* or *Mademoiselle,* as the case may be. Omit in translating.

6. **qu'il y eût,** *that there was;* subjunctive after an expression of surprise.

7. **pieusement,** lit. 'piously,' here *innocently,* i.e., in their ignorance that the word 'corporal' was used in the Corsican sense of *caporali,* who were distinguished magistrates.

8. **S'il se fût agi . . . on eût été obligé,** *if it had (concerned) been . . . they would have had to.* . . . The use of the subjunctive mode after a conditional *si* (which is possible *in the pluperfect*) is on the whole very much restricted in modern authors, and variation or terseness of style alone is now the only rule that will satisfactorily account for it.

9. **il n'y a pas à se gêner,** *there is no occasion to give oneself any trouble.*

10. **bien fendus,** *large and well-formed.*

11. **A la manière dont il effaçait les épaules,** *by the way he held his shoulders;* for *les* see page 5, note 7. By holding one's shoulders somewhat edgewise, less surface would be offered the enemy and also facilitate regaining one's place in a line of soldiers.

Page 7. — 1. **ne couraient pas les rues,** *were not very common.* — **la garde nationale** consisted of civilians and was definitely organized by a law enacted on October 14, 1791. It played a most important rôle at the time of three French revolutions (1789, 1830, 1848). During the Franco-Prussian war it was reorganized and became the main reliance for the defence of Paris; but, being poorly commanded, failed to accomplish what France expected of it, and the revolutionary element in it gave rise to the *Commune.* It was afterwards abolished throughout France.

2. **corps de garde,** *guardhouse.*

3. **Il est sans gêne,** *he is free and easy.*

4. **tous les Anglais . . . dans la tête,** *every Englishman was rather crack-brained.*

5. **donna un léger coup de coude,** *gave a slight nudge.*

6. **il sortait du 7ᵉ léger,** *he came from the 7th regiment of light infantry.*

Page 8. — 1. **nul n'est prophète . . .,** a biblical expression: "a prophet is not without honor save in his own country."

2. **Nous autres,** *as for us; autres* is used for the sake of emphasis.

Page 9. — 1. Author's note: "Si j'entrais dans le paradis saint, saint, Et si je ne t'y trouvais pas j'en sortirais." — *Serenata di Zicavo.*

2. **Capisco,** Italian, *I understand.*

3. **semestre,** *six months' furlough.*

Page 10. — 1. **se laissant aller . . . à rire de plus belle,** *throwing himself back, laughed very heartily;* lit. 'afresh,' 'with renewed vigor.'

2. **nous tenons à honneur,** *we deem it an honor.*

3. **le moins du monde,** *in the least.*

Page 11. — 1. **se guinder,** *climb, hoist oneself.*

2. **je ne sais quoi aristocratique,** *indefinable aristocratic air.*

3. **Vittoria** (Vitoria), a town in northern Spain. A battle was fought here between the whole Peninsular forces, commanded by Wellington, and the French army, under Joseph Bonaparte, King of Spain, and Marshal Jourdan, June 21, 1813.

Page 12. — 1. **filer grand train,** *to retreat hurriedly.*

2. **l'aigle,** *the flag.*

3. **mordre sur le front du carré,** *to attack* or *charge the front of the square.*

4. **la diable de musique,** *that wretched (confounded) music.*

5. **crassés à force de tirer,** *foul with powder by dint of firing.*

6. **je serrais la botte,** *I spurred on.*

7. **Al capello bianco!** Italian, *At the white hat!*

Page 13. — 1. **A ce compte,** *in that case.*

2. **Pise,** *Pisa,* a city on the banks of the Arno, and about twelve miles from the Mediterranean. Some of the most cele-

brated architectural buildings of Italy are found here. — **Campo-Santo,** a famous cemetery built in the thirteenth century by Giovanni Pisano. It contains some of the best specimens of funeral monuments, and celebrated frescoes by Orcagna. — **Dôme,** *the cathedral,* said to be the finest specimen of southern Romanesque. It was built in the eleventh century by Buschetto. — **la tour penchée,** *the leaning tower,* or "Campanile," built in 1174 by Bonanno of Pisa and William of Innsbruck. It is 183 feet in height, and has an inclination of 13 feet out of the perpendicular.

3. **d'Orcagna** (1320–1389), poet, painter, sculptor, and architect, was born in Florence. *The Triumph of Death* is one of his most celebrated frescoes.

Page 14. — 1. **avaient dû échanger,** *must have exchanged.*

2. **mouflon,** see page 3, note 6.

3. **fut se coucher,** *went to bed;* the preterite tense of the verb *être* very often means 'to go.'

4. **dormait sur les deux oreilles,** *was sound asleep.*

Page 15. — 1. **beaucoup de lieux communs,** *many commonplaces.*

2. **miel des sables,** a very fragrant honey, usually gathered by the bees from wild flowers, and deposited in the ground.

3. **Vittolo,** captain of marines in the service of Sampiero Corso; the latter, having fallen into an ambush, was treacherously shot in the back by Vittolo. The name of Vittolo is odious to the Corsicans to this very day and is a synonym for traitor. — **Sampiero Corso** or **Sampietro** was a famous Corsican hero (1497–1567), who courageously fought for the liberty of his country, and succeeded in rescuing Corsica from the sway of the Genoese.

4. **ma croix d'honneur,** *my cross of the legion of honor.* Napoleon Bonaparte instituted the Legion of Honor, May 19, 1802.

5. **grand panneau,** *main hatchway.*

6. **Achevez donc,** the particle lends emphasis, *pray finish.*

Page 16. — 1. **rimbecco.** Author's note: "*Rimbeccare,* en italien, signifie 'renvoyer,' 'riposter,' 'rejeter.' Dans le dialecte corse, cela veut dire: adresser un reproche offensant et public. — On donne le *rimbecco* au fils d'un homme assassiné en lui disant que son père n'est pas vengé. Le *rimbecco* est une espèce de mise en demeure pour l'homme qui n'a pas encore lavé une injure dans le sang. — La loi génoise punissait très sévèrement l'auteur d'un *rimbecco*."

2. **Je vous prends à admirer,** *I catch you admiring*.

3. **ballata.** Author's note: "Lorsqu'un homme est mort, particulièrement lorsqu'il a été assassiné, on place son corps sur une table, et les femmes de sa famille, à leur défaut, des amies, ou même des femmes étrangères connues pour leur talent poétique, improvisent devant un auditoire nombreux des complaintes en vers dans le dialecte du pays. On nomme ces femmes *voceratrici*, ou, suivant la prononciation corse, *buceratrici*, et la complainte s'appelle *vocero, buceru, buceratu*, sur la côte orientale; *ballata*, sur la côte opposée. Le mot *vocero*, ainsi que ses dérivés *vocerar, voceratrice*, vient du latin *vociferare*. Quelquefois, plusieurs femmes improvisent tour à tour, et souvent la femme ou la fille du mort chante elle-même la complainte funèbre."

4. **à tue-tête,** *at the top of his voice*.

Page 17. — 1. Vannina d'Ornano, the wife of Sampiero Corso. She was persuaded by Genoese agents and spies to go to Genoa to ask the Republic for the life of her husband. Sampiero, aware of that fact, had the ship on which his wife sailed for Genoa captured, and strangled his wife for having dared to implore the mercy of his enemies. This cruel murder led to the ambush in which Sampiero paid back to the relatives of Vannina his debt of blood.

2. **Quel monstre ce devait être!** *What a monster he must have been!*

3. **en faveur de,** *because of*.

Page 18. — 1. de son côté, *likewise;* cf. page 3, note 11.

2. **après avoir fait subir un interrogatoire au matelot,** 'after having submitted the sailor to an examination,' *after having questioned the sailor*.

3. **père du susdit,** *father of the above mentioned*.

4. **recherchées en justice,** *brought to trial*.

5. **dans leur manche,** 'in their sleeves,' *at their disposal, on their side.*

Page 19. — 1. **un conseiller à la cour royale,** *a judge in the royal court.*

2. **les trois S.** Author's note: "Expression nationale, c'est-à-dire *schioppetto, stiletto, strada,* fusil, stylet, fuite."

3. **Fiesque,** *Fiesco.* Born at Genoa in 1523 of a great historical family, Fiesco opposed the famous admiral Andrea Doria, and, having secured the assistance of France and of Pope Paul, tried to revolutionize Genoa, but was drowned in his attempt to seize the galleys (1547). Schiller made him the hero of one of his early dramas, *Die Verschwörung des Fiesco zu Genua.*

4. **quelque usage du monde,** *some habit of refined society.*

5. **école militaire,** the great French military school, located at Saint Cyr, a short distance from Versailles. It is to France what West Point is to the United States.

Page 20. — 1. **un défi en règle,** *a regular challenge.*

2. **se . . . l'un à l'autre,** *for each other;* the reciprocal pronoun *se* is amplified by the pronouns that follow.

3. **bien entendu,** *of course.*

Page 21. — 1. **les Sanguinaires,** *the Bloody Islands,* opposite the bay of Ajaccio, and so called on account of their rocks of red granite. Alphonse Daudet gives a description of these islands in his *Lettres de mon Moulin.*

2. **maquis,** see page 3, note 4.

3. **Punta di Girato,** *Promontory of Girato.*

4. **Castellamare,** a town in Italy, about ten miles southeast of Naples. The town derives its name (*castello a mare*) from a castle built by the emperor Frederick II. — **Cap Misène,** *Capo da Miseno,* a promontory and town in Italy, which are at the northwest entrance of the Bay of Naples. Castellamare is across the bay on the southeast shore.

Page 22. — 1. **Cours,** '*Corso*' (Italian for promenade); the main street of Ajaccio.

2. **aux aguets,** *on the watch.*

3. **plus ou moins catholiques,** *more or less legitimate.*

4. **coup de tête,** *inconsiderate act.*

5. **de son mieux,** *as best she could.*

6. **qui se pût voir,** 'who could be seen,' *to be seen,* or *in the world.*

7. **faire tourner la tête . . . caporaux,** *to turn the head of the descendant of the Caporali.*

Page 24. — 1. **en sa qualité de libéral,** *as a member of the liberal party.* — By **satellite du pouvoir** is meant an officer of the king.

2. **tout en parlant,** *speaking all the while.*

3. **très comme il faut,** see page 6, note 3.

Page 25. — 1. **que** merely lends emphasis; omit in translating.

2. **un peuple à part,** *a people by themselves.*

Page 26. — 1. **C'est une phrase du marquis de Mascarille,** *you talk like the marquis of Mascarille.* Mascarille is a type of valet created by Molière; in the *Précieuses ridicules* Mascarille pretends he is a marquis. It was not Mascarille, however, but Cathos (Scene 9) who said: "Pour voir chez nous le mérite, il a fallu que vous l'y ayez amené."

2. **un peu sorcière,** *something of a witch.*

3. **un peu bien intimes,** *quite intimate.*

Page 27. — 1. **les gens du peuple,** *the common people.*

2. **à l'anglaise;** the French fashion would be merely to bow.

Page 28. — 1. **une gourde en bandoulière,** *with a (gourd) flask slung over his shoulders.*

2. **les yeux bleu foncé,** *with dark blue eyes.* Notice that the adjective *bleu foncé* is not made to agree with *yeux;* adjectives expressing color, and compounded with or modified by another adjective, such as *bleu foncé, châtain clair, gris foncé,* are left invariable.

3. **mezzaro,** the short and light cloak or mantle that the women of Corsica throw over their head and shoulders; not unlike the Spanish *mantilla.*

4. **qui sied si bien,** *which is so becoming;* see *seoir.*

5. **houssine,** *switch.*

6. **prenant le grand trot,** *setting off at a round trot.*

Page 29. — 1. **où diable voulez-vous dîner,** *where in the dickens do you expect to dine?*

2. **qui ne se fit pas trop prier,** *who did not require much urging.*

Page 30. — 1. **effarouchée,** 'frightened,' *embarrassed.*

2. **qui sentît la province,** *which savored of the country.*

3. **Chez elle l'étrangeté sauvait la gaucherie,** *in her case singularity* ('saved awkwardness') *prevented her awkwardness from being noticed.*

4. **quatorze . . . pièces,** *fourteen shots, fourteen pieces of game.*

Page 31. — 1. **tout à l'heure,** *but a moment before.*

2. **fort à propos pour le tirer d'affaire,** *just in time to relieve him from his embarrassment.*

3. **qui sentît trop son village,** cf. page 30, note 2.

Page 32. — 1. **du Dante;** Dante Alighieri (1265–1321), the greatest of Italian poets, was born at Florence; he was the author of the *Divina Commedia,* the greatest work in Italian literature.

2. **l'Enfer.** The *Divina Commedia* of Dante is divided into three parts: *l' Inferno* (Hell), *il Purgatorio* (Purgatory), and *il Paradiso* (Paradise). The poetry is written in *terza rima* or tiercets, three lines rhyming together. The celebrated episode of Francesca da Rimini is found in the *Inferno,* Canto V. — **Francesca da Rimini** was the daughter of Guido da Polenta, the friend and benefactor of Dante. Her father had given her in marriage to Lanciotto, son of Malatesta, a noble of Rimini. Francesca fell in love with Lanciotto's younger brother Paolo, and the outraged husband killed both lovers with one thrust of his sword. Silvio Pellico based one of his best tragedies on this celebrated episode.

3. **de lire à deux,** *of two reading together.*

4. **A mesure qu'il lisait,** 'according as,' or *as he proceeded with his reading.*

Page 33. — 1. **son Pater,** *the Lord's Prayer.*

2. **est du métier,** *belongs to the profession.* — **Tout enfant,** *while a mere child.*

3. **voceratrice,** the person who recites the *vocero* (see page 16, note 3). It is still customary in many villages of Corsica, especially those found in mountainous districts, for people to gather around the remains of a departed friend, and pay him a last tribute of honor and friendship. The person most gifted in the throng recites a funeral song or lament, in which the virtues of the dead are exalted, and a *vendetta* is promised him, in case he has died a bloody death.

4. **Il eut beau jurer . . . ballata corse,** *in vain he contended that nothing was more insipid than a Corsican 'ballata.'*

Page 34. — 1. **d'une voix mal assurée,** *with voice hardly under her control; an unsteady voice.* — **serenata,** *serenade.*

2. **à la crapaudine,** a culinary term, *cut open and broiled.*

Page 35. — 1. **Au lieu d'être en vedette,** (the verses) *instead of each being in a line by itself.*

2. **monté en nacre,** *mounted in mother-of-pearl.*

Page 36. — 1. **se levant sur son séant,** *sitting upright.*

2. **en remontant le coup,** *in striking upward.*

3. **Phidias** (approximately 500–432 B.C.), the most celebrated Greek sculptor. The statues of Minerva and the Olympian Jupiter are said to be his masterpieces.

4. **in medias res,** *in the midst of things; in the very heart of the subject; abruptly;* a quotation from Horace, *Ars poetica,* 148.

5. **échappé des galères,** i.e., *escaped convict.*

Page 37. — 1. **Tant il y a que,** *whatever may have been the case.*

2. **tripot,** *gambling house.*

Page 38. — 1. **vécurent de même en étiquette,** *likewise lived on formal terms;* i.e., maintained the required forms of politeness, but nothing more.

2. **les Cent Jours,** *The Hundred Days.* Napoleon I, having escaped from the isle of Elba, arrived in Paris on March 20,

resumed the government of France, and, after the battle of
Waterloo, abdicated a second time on June 29.

3. **cachet de la mairie et des registres de l'état civil,** *official
seal and records of municipal registration.*

Page 39. — 1. **une guerre sourde de chicanes,** *an underhand
war of petty quarrels.*

2. **afin que force restât à la loi,** *in order that the law might
remain in force.*

3. **en présence,** *face to face.*

Page 40. — 1. **le coucha en joue,** *aimed at him.*

2. **Panurge,** a type created by the famous French satirist
Rabelais (1483–1553), in his celebrated work *Pantagruel.*

3. **On pense bien . . . fut dressé,** *of course an official report
was drawn up.*

4. **buonapartiste;** the partisans of the Bourbons ridiculously
persisted in calling Napoleon ' *Buonaparte* ' (Italian form) instead
of *Bonaparte* (French form). Hence the adjective *buonapartiste*
used in the official report of the mayor of Pietranera.

5. **était allié,** *was related by marriage.*

6. **ces protections,** *these supporters.*

Page 41. — 1. **tirait parti de,** *was making use of.*

Page 43. — 1. **le juge d'instruction,** *the examining judge.*

Page 44. — 1. **au dire,** *according to.*

2. **une feuille de grand papier,** *a sheet of foolscap paper.*

3. **cherchait à tâtons,** *was groping for.*

Page 46. — 1. **marier,** *to give away in marriage; se marier,*
'to marry some one.'

Page 47. — 1. **prendre un gîte dans son humble manoir,** *to
take lodgings in his modest mansion.*

2. **fous,** *gannets;* a web-footed sea fowl with a straight bill.

3. Once a place of worship by a Greek colony.

Page 48. — 1. **elle n'en a rien fait,** *she did nothing of the kind.*

2. **C'est que . . . nous autres Corses, nous,** *the fact is we Corsicans;* a common use of *autre* for emphatic contrast.

Page 49. — 1. **vous calomniez votre sœur,** *you do your sister injustice.*

2. **accès d'humeur noire,** *fits of melancholy.*

Page 50. — 1. **s'ils ne font droit à,** *if they do not honor.*

2. **bruccio.** Author's note: "Espèce de fromage à la crème cuit. C'est un mets national en Corse."

3. **peut quelque chose,** *avails at all.*

4. **un scarabée égyptien,** *an Egyptian scarab,* a precious stone representing a scarab (beetle).

Page 51. — 1. **un savant en 'us,'** a man with a Latinized name; here, a man versed in things of antiquity, such as hieroglyphics; cf. Molière's *Les Fâcheux,* Act III, Sc. 2: "Non pas de ces savants dont le nom n'est qu'en *us.*"

2. **nous livrent,** *wage against us.*

3. **de très bon matin,** *very early in the morning.*

Page 52. — 1. **vous autres Corses,** cf. page 48, note 2.

2. **grand'chose,** *much.* Notice the form of the adjective; *grand* had originally only one form for both masculine and feminine, keeping thus in strict accordance with its Latin prototype. Through some misunderstanding, when the adjective *grand* was found before a feminine noun, an apostrophe was added after it, as if to replace a mute *e;* cf. *grand'mère, grand'-messe, grand'route, grand'faim* (in the expression *j'ai grand'-faim*).

Page 53. — 1. **roi Théodore,** *King Theodorus.* Theodor Anton, Baron von Neuhof, was a German adventurer, who was proclaimed King of Corsica, at the time of the revolt against the Genoese. When Corsica was conquered by the French, he took refuge in England, where he was generously helped out by Horace Walpole. He died in 1756, and was buried in Westminster Abbey.

Page 54. — 1. **C'est qu'elle ferait fureur,** *she would be quite the rage.*

Page 55. — 1. **entre un Conrad et un dandy,** *between a Conrad and a dandy;* Conrad is the hero of Byron's *Corsair.*

2. **signori.** Author's note: "On appelle *signori* les descendants des seigneurs féodaux de la Corse. Entre les familles des *signori* et celles des *caporali* il y a rivalité pour la noblesse."

3. **au delà des monts,** i.e., on the eastern side of the chain of mountains running north and south in Corsica.

4. **levait les épaules,** *shrugged his shoulders.*

Page 56. — 1. **pierres de taille,** *hewn stones.*

2. **Sambucuccio,** Signore d'Alando. About the year 1007 Sambucuccio was created dictator by the people, and having defeated Cinarca, who represented the nobility, he divided part of Corsica into *communes*, and each *commune* had a representative called *Caporale.*

3. **bel Missere.** Author's note: "V. Filippini, lib. II. — Le comte Arrigo bel Missere mourut vers l'an 1000; on dit qu'à sa mort une voix s'entendit dans l'air, qui chantait ces paroles prophétiques:

> È morto il conte Arrigo bel Missere
> E Corsica sarà di male in peggio.

4. **traite,** *journey, ride.*

5. **devisant de la sorte,** *thus chatting.*

6. **compère,** *fellow godfather.*

7. **maquis,** cf. page 3, note 4.

8. **qui aurait fait un malheur,** *who would have committed a crime.*

Page 58. — 1. **faire l'affaire de Giudice,** *attend to Giudice;* i.e., kill him.

2. **les jours de salle de police,** *days of confinement in the guard-room.*

Page 59. — 1. **de par tous les diables,** freely *for heaven's sake!* Originally *de* and *par* had the same meaning, in many cases, and either could be used. They were also used together for emphasis, e.g. *de par le roi;* hence the above.

2. **sainte Nega.** Author's note: "Cette sainte ne se trouve pas dans le calendrier. Se vouer à sainte Nega, c'est nier tout de parti pris."

3. **on n'en pourra pas faire une outre,** *it will be impossible to make a leather bottle of it;* i.e., because it will have a hole in it.

Page 60. — 1. **Cargese,** a Corsican village of 1,063 inhabitants, about 30 miles northwest from Ajaccio.

2. **M. de Marbœuf,** appointed Governor of Corsica when the island was ceded to France by the Genoese.

Page 62. — 1. **ménagées entre de grosses bûches,** *made between large logs.*

2. **à couvert,** *under cover.*

Page 63. — 1. **lui bambin,** *though quite a little boy.*

2. **l'envoyant aux arrêts,** *putting him under arrest.*

3. **Vous êtes en bonnet de police,** *you are wearing your foraging cap.*

4. **aux Quatre Bras,** in Belgium. On the 16th of June, two days before the battle of Waterloo, Marshal Ney engaged the British and allied army commanded by the Duke of Brunswick, the Prince of Orange, ånd Sir Thomas Picton. The Duke of Brunswick lost his life in that battle.

Page 64. — 1. **hésiter,** reference to the Corsican custom of female subordination.

2. **Il lui sut bon gré,** *he was grateful to her.*

Page 65. — 1. **à la paysanne,** *peasant fashion.*

2. **Voilà les châtaignes venues,** *but now chestnuts have come.*

Page 66. — 1. **à la campagne.** Author's note: "C'est-à-dire être bandit. Bandit n'est point un terme odieux; il se prend dans le sens de banni; c'est l'*outlaw* des ballades anglaises."

Page 67. — 1. **qui fond des balles,** *casting bullets.*

2. **coupant les jets de plomb,** *trimming off the rough edges of lead.*

3. **de calibre,** *of (the proper) caliber.*

4. **Je l'aurais oublié que tu me le rappellerais bien vite,** *had I forgotten it, it wouldn't take you very long to remind me of it.* Notice the conditional used here in both clauses of the hypothetical sentence. This is due to the idiomatic and elliptical inversion of the sentence. The same use of conditional tenses is also found when *quand* is used instead of *si.*

Page 69. — 1. **cartouchière,** from *cartouche,* 'cartridge,' a belt in which one puts cartridges. The pistol referred to was to be attached to the left side.

2. **Ambigu-Comique,** one of the theatres of Paris on the Boulevard St. Martin. In this one, melodramas and patriotic plays are generally given.

3. **C'est que vous avez tout à fait bonne façon comme cela,** *indeed you look very well this way.*

4. **pointu,** one who wears the pointed cap (*barreta pinsuta*).

5. **brave,** *fine looking;* a popular meaning.

Page 70. — 1. **aux petits soins pour son frère,** *paying little attentions to her brother.*

2. **à grands pas,** *with rapid strides.*

Page 71. — 1. **un coude,** *a bend;* lit. 'an elbow.'

2. **On appelle cela . . . d'un tel,** *that is called the mound or funeral pile of so and so.*

Page 72. — 1. **le grand air le soulagea,** *the open air gave him relief.*

Page 73. — 1. **M. Shandy,** see Sterne's *Life and Opinions of Tristram Shandy,* Book V, Chapter III.

2. **se . . . le sang,** *his blood;* note that *se* is a dative of interest

Page 74. — 1. **Lucquois,** men from the town of Lucca in Italy. In many parts of Italy, as well as of southeast and central France, it is customary for the poorer population of a district to emigrate temporarily, especially in the harvest and vintage season, into richer countries, and do the rough work that a more favored and indolent population is unwilling to do.

Page 75. — 1. **cépée,** *tuft of young shoots.*

2. **vous** is here an ethical dative, a form of the dative of interest. Omit in rendering.

3. **déchiré;** the old cartridges were made of paper, and one end had to be bitten or torn.

Page 76. — 1. **Histoire de régler votre compte à vous,** *with the intention of settling your own account;* emphasis is given to *votre* by adding *à vous,* — a very common idiom of the language.

2. **je ne sais trop . . . il en a la science,** *I'm not altogether sure . . . he knows enough.*

3. **une sœur à moi,** *a sister of mine;* to express possession the French often uses the dative personal pronoun instead of the possessive adjective.

4. **qui avait fait des folies,** *who had gone wrong.*

Page 77. — 1. **il faut en venir à la pierre à fusil,** *one must resort to the gunflint.*

Page 78. — 1. **maxima debetur pueris reverentia,** *the greatest respect is due to children;* a verse from Satire XIV by the Roman poet Juvenal (60–140).

2. **il se fera tirer les oreilles,** *he will require urging;* for *se,* cf. page 73, note 2.

3. **un supposé,** *an impostor.*

4. **pour tirer des lettres de change,** 'to draw bills of exchange,' he means *make promissory notes.*

Page 79. — 1. **Orezza,** a village of Corsica, well known as a watering-place.

2. **m'ôte son bonnet,** *takes off his cap to me.*

Page 80. — 1. **Bastiaccio.** Author's note: "Les Corses montagnards détestent les habitants de Bastia. . . . Jamais ils ne disent *Bastiese* . . . la terminaison en *accio* se prend d'ordinaire dans un sens de mépris."

2. **Tu a dû bien rire,** *you must have had a good laugh.*

3. . . . Liquefacto . . . arenâ:

Divided his temples in twain with the molten bullet,
And stretched him sprawled on the ample arena.
                                VIRGIL, *Æneid* ix., 587-588.

4. **licencié,** *licentiate;* in European universities the 'license' comes between the bachelor's and doctor's degrees.

Page 82. — 1. **C'est un peu fort,** *that is going rather too far.*
2. **je ne passerais pas l'espièglerie,** *I would not pardon such a trick.*

Page 83. — 1. **se donner . . . au public,** *make a spectacle of herself in public.*

Page 84. — 1. **embrassait le mort,** the author's note states that this custom still existed at Bocognano in 1840.

Page 85. — 1. **commère,** *crone; old woman.*
2. **malemort,** *male morte,* 'violent death.'
3. **Libeccio,** a name given in Corsica to the southwest wind.
4. **Maddelè,** dialect for Madeleine.

Page 86. — 1. **la pythonisse sur son trépied,** *the Pythoness upon her tripod;* the Pythoness was the priestess of Apollo at the oracle of Delphi.
2. **à l'empressement qu'on mit,** 'by the eagerness that one put,' *by the eagerness they indicated.*
3. **son ruban rouge à rosette,** *his red rosette;* i.e., of an officer of the Legion of Honour
4. **un vieillard voûté,** *a stooping* (lit. 'arched') *old man.*

Page 88. — 1. **fendit la presse,** ('cleft') *made his way through the crowd.*
2. **compliments de condoléance,** *(polite) words of sympathy.*

Page 89. — 1. **crise nerveuse,** *attack of hysterics.*
2. **fait mille amitiés,** *sends her best regards.*
3. **le voilà hors d'affaire,** *he is out of danger.*

Page 90. — 1. **le cas que je fais,** *how little importance I attach.*

Page 91. — 1. **à nous,** cf. page 76, note 3.

2. **tenait à loyer,** *rented.*

Page 92. — 1. **Veuillez prendre connaissance,** *please look into.*

2. **Il aura vu,** a common idiomatic use of the future, *he must have seen.*

Page 93. — 1. **tintinajo.** Author's note: "On appelle ainsi le bélier porteur d'une sonnette qui conduit le troupeau, et, par métaphore, on donne le même nom au membre d'une famille qui la dirige dans toutes les affaires importantes."

Page 94. — 1. **Te refuseras-tu donc toujours à l'évidence?** *Will you always decline to accept evidence?*

Page 95. — 1. **Que diable lui veut-elle?** *What in the world does she want of her?*

Page 96. — 1. **Basta!** Italian, *Suffice! Enough!*

2. **ma solenne,** Italian, *and one worthy of its name.*

3. **dites-lui mille tendresses,** *remember me affectionately to her.*

4. **écharpe blanche,** *white scarf;* when acting in their official capacity, French public officers wear round the waist a scarf of the national colors. Under the Bourbons the French flag was white, and adorned with three fleurs de lis.

5. **Nous avons arrêté,** *we have decided.*

Page 97. — 1. **tout voir en couleur de rose,** 'see everything in rosy colors,' *look on the bright side of everything.*

2. **une porte dérobée,** *a secret door.*

Page 98. — 1. **aux aguets,** *on the watch.*

2. **embobelinés,** a verb seldom used, 'muffled'; familiar, *wheedled.*

Page 99. — 1. **se confondait en excuses,** *could not apologize enough.* — **n'était pour rien,** *had no share.*

2. **de ces tours,** *such tricks.*

Page 101. — 1. **congé,** *notice* or *warning*, that his lease would not be continued.

2. **un homme d'affaires,** *a business agent.*

Page 102. — 1. **licencié,** see page 80, note 4.

2. **pensa tomber à la renverse,** *almost fell over backwards.*

Page 103. — 1. **vous me remettez,** *you recall my face.*

2. **vous n'êtes pour rien,** see page 99, note 1.

3. **bonne chère,** *good living.*

4. **c'est là mon moindre défaut;** the "*Curé*" is quoting from La Fontaine's *Fables*, I. 1.

> La fourmi n'est pas prêteuse:
> C'est là son moindre défaut.

5. **frayer,** *to associate.*

Page 104. — 1. **prendre l'air,** i.e., escape. — **Dixi,** *I have said.* This Latin formula, often used at the end of a statement of facts, appears, for example, in Molière's *Pourceaugnac,* Act I, Sc. 8 and Hugo's *Cromwell,* Act III, Sc. 3.

2. **en rase campagne,** *in the open field.*

3. **En voilà une de bêtise** (*stupid remark*); the preposition *de* is justifiable here, on account of the familiar expressions used by the bandit, as well as the peculiar emphasis laid upon *une.*

4. **de par le diable!** cf. page 59, note 1.

Page 105. — 1. **c'est à vous que j'en destine,** *you are the one I'm planning for,* lit., 'reserving them,' i.e. blows.

Page 106. — 1. **petite maîtresse,** *delicate lady of fashion.*

Page 107. — 1. **et qu'il vous en demandât raison,** *and if he should demand satisfaction of you;* when in the second clause of a sentence *si* is replaced by the conjunction *que,* the verb following that conjunction is put in the subjunctive.

Page 108. — 1. **démarches,** *steps, proceedings.*

2. **n'entend rien à,** *has no notion whatever about.*

3. **laisse-moi faire,** *let me have my way.*

G

Page 109. — 1. **fusil à deux coups,** *double-barrelled gun.*

2. **déférait au,** *was going to bring before. . . .*

3. **garnisonner,** *to garrison;* a verb introduced into French by Mérimée; it is not unlikely that the English verb "to garrison" induced him to coin a French corresponding verb.

4. **donnant sur,** *overlooking.*

Page 111. — 1. **par le temps qu'il fait,** *in such weather;* cf. *il fait beau temps,* 'it's fine weather.'

2. **piloni,** cloaks of very thick cloth and provided with hoods. — Author's note.

Page 112. — 1. **ont fait un bon coup,** *have dealt a lucky blow,* i.e., *killed somebody.*

2. **les robes noires,** 'the black gowns,' *the magistrates, the lawyers.*

3. **voir des étoiles en plein midi,** 'see stars, right at noon,' *believe that black is white.*

4. **d'en venir à bout,** *to make an end of them.*

Page 114. — 1. **faisait le diable à quatre,** *raised the dickens.* On the old French stage, plays were given which were called *diableries* and in which four actors, representing devils, tried to give an idea of the infernal regions by raising the greatest disturbance, hence the expression.

2. **sang de la Madone,** one of those vulgar oaths so much in use among Italians.

Page 115. — 1. **en un tour de main,** 'in a turn of the hand,' *in the twinkling of an eye; in a trice.*

Page 116. — 1. **se mesurer avec lui,** *to measure swords with him*

Page 117. — 1. **fais en sorte,** *take care.*

2. **le moins mal possible,** *as well off (comfortable) as possible.*

Page 118. — 1. **en voilà d'une bonne!** *What do you think of that?* or *That's a good one!*

2. **et sainte Nega est là pour te tirer d'affaire,** *and a flat denial will get you out of trouble;* cf. page 59, note 1.

Page 119. — 1. **Orezza,** see page 79, note 1, is celebrated for its mineral springs.

2. **pensa,** cf. page 102, note 2.

Page 121. — 1. **murs en pierres sèches à hauteur d'appui,** *stone walls without mortar, breast high.*

Page 123. — 1. **puis il se remit,** *then he went off again.*

Page 124. — 1. **Salut,** *my respects to. . . .*
2. **il s'en garderait,** *he wouldn't dare to.*
3. **ils escofient,** *they are murdering.*

Page 125. — 1. **rien que cela!** *that caps the climax!*
2. **Allons! ne faites donc pas le farceur,** *come, come, away with your jokes;* or, *don't play the innocent man.*
3. **en avoir un drôle de dessert,** *to have a funny dessert.* Notice the use of the pronoun *en* together with the noun *dessert.* This is a very popular way of marking emphasis; cf. *Il en a de la chance; il en reçoit des coups; il en dit des bêtises; il en a du toupet.*
4. **en veux-tu, en voilà,** *as much as you like.*
5. **Bonne santé à nous autres.** Author's note: *"Salute a noi! exclamation qui accompagne ordinairement le mot de mort, et qui lui sert comme de correctif."*
6. **je ne me mêle plus de tirer,** *no more shooting for me.*

Page 127. — 1. **Bien avisé qui . . .,** *he would be a smart man who. . . .*
2. **Annocchiatura.** Author's note: "Fascination involontaire qui s'exerce, soit par les yeux, soit par la parole."
3. **Ah ça!** *Well now!* or, *I say!*

Page 128. — 1. **coup double d'une main.** The author states, for the sake of incredulous hunters, that he knew of a man who, with one arm broken, got out of a position at least as dangerous.
2. **En voilà encore une qui fausse compagnie,** *one more family that parts company.*

Page 129. — 1. **tenaient la campagne,** *were keeping afield, were on the warpath.*

2. **en tous sens,** *in all directions.*

3. **aura pris par le haut,** *has very likely taken the upper road.*

4. **les eut mis au fait de la tentative,** *had acquainted them with the attempt.*

Page 131. — 1. **montée à califourchon,** *riding astride.*

2. **la serrait à l'étouffer,** *almost strangled her in her grasp.*

3. **du chœur d'Othello,** the chorus is found at the end of the second act of the opera *Othello* by Rossini (1792–1868).

4. **l'Iris,** *the Iris* or *messenger.*

5. **en italien tel quel,** *into indifferent Italian.*

Page 132. — 1. **Vous vous trompiez à son air si doux,** *you were deceived by his very gentle bearing.*

Page 133. — 1. **porter plainte,** *to lodge a complaint.*

2. **ne faisait que soupirer,** *did nothing but sigh.*

Page 135. — 1. **disciplinés,** *under discipline.* — **en viennent rarement aux mains,** *seldom come to fighting.*

Page 137. — 1. **Peu s'en fallait qu'elle ne se persuadât,** *she almost persuaded herself.*

2. **palme bénite,** *consecrated palm;* Roman Catholics are accustomed to bring to church on Palm Sunday branches of palm or sprigs of box tree, in commemoration of the triumphal reception that Christ was given by the Jews.

3. **en se levant sur son séant,** see page 36, note 1.

Page 138. — 1. **qui a une main superbe,** *who writes a splendid hand.*

Page 140. — 1. **elle a sa leçon faite,** *she has been taught what to say.*

Page 141. — 1. **il n'avait garde de contredire sa fille,** *he took good care not to contradict his daughter.*

2. **comment il s'en serait tiré,** *how he would have come out.*

Page 142. — 1. **il faisait jouer la batterie de son fusil,** *he snapped the lock of his gun.*

2. **grand,** see page 72, note 1.

3. **une traverse,** *a short cut.*

Page 143. — 1. **Marchons toujours,** *let us keep going on, anyway.*

Page 145. — 1. **Vive Dieu!** *God be praised!*

2. **sèches,** cf. page 121, note 1.

3. **couleur locale,** cf. page 1, note 8.

Page 146. — 1. **de faire lâcher prise à Colomba,** *to make Colomba let go her hold.*

Page 148. — 1. **qu'a donc Brusco à grogner,** *why does Brusco growl?*

Page 151. — 1. **qu'il n'en pouvait plus,** *that he couldn't hold out any longer.*

2. **on n'y voit goutte,** *it is impossible to see anything.*

Page 153. — 1. **vous ne ferez pas mal . . . vos paroles,** *you will do well to watch your words.*

2. **en effet, elle a un chapeau,** *in fact, she wears a hat;* the privilege of wearing a hat was left for a long time, and is still left in some parts of France to persons belonging to higher classes. However, Parisian fashion has turned the heads of women of middle classes and of peasant girls, and fine feathers are no longer the sign of a well-lined pocketbook.

3. **Le chapeau n'y fait rien,** *the hat makes no difference.*

4. **bien des affaires,** *a great deal of trouble.*

5. **commandant de la campagne.** Author's note: "C'était le titre que prenait Théodore Poli."

6. **en fit justice,** *disposed of it.*

Page 155. — 1. **se donna le malin plaisir,** *took a malicious pleasure.*

Page 156. — 1. **surella,** *sister.*

2. **Nous frappons-nous dans la main?** *Shall we shake hands on it?*

Page 157. — 1. **voilà votre affaire finie,** *your trial is now over.* — **Ordonnance de non-lieu,** *verdict of no true bill; order of discharge.*

2. **quinze jours,** the regular French expression for *a fortnight.*

Page 158. — 1. **cette place . . . là-bas.** Author's note: "La place où se font les exécutions à Bastia."

2. **Sardaigne,** *Sardinia,* an island separated from Corsica by the strait of Bonifacio.

Page 159. — 1. **Istos Sardos!** Latin, *those Sardinians!*

2. **du pays.** Author's note: "Je dois cette observation critique sur la Sardaigne à un ex-bandit de mes amis, et c'est à lui seul qu'en appartient la responsabilité. Il veut dire que des bandits qui se laissent prendre par des cavaliers sont des imbéciles, et qu'une milice qui poursuit à cheval les bandits n'a guère de chances de les rencontrer."

3. **Fi de la Sardaigne!** *Fie upon Sardinia!*

4. **ce porte-respect,** *respect inspirer.*

5. **Don Quichotte,** Don Quixote, the hero of the famous Spanish novel by Cervantes (1547–1616).

Page 160. — 1. **que je n'ai fait qu'entrevoir,** *of whom I only caught a glimpse.*

2. **s'établir,** *to marry.*

3. **cartouche,** *cartridge,* here means a cylindrical box resembling a cartridge, in which are put *louis d'or* or *Napoleons,* usually ten or twenty in number.

4. **qui ne rate pas,** *that does not miss fire.*

Page 161. — 1. **Savelli a passé l'arme à gauche,** *Savelli is dead.* *Passer l'arme à gauche* is a military slang expression, the literal meaning of which is: 'to take the gun in the left hand.'

2. **un elzévir,** *an Elzevir;* the Elzevirs were a family of Dutch printers, who won a well-deserved fame by their celebrated edition of classics.

Page 162. — 1. **un hypogée étrusque,** *an Etruscan hypogeum;* the hypogeum is the subterranean portion of a building.

2. **se mirent en devoir,** *set about;* lit. 'set for themselves as a task.'

3. **ils n'en finissent pas,** *they never get through.*

4. **aleatico,** a sweet Tuscan wine.

Page 163. — 1. **il est amoureux fou de moi,** *he is madly in love with me.*

2. **pour vous faire enrager,** *to provoke you.*

3. **pour vous en donner sur les doigts,** *to rap you on the fingers with.*

Page 164. — 1. **un peu timbré,** *somewhat crack-brained.*

2. **Par exemple, la tête a déménagé,** *on my word* ('his brains have moved out'), *he has lost his mind.*

3. **qu'il n'en a pas pour longtemps,** *that he will not live very long;* one of the many verbal idioms with **en.** Here 'of it' vaguely refers to life.

4. **cela le regaillardirait peut-être,** *it might perhaps cheer him up.*

Page 166. — 1. **en pension,** *boarding.*

2. **de ses nouvelles,** *news about him.*

3. **elle a le mauvais œil,** *she has the evil eye;* it was commonly believed that the eyes of certain persons could dart noxious rays, and that to be seen by such persons at a certain time of the day, or before doing a certain act, was a sure sign of misfortune.

VOCABULARY

From this vocabulary have been purposely omitted : words identical in French
and English ; many others, the meanings of which, because of a resemblance to
the English, would immediately suggest themselves to the pupil, and such other
words as are adequately treated in the notes.

A

à, to, at, in, on, by, for, according to, with, from.

abaisser, to lower, let down ;
  s' —, to sink, drop down, be levelled.

abandonner, to forsake, leave, let fall, give up.

abattre, to knock down, pull down ; **s' —**, to fall down, swoop down, burst upon.

abîme, *m.*, abyss.

abondant, **-e**, abundant.

abord, *m.*, access, approach ; **d' —**, at first.

aborder, to board, accost, land ; **s'—**, to approach, accost each other.

aboyer, to bark.

abréger, to shorten.

abri, *m.*, shelter ; **à l' —**, under shelter.

abriter, to protect, shelter.

absolu, **-e**, absolute.

absolument, absolutely.

abstenir (s'), to abstain, refrain.

abuser, to abuse, take advantage of.

accabler, to overwhelm.

accent, *m.*, accent, note, tune.

accentuer, to accent, accentuate.

accès, *m.*, access, attack, fit.

accessible, accessible, open.

acclamation, *f.*, acclamation, shout.

accommodé, **-e**, settled, done for.

accompagner, to accompany, go, come with.

accorder, to grant, concede.

accourir, to run up, hasten.

accoutumé, **-e**, accustomed, usual.

accroc, *m.*, tear, scratch.

accrocher, to hang up, hook on ; **s' —**, to cling to, lay hold of.

accueillir, to receive, welcome.

accumuler, to accumulate.

accuser, to accuse, charge.

acharné, **-e**, implacable.

acheter, to buy.

achever, to finish, complete.

acquitter, to discharge, fulfil, perform ; **s'— de**, to perform, fulfil.

action, *f.*, action, act, deed.

adieu, *m.*, farewell, good-bye.

adjoint, *m.*, deputy (mayor).

adjudant, *m.*, adjutant.

adjurer, to adjure, beseech.

administrateur, *m.*, administrator, official.

adoucir, to soften, alleviate.

adresse, *f.*, address, skill.

adresser, to address, send ; **s'— à**, to apply to, address, speak to.

adroit, **-e**, clever, skillful, expert.

advenir, to happen, occur.

adversaire, *m.*, adversary, opponent.

affaire, *f.*, affair, business, case, matter ; *pl.*, business.

affamé, -e, starving, hungry.

affecter, to affect, assume.

affirmation, *f.*, affirmation, oath, affirmative.

affirmer, to affirm, assert.

affliger, to afflict, grieve.

affreu-x, -se, frightful.

afin de, in order to.

afin que, so that.

âge, *m.*, age.

âgé, -e, aged, old.

agenouiller (s'), to kneel down.

agir, to act ; **s'— de,** to be a question of.

agitation, *f.*, agitation, trouble.

agiter, to agitate, move, stir, disturb ; **s' —,** to fidget, toss about, be alarmed.

agréable, agreeable.

ah, hah ! oh !

aider, to aid, help, assist.

aïeul, *m.*, grandfather ; **-e,** *f.*, grandmother.

aïeux, *m. pl.*, forefathers, ancestors.

aigle, *m.*, eagle ; *f.*, eagle (standard).

aigu, -ë, acute, sharp, shrill.

aile, *f.*, wing.

ailleurs, elsewhere ; **d' —,** besides, moreover.

aimable, amiable, pleasant.

aimer, to love, like, be fond of.

aîné, -e, eldest.

ainsi, thus, so ; **— que,** as well as.

air, *m.*, air, manner, tune, way, appearance.

aise, *f.*, ease, comfort ; **mal à l'—,** uneasy, uncomfortable.

aise, glad, pleased.

ajouter, to add.

ajuster, to aim, adjust.

alentour, about, around.

alentours, *m.pl.*, environs, neighborhood.

alerte, *f.*, alert, alarm.

alignement, *m.*, line, row.

allée, *f.*, alley, lane.

allégation, *f.*, assertion.

alléguer, to allege, put forward.

aller, to go, be about to ; **s'en —,** to go away, be off.

allier, to ally, unite.

allonger, to lengthen, deal (a blow).

allons, come ! now ! here !

allumer, to light, kindle.

allusion, *f.*, allusion, hint.

Almack's, fashionable assembly rooms in London for balls and dinners, now called 'Willis's.'

alors, then.

Alpes, *f.*, Alps.

alternativement, alternately.

amas, *m.*, heap, pile, mound.

amasser, to heap up, gather up.

âme, *f.*, soul, mind.

amener, to bring, lead to.

am-er, -ère, bitter.

ami, *m.*, **-e,** *f.*, friend.

amical, -e, friendly.

amitié, *f.*, friendship, regard.

amonceler, to heap up, pile up.

amour, *m.*, love, liking, passion.

amoureu-x, -se, in love ; *noun*, lover, sweetheart.

amour-propre, *m.*, pride, conceit.

amuser, to amuse, entertain.

an, *m.*, year.

analogue, analogous, like, similar.

ancêtres, *m. pl.*, ancestors.

ancien, *m.*, veteran.

ancien, -ne, ancient, old, former.

ange, *m.*, angel.

Anglais, *m.*, Englishman ; **-e,** *f.*, Englishwoman.

anglais, -e, English ; **à l'-e,** in the English fashion.

Angleterre, *f.*, England.

angoisse, *f.*, anguish, anxiety, pang.

animal, *m.*, animal, beast, brute.

animé, **-e,** animated, excited.

animer, to animate; **s'—,** to grow excited.

anisette, *f.*, anise-seed cordial.

anneau, *m.*, ring.

année, *f.*, year.

annoncer, to announce, indicate, make known, betray.

anonyme, anonymous, without a name.

antiquaire, *m.*, antiquary.

antique, antique, ancient.

antiquité, *f.*, heirloom.

août, *m.*, August.

apercevoir, to perceive, notice, see; **s' — de,** to perceive, be aware of, find out, notice.

aplatir, to flatten.

apparaître, to appear.

appareil, *m.*, apparel, dressing.

apparence, *f.*, appearance, disguise, show.

apparent, -e, apparent, obvious.

apparition, *f.*, apparition, appearance.

appartement, *m.*, apartment.

appartenir, to belong.

appeler, to call; **s' —,** to be called.

appétissant, -e, tempting.

appétit, *m.*, appetite.

apporter, to bring, fetch.

apprécier, to appreciate, value.

apprendre, to hear, learn, find out, teach.

apprêt, *m.*, preparation.

approbation, *f.*, approbation, approval.

approche, *f.*, approach.

approcher, to approach, bring, draw near; **s' —,** to come near, go near, come up to.

approprié, -e, appropriate, fitting.

appui, *m.*, support; **à hauteur d'—,** breast-high.

appuyer, to support, lay stress, rest; **s'—,** to lean, rest.

après, after, next to; **d'—,** from, after, according to.

après-demain, *m.*, day after to-morrow.

après-midi, *m.*, afternoon.

arbousier, *m.*, arbutus.

arbre, *m.*, tree.

arbrisseau, *m.*, shrub.

archéologie, *f.*, archeology.

archere, *f.*, (*Italian*) loop-holes.

arçon, *m.*, saddle-bow.

ardemment, ardently, eagerly.

ardent, -e, ardent, fiery, hot, vivid, glowing.

argent, *m.*, silver, money.

argenterie, *f.*, silver-plate.

argumenter, to argue.

aridité, *f.*, aridity, barrenness.

arme, *f.*, arm, weapon, branch of the service.

armes, *f. pl.*, coat-of-arms.

armé, -e, armed.

armée, *f.*, army.

armer, to arm, cock.

armoire, *f.*, closet, press.

armoiries, *f. pl.*, coat-of-arms.

arracher, to tear away, pull out, tear out, break off, extort, elicit from.

arrangement, *m.*, arrangement, contrivance, adjustment.

arranger, to arrange, adjust, settle; **s'—,** to make arrange-ments, manage, be settled.

arrêt, *m.*, arrest, verdict, sentence, stop.

arrêter, to arrest, stop; **s'—,** to halt, pause, stop.

arrière, *m.*, rear, back part; **en —,** backwards.

arrivée, *f.*, arrival, coming,

arriver, to arrive, happen, come in, occur, reach.

arrogant, -e, arrogant, haughty.

article, *m.*, article, thing, matter.

ascension, *f.*, ascent, rise.

Asie Mineure, *f.*, Asia Minor.

aspect, *m.*, aspect, look.

assaillant, *m.*, assailant.

assaillir, to assail, attack.

assassin, *m.*, assassin, murderer.

assassinat, *m.*, assassination.

assassiner, to assassinate.

assaut, *m.*, assault, attack.

assemblée, *f.*, assembly, meeting, gathering.

assembler, to assemble, collect, gather.

assentiment, *m.*, assent, consent.

asseoir, to sit, set, seat, lay; s'—, to sit down.

assez, enough, fairly, rather.

assiette, *f.*, plate.

assigner, to assign, allow, summon, sue.

assistance, *f.*, assistance, help, audience.

assistant, *m.*, -e, *f.*, assistant, bystander, auditor.

assister, to assist, be present, attend.

assommer, to knock down, overwhelm, beat to death.

assoupi, -e, drowsy, sleepy.

assurance, *f.*, assurance, confidence.

assuré, -e, sure, secure, certain, firm, steady.

assurément, assuredly, surely.

assurer, to assure, aver, assert; s' — de, to ascertain, make sure of.

atroce, atrocious.

attacher, to attach, bind, tie.

attaque, *f.*, attack, onslaught.

attaquer, to attack, censure.

atteindre, to attain, overtake, reach, strike.

attendant (en), meanwhile, in the meantime.

attendre, to wait, wait for, expect, await; s'— à, to expect, look out for.

attendu que, because, seeing that.

attente, *f.*, expectation, hope.

attenti-f, -ve, attentive.

attention, *f.*, attention, heed.

attentivement, attentively, closely.

attester, to attest, certify to, assert.

Attila, a king of the Huns called the Scourge of God. Died 453.

attirer, to attract, draw, lure.

attitude, *f.*, attitude, manner.

attraper, to catch, get, hit.

attribuer, to attribute, impute.

aube, *f.*, daybreak, dawn.

auberge, *f.*, inn, hotel.

aucun, -e, any, none.

audace, *f.*, audacity, boldness.

audacieu-x, -se, audacious, bold.

auditoire, *m.*, audience.

auge, *f.*, trough.

augmenter, to increase.

augurer, to augur, think of.

aujourd'hui, to-day, now.

auparavant, before.

auprès, near, by, to, at, with.

aussi, also, as, therefore, too.

aussitôt, at once, immediately; —que, as soon as.

autant, as much, as many, as well.

auteur, *m.*, author.

autopsie, *f.*, autopsy.

autorisation, *f.*, authorization.

autorité, *f.*, authority.

autour, about, around.

autre, other, another, else.

autrefois, formerly.

autrement, otherwise, else.

avance, *f.*, advance; d'—, in advance, beforehand.

avancé, -e, advanced.

avancer, to advance, put forward; s' —, to advance, come forward.

avant, before; en —, forward.

avantage, *m.*, advantage.

avant-goût, *m.*, foretaste.

avec, with, among, by, to.

avenir, *m.*, future.

avenir, to happen, occur.

aventure, *f.*, adventure; d'—, by chance; à l'—, at random.

aventureu-x, -se, adventurous.

avertir, to warn, inform, notify.

aveu, *m.*, confession.

aveugle, *m., f.*, blind person.

aveugle, blind.

aveuglement, *m.*, blindness, delusion.

avidité, *f.*, avidity, eagerness.

avilir, to degrade, disgrace.

avis, *m.*, (piece of) advice.

avisé, -e, wary.

aviser (s'), to think of, take it into one's head.

avocat, *m.*, advocate, lawyer.

avoir, to have; il y a, there is, there are.

avouer, to admit, confess.

avril, *m.*, April.

B

badiner, to joke, play, trifle.

bagarre, *f.*, brawl, squabble.

bague, *f.*, ring.

bah, pshaw! pooh!

baie, *f.*, bay.

baigner, to bathe, wash.

bail, *m.*, lease.

bâiller, to yawn.

baïonnette, *f.*, bayonet.

baiser, to kiss.

baisser, to let down, lower; se —, to stoop down, crouch.

balbutier, to stammer, mutter.

balcon, *m.*, balcony.

balistique, *f.*, ballistics.

balle, *f.*, ball, bullet.

banal, -e, commonplace.

banc, *m.*, bench, seat.

bande, *f.*, band, bandage.

bandit, *m.*, bandit, outlaw.

bandoulière, *f.*, shoulder-belt.

bannir, to banish, outlaw.

barbare, barbarous, wild, rude.

barbe, *f.*, beard.

barbu, -e, bearded.

barre, *f.*, bar.

barrer, to bar, block.

barricader, to barricade.

barriciniste, *m.*, Barricinist.

bas, *m.*, lower part, bottom; à —, down; en —, below, downwards; là —, yonder; tout —, in a low tone.

bas, -se, low, sordid.

basané, -e, tawny, sunburnt.

bassesse, *f.*, meanness, vileness.

Bastia, *f.*, town in Corsica; seat of the High Court of Justice.

bataille, *f.*, battle, fight.

bataillon, *m.*, battalion.

bâtard, *m.*; -e, *f.*, bastard.

bateau, *m.*, boat.

batelier, *m.*, boatman.

bâtiment, *m.*, building.

bâtir, to build, construct.

batterie, *f.*, battery, hammer, lock.

battre, to beat; se —, to fight.

beau, bel, *f.*, belle, beautiful, handsome, fine; avoir —, to be useless, in vain.

beaucoup, much, many.

beauté, *f.*, beauty.

bec, *m.*, beak, bill.

bélier, *m.*, ram.

belle-sœur, *f.*, sister-in-law.

belliqueu-x, -se, warlike, martial.

bénédiction, *f.*, blessing.

bercer, to rock, lull, delude; se —, to delude oneself.

berger, *m.*, sheperd.

bergère, *f.*, shepherdess.

besace, *f.*, wallet.
besoin, *m.*, need, want.
bête, *f.*, animal, beast, brute, fool.
bêtise, *f.*, stupidity, nonsense.
bien, well, much, many, indeed, very; good, kind; — que, although.
bientôt, shortly, soon; à —, (I hope to see you again before long) good day! good bye!
bienveillance, *f.*, kindness.
bienvenu, –e, welcome.
bière, *f.*, bier, coffin.
bijou, *m.*, jewel, trinket.
bilieu-x, –se, bilious, sallow.
billet, *m.*, note, ticket.
bivac, *m.*, bivouac.
bizarre, fantastic, odd, strange.
blâmer, to blame, condemn.
blanc, *m.*, white.
blanc, –he, white, fair.
blanchâtre, whitish, gray.
blesser, to wound, hurt.
blessure, *f.*, wound.
bleu, –e, blue.
blond, –e, blond, fair.
blondin, *m.*, fair-complexioned young fellow.
bœuf, *m.*, ox.
boire, to drink, sip.
bois, *m.*, wood, grove.
boîte, *f.*, box.
bon, –ne, good, kind, dear.
bonapartiste, *m.*, Bonapartist.
bond, *m.*, bound, jump.
bonheur, *m.*, happiness, good luck, pleasure.
bonnement, simply, plainly.
bonnet, *m.*, cap.
bonsoir, *m.*, good night, good evening.
bonté, *f.*, goodness, kindness.
bord, *m.*, board, edge, shore; à son —, aboard his ship.
bordeaux, *m.*, Bordeaux wine.
borner, to limit, set bounds; se —, to confine oneself, be content with.

botte, *f.*, boot, spur.
bouche, *f.*, mouth.
bouchée *f.*, mouthful.
boucher, to block up, stop up.
boucherie, *f.*, slaughter-house, butcher's shop.
boucle, *f.*, ring, curl, buckle, ear-ring.
bouclier, *m.*, shield.
bouder, to pout, be offended at.
boue, *f.*, mud, mire.
bouger, to budge, move, stir.
bouillonner, to boil up.
bouleverser, to upset, disturb.
bouquin, *m.*, old book.
bourg, *m.*, borough, village.
bourgeois, *m.*, commoner, citizen.
bourse, *f.*, purse.
boussole, *f.*, compass.
bout, *m.*, end, bit, piece.
bouteille, *f.*, bottle.
boutonner, to button.
branchage, *m.*, branches.
branche, *f.*, branch, bough.
bras, *m.*, arm.
bravade, *f.*, bravado, boast.
brave, *m.*, brave fellow.
brave, brave, good, honest.
bravement, bravely.
braver, to defy, dare.
bravoure, *f.*, bravery.
bref, in short.
bref, brève, short, quick.
bride, *f.*, bridle.
brider, to bridle.
brillant, –e, brilliant, bright.
briller, to glitter, shine, sparkle.
brique, *f.*, brick.   [flash.
brise, *f.*, breeze.
briser, to break, shatter.
broder, to embroider.
brouiller, to embroil, perplex; se —, to fall out with, quarrel, make an enemy of.
bru, *f.*, daughter-in-law.
bruccio, *m.*, Corsican cream-cheese.

bruit, *m.*, noise, report, sound.
brûler, to burn, blow out (brains).
brun, –e, brown, dark.
brusque, abrupt, blunt, sudden.
bruyant, –e, noisy, loud.
buisson, *m.*, bush.
bureau, *m.*, desk, office.
busc, *m.*, busk, corset steel.
but, *m.*, aim, end, object.

C

çà, here.
cabrer (se), to rear.
cacher, to hide, conceal.
cachet, *m.*, seal.
cacheter, to seal.
cadavre, *m.*, corpse, body.
cadeau, *m.*, gift, present.
café, *m.*, coffee, coffee-house.
cahier, *m.*, paper book, copy-book; — **de musique,** music book.
cahot, *m.*, jolting.
caillou, *m.*, pebble.
calèche, *f.*, carriage.
calendrier, *m.*, calendar.
calibre, *m.*, bore, size.
câlinerie, *f.*, wheedling, coaxing.
calme, *m.*, calm, stillness.
calme, calm, still, peaceful.
calmer, to calm, soothe.
calomnie, *f.*, calumny, slander.
camarade, *m.*, comrade, fellow.
campagne, *f.*, country, campaign, field.
campement, *m.*, encampment.
canaille, *f.*, rabble, rascal, rogue.
canne, *f.*, stick, cane.
canon, *m.*, cannon, barrel, gun.
cantique, *m.*, canticle, hymn.
canton, *m.*, canton, district.
cap, *m.*, cape.
capital, –e, capital, vital.
caporal, *m.*, corporal.
caporal, –e, corporal, leading,

chief, descending from Corsican tribunes or Caporali.
caprice, *m.*, caprice, fancy, whim.
capricieu–x, –se, capricious, fanciful.
capuchon, *m.*, hood, cowl.
car, for, because.
caractère, *m.*, character, letter, mark, nature.
caresser, to caress, stroke.
carnassière, *f.*, game-bag.
carnaval, *m.*, carnival.
carré, *m.*, square.
carré, –e, square.
carrière, *f.*, career.
carte, *f.*, card.
cartouche, *f.*, cartridge.
cartouchière, *f.*, cartridge-box *or* belt.
cas, *m.*, case, event, value, way.
casaque, *f.*, cassock, cloak.
casquette, *f.*, cap.
casser, to break, crack.
cassette, *f.*, casket, box.
catéchisme, *m.*, catechism.
catholique, *m.*, *f.*, catholic.
cause, *f.*, cause, law-suit, reason; **à — de,** on account of.
causer, to cause; chat, talk.
cavalerie, *f.*, cavalry.
cavalier, *m.*, horseman, trooper.
ce, cet, cette, ces, this, that, it, these, those.
ceci, this.
céder, to yield, give up.
ceindre, to gird, put on.
ceinture, *f.*, girdle, belt.
cela, that.
célèbre, celebrated, famous.
celui, celle, ceux, celles, he, she, that, they, those.
celui-ci, this, this one.
cendre, *f.*, ashes.
cent, hundred.
cependant, however, yet, in the mean time.
cercle, *m.*, circle, group.
cérémonie, *f.*, ceremony.

cerf, *m.*, stag.
cerner, to surround, invest.
certain, -e, certain, sure, some.
certainement, certainly.
certes, truly, surely.
cervelle, *f.*, brain.
cesse, *f.*, ceasing.
cesser, to cease, drop, end.
chacun, -e, each, every one.
chagrin, *m.*, sorrow, grief.
chaîne, *f.*, chain.
chair, *f.*, flesh.
chaise, *f.*, chair.
châle, *m.*, shawl.
chaleur, *f.*, heat, animation.
chambranle, *m.*, door-case, win-
dow-case, frame.
chambre, *f.*, room, state-room,
cabin; femme de —, maid.
champ, *m.*, field; sur-le- —, at
once.
champêtre, rural.
changer, to change, alter.
chanson, *f.*, song.
chant, *m.*, canto, song.
chanter, to sing.
chanteur, *m.*, singer.
chapeau, *m.*, hat.
chapelle, *f.*, chapel.
chaque, each, every.
charge, *f.*, charge, load, attack.
charger, to charge, request,
command, load; se — de, to
assume, take upon oneself.
charité, *f.*, charity, alms.
charme, *m.*, charm, spell.
charmer, to charm, delight.
charpie, *f.*, lint.
chasse, *f.*, hunting, sport, shooting.
chasser, to hunt, shoot.
chasseur, *m.*, hunter, huntsman.
chat, *m.*, cat.
châtaigne, *f.*, chestnut.
châtaignier, *m.*, chestnut tree.
châtain, -e, chestnut-color, au-
burn.
château, *m.*, castle.

chatte, *f.*, female cat, kitten.
chaud, -e, hot, warm.
chef, *m.*, chief, leader, head.
chemin, *m.*, road, way.
cheminée, *f.*, chimney.
cheminer, to go, travel along,
walk.
chemise, *f.*, shirt.
chêne, *m.*, oak; — vert, ever-
green oak.
ch-er, -ère, dear.
chercher, to search, seek, try,
look for, look after, fetch.
cheval, *m.*, horse; à —, on
horseback.
chevalier, *m.*, cavalier, knight.
cheveu, *m.*, hair, lock.
chèvre, *f.*, goat.
chevrier, *m.*, goatherd.
chez, at, to, with, in, at the house
of.
chicane, *f.*, chicanery, quibble.
chien, *m.*, dog.
chiffon, *m.*, rag.
chirurgien, *m.*, surgeon.
chœur, *m.*, chorus.
choisir, to choose, select.
choquer, to shock, offend.
chose, *f.*, thing.
chrétien, *m.; * -ne, *f.*, Christian.
chut, hush!
chute, *f.*, fall, downfall.
Cicéron, *n.*, Cicero.
ciel, *m.*, heaven, sky.
cierge, *m.*, taper.
cimetière, *m.*, cemetery.
cinq, five.
cinquante, fifty.
circonstance, *f.*, circumstance.
citation, *f.*, citation, quotation.
citoyen, *m.; * -ne, *f.*, citizen.
civil, -e, civil, polite.
civiliser, to civilize; se —, to
become civilized.
clair, *m.*, light, shine.
clair, -e, clear, bright, evident.
clairement, clearly.
claquer, to smack, snap.

clarté, *f.*, clearness, light.
classe, *f.*, class.
classique, classic.
clef, *f.*, key.
client, *m.*; –e, *f.*, client, retainer, dependent, creature.
climat, *m.*, climate.
cloche, *f.*, bell.
clocher, *m.*, bell-tower, steeple.
clôture, *f.*, enclosure.
clouer, to nail.
cochon, *m.*, pig, hog.
code, *m.*, code, law.
cœur, *m.*, heart, courage.
coin, *m.*, corner.
colère, *f.*, anger, passion.
collège, *m.*, college, school.
collègue, *m.*, colleague.
collet, *m.*, collar.
collier, *m.*, necklace.
colombier, *m.*, pigeon-house.
combat, *m.*, combat, fight, struggle.
combattant, *m.*, combatant.
combattre, to combat, fight.
combien, how much, how many.
comble, *m.*, height, top.
combler, to heap up, load, overwhelm.
commandant, *m.*, commander.
comme, as, as if, like, so.
commencer, to begin.
commensal, *m.*, guest, messmate.
comment, how, what!
commentaire, *m.*, commentary.
commettre, to commit.
commission, *f.*, errand, order.
commun, –e, common, commonplace, joint.
commune, *f.*, commune, borough, township.
communication, *f.*, communication, intercourse, passage.
compagne, *f.*, companion, mate.
compagnie, *f.*, company.
compagnon, *m.*, companion, fellow.

comparaître, to appear.
comparer, to compare.
compatriote, *m.*, compatriot, countryman.
complainte, *f.*, lament, dirge.
complément, *m.*, complement.
compl–et, –ète, complete, perfect.
complètement, completely.
compléter, to complete.
complicité, *f.*, complicity, conspiracy.
compliquer, to complicate.
complot, *m.*, plot.
comporter, to allow, admit of.
comprendre, to understand.
comprimer, to compress, restrain, repress, suppress.
compromettre, to compromise, implicate, expose.
compte, *m.*, account, case.
compter, to count, reckon.
comte, *m.*, count.
concentrer, to concentrate.
concevoir, to conceive.
concilier, to conciliate, reconcile.
conclure, to conclude, infer.
concorde, *f.*, concord, harmony.
condamnation, *f.*, condemnation, judgment, sentence.
condamner, to condemn, sentence, convict.
condescendance, *f.*, condescension.
condescendre, to condescend.
condoléance, *f.*, condolence, sympathy.
conduire, to conduct, guide, lead, take to.
conduite, *f.*, conduct, behavior.
confesseur, *m.*, confessor.
confiance, *f.*, confidence.
confier, to confide, trust, entrust.
confirmer, to confirm, bear out.
confondre, to confound, confuse, mix, blend.

confortablement, comfortably.

confus, –e, confused, confounded.

confusément, confusedly.

congé, m., leave of absence, discharge, furlough.

congédier, to discharge, dismiss.

conjecture, f., conjecture, supposition.

conjurer, to beg, avert, ward off.

connaissance, f., acquaintance, knowledge; prendre — de, to look into, examine.

connaisseur, m., connoisseur.

connaître, to know, be acquainted with.

connu, pp. of connaître.

consacré, –e, consecrated, usual.

conseil, m., counsel, advice, council.

conseiller, m., adviser, councilor, judge.

conseiller, to counsel, advise.

consentement, m., consent.

consentir, to consent, agree.

conséquence, f., consequence, importance.

conséquent, m., consequent; par —, consequently.

conserver, to preserve, keep, maintain, take care of.

considérer, to consider, esteem, look at, respect.

consolation, f., consolation, comfort.

consoler, to console, comfort.

constamment, constantly.

constater, ascertain, establish, prove.

constituer, to constitute, place, assign; se — prisonnier, to surrender, give up oneself.

construction, f., construction, building.

construire, to build.

contempler, to contemplate, look at, behold.

contenance, f., countenance, attitude, features.

contenir, to contain, restrain.

content, –e, contented, pleased.

contentement, m., satisfaction.

conter, to relate, tell.

contester, to contest, dispute.

continu, –e, continuous, continual, constant.

continuellement, continually.

continuer, to continue, go on, keep on.

contractant, –e, contracting.

contractant, m.; –e, f., contractor.

contraindre, to constrain, force.

contrainte, f., restraint.

contraire, contrary, opposed; m., contrary.

contrarier, to provoke, annoy.

contre, against, to, from.

contredire, to contradict.

contrefaire, to counterfeit, forge.

contrefait, –e, counterfeited, forged.

contre-partie, f., counterpart.

contrevent, m., shutter.

contribuer, to contribute.

contusion, f., contusion, bruise.

convaincre, to convince.

convenable, proper, suitable.

convenablement, suitably, comfortably.

convenir, to agree, admit, suit, become, fit.

convention, f., convention, agreement.

convertir, to convert.

convoi, m., convoy, funeral procession.

convulsivement, convulsively.

copie, f., copy.

copier, to copy.

coquin, m., rogue, knave, rascal.

coquine, f., hussy.

corbeau, m., raven.

corde, f., rope.

cordialement, cordially.

cordon, *m.*, cord, ribbon, string.

corne, *f.*, horn.

corps, *m.*, body.

correctif, *m.*, corrective.

corriger, to correct, punish.

corse, Corsican; *noun.* Corsican.

Corse, *f.*, Corsica.

corset, *m.*, bodice, stays.

Corte, *f.*, town in central Corsica; seat of government under Paoli.

cortège, *m.*, procession, train.

costume, *m.*, costume, dress.

côte, *f.*, coast, rib, side.

côté, *m.*, direction, side; à — de, beside, alongside of.

coteau, *m.*, hill, hillock.

cou, *m.*, neck.

coucher, to lay, lie, put to bed, sleep; se —, to lie down, go to bed, set.

coude, *m.*, elbow.

coudre, to sew, stitch.

couler, to flow, run, ooze.

couleur, *f.*, color, coloring.

couleuvre, *f.*, adder.

coup, *m.*, blow, stroke, shot; — de feu, shot; tout à —, suddenly.

coupable, guilty; *m., f.*, guilty person, culprit.

coupant, -e, cutting, sharp.

couper, to cut, lop, slit.

couplet, *m.*, stanza, verse.

cour, *f.*, court, yard; faire la —, to court.

couramment, fluently, readily.

courber, to curve, bow, bend.

courir, to run (up, off), incur.

couronner, to crown.

courrier, *m.*, messenger.

courroux, *m.*, wrath, anger.

cours, *m.*, course, stream.

course, *f.*, course, race, run.

court, -e, short.

cousin, *m.*, -e, *f.*, cousin.

couteau, *m.*, knife.

coutume, *f.*, custom, habit.

couverture, *f.*, cover, quilt.

couvrir, to cover, hide, conceal.

craindre, to fear.

crainte, *f.*, fear, awe.

crapaudine, *f.*, grating.

cravate, *f.*, necktie.

crayon, *m.*, pencil.

créance, *f.*, credence, credit.

créature, *f.*, creature, tool.

crème, *f.*, cream.

crête, *f.*, crest, ridge, top.

creuser, to dig, hollow out.

creu-x, -se, hollow, deep.

cri, *m.*, cry, shout, scream.

crier, to cry out, shout.

crin, *m.*, hair (of the mane or tail).

crinière, *f.*, mane.

critique, *f.*, criticism, censure.

critique, critical.

critiquer, to criticise, censure.

croire, to believe, think.

croisé, -e, crossed.

croître, to grow.

croix, *f.*, cross.

croquis, *m.*, sketch.

crosse, *f.*, crosier, butt-end.

croupe, *f.*, croup, back; en —, behind (on horseback).

cru, -e, raw, uncooked.

cruauté, *f.*, cruelty.

cruche, *f.*, pitcher, jug.

cruel, -le, cruel, heartless.

cruellement, cruelly.

cueillir, to cull, gather, pick.

cuiller, *f.*, spoon.

cuire, to cook, bake.

cuir, *m.*, leather, skin, hide.

cuisine, *f.*, kitchen.

cuisini-er, *m.*; -ère, *f.*, cook.

cuisse, *f.*, thigh.

cultiver, to cultivate.

culture, *f.*, cultivation.

cupidité, *f.*, cupidity.

curé, *m.*, priest, parson.

curieusement, curiously.

curieu-x, -se, curious, strange, anxious, inquisitive.

cyclopéen, -ne, Cyclopean.

cyste, *m.*, cistus, rock rose.

D

daigner, to deign, condescend, be so good as.

daim, *m.*, deer.

dalle, *f.*, slab, flagstone.

damassé, -e, damask.

dame, *f.*, lady.

dame ! well ! forsooth ! why !

dangereu-x, -se, dangerous.

dans, in, into, within, to, at, on.

danser, to dance.

dater, to date.

davantage, more.

de, of, from, with, by, at, in, for, on, as.

débarquer, to disembark, land.

débarrasser, to free, get rid of.

débattre, to discuss ; se —, to struggle.

débiter, to retail, deliver, say.

debout, standing, up.

débrouiller, to unravel, clear up.

débuter, to begin, commence.

décacheter, to unseal.

décamper, to decamp, march off.

décharge, *f.*, discharge, volley.

décharger, to discharge, unload, fire off.

déchiqueter, to slash, cut up.

déchirant, -e, heart-rending.

déchirer, to bite, tear.

décider, to decide, determine.

déclamer, to declaim, recite.

déclaration, *f.*, statement.

déclarer, to declare, state.

déconcerter, to disconcert.

déconvenue, *f.*, defeat, discomfiture.

décorer, to decorate.

découragement, *m.*, discouragement.

découvert, -e, discovered, uncovered, open, disclosed.

découverte, *f.*, discovery, disclosure.

découvrir, to discover, uncover, see.

décrire, to describe.

dédaigner, to disdain, scorn.

défaillant, -e, failing, fainting.

défaire, to undo ; se — de, to get rid of.

défaut, *m.*, fault, failing, want, absence.

défavorablement, unfavorably.

défendre, to defend, forbid.

défi, *m.*, challenge.

défier, to defy, challenge.

défiler, to defile, file off.

définir, to define, explain.

défricher, to clear up.

défunt, *m. ;* -e, *f.*, deceased.

dégagé, -e, free, easy.

déguisement, *m.*, disguise.

dehors, out, outside ; en —, without, outside.

déjà, already.

déjeuner, *m.*, breakfast.

déjeuner, to breakfast.

delà, beyond ; au —, beyond, above, on the other side of.

délabrer, to pull to pieces, break down.

délicat, -e, delicate.

délicieu-x, -se, delicious.

délivrer, to deliver, free.

demain, to-morrow.

demande, *f.*, demand, request, proposal.

demander, to demand, ask for, sue for, call for.

démêler, to distinguish, unravel, settle, discern.

déménager, to move out.

démesurément, excessively.

demeure, *f.*, dwelling, home.

demeurer, to live, remain, stand, stay.

demi, -e, half.

demoiselle, *f.*, young lady.

démontrer, to demonstrate, show, point out.

dénoncer, to denounce, accuse.

denrée, *f.*, goods, produce.

dent, *f.*, tooth.

départ, *m.*, departure, parting.

dépasser, to go beyond, exceed, surpass, rise above.

dépêcher, to dispatch; **se —,** to make haste, hurry.

dépens, *m. pl.*, expense, cost.

déplaire, to displease, offend.

déployer, to spread out, unfold.

déposer, to testify, make a statement, place, deposit.

déposition, *f.*, deposition, testimony, statement.

dépouiller, to despoil, strip.

dépourvu, -e, destitute, unprovided.

depuis, from, since, for.

député, *m.*, deputy, representative.

déraisonner, to talk nonsense.

déranger, to derange, disturb.

dérivé, *m.*, derivative.

derni-er, -ère, last, final.

dérober, to conceal, rob, steal; **se — à,** to steal away, escape from.

derrière, behind, after.

dès, from, since; **— que,** when, as soon as; **— hier,** as early as yesterday; **— aujourd'hui,** from this very day; **— le lendemain,** the very next morning.

désagréable, disagreeable, unpleasant.

désappointement, *m.*, disappointment, deception.

désarmé, -e, unarmed.

désarmer, to disarm, uncock.

descendre, to go down, come down, be descended from.

désert, -e, desert-like, deserted.

déserter, to desert.

désespéré, *m.*, desperate; **en —,** desperately.

désespérer, to despair, despair of.

désespoir, *m.*, despair.

déshabiller, to undress.

désigner, to indicate, point out.

désirer, to desire, wish.

désister (se), to desist, abandon, relinquish.

désobéir, to disobey.

désolé, -e, grieved, very sorry.

désoler, to desolate, grieve.

désordre, *m.*, disorder.

désormais, henceforth.

dessécher, to dry up, wither.

dessein, *m.*, design, intention.

dessin, *m.*, drawing, sketch.

dessinateur, *m.*, artist, designer, sketcher.

dessiner, to design, sketch, draw.

dessous, under, below, beneath.

dessus, above, on, upon; **par —,** above, over, besides; **au —,** above, beyond.

destiner, to destine, intend.

destituer, to discharge, dismiss, remove.

détachement, *m.*, detachment.

détacher, to untie, take off, take down, send ahead; **se —,** to stand out.

détenir, to detain, confine, imprison.

détente, *f.*, trigger.

déterminé, bold, determined.

déterrer, to unearth, dig up.

détester, to detest.

détonation, *f.*, report, shot.

détour, *m.*, turn, winding, subterfuge, circuit.

détourner, to divert, turn aside, turn away.

détromper, to undeceive.

détruire, to destroy.

dette, *f.*, debt.

deuil, *m.*, mourning.

devancer, to distance, forestall, precede, outrun.

devant, before, in front of, at, over, opposite.

développer, to develop, unroll.

devenir, to become, grow.

deviner, to guess, divine.

devise, *f.*, device, motto.

devoir, *m.*, duty.

devoir, to owe, must, be obliged, shall, be about.

dévorer, to devour.

dévotement, devoutly.

diable, *m.*, devil, deuce; **pauvre —,** poor fellow.

diantre, deuce!

dictée, *f.*, dictation.

Dieu, *m.*, God.

différemment, differently.

différer, to differ, defer.

difficile, difficult, hard to get.

difficilement, with difficulty.

digne, worthy.

dignité, *f.*, dignity, honor.

dilaté, -e, dilated, enlarged.

dilater, to dilate, enlarge.

dimanche, *m.*, Sunday.

diminuer, to diminish.

dîner, *m.*, dinner.

dîner, to dine.

dire, *m.*, words, saying.

dire, to say, tell, speak.

direct, -e, direct, straight.

diriger, to direct, conduct; **se —,** to go towards, make for.

disciple, *m.*, disciple, pupil.

discipliner, to discipline.

discourir, to discourse, make a speech.

discours, *m.*, discourse, speech.

discr-et, -ète, discreet, prudent.

discuter, to discuss, argue.

disparaître, to disappear.

dispenser (se) de, to dispense with.

disperser, to disperse, scatter.

disponible, available, vacant.

disposé, -e, ready, inclined.

disposer, to dispose; **se — à, to** be about, prepare.

disposition, *f.*, disposition, tendency, frame of mind.

disputer (se), to dispute, quarrel.

dissimuler, to conceal, feign.

dissiper (se), to clear away, disperse.

distingué, -e, distinguished.

distinguer, to distinguish.

distraction, *f.*, distraction, inattention, recreation.

distraire, to distract, divert, entertain.

distribuer, to distribute.

divertissement, *m.*, amusement, entertainment.

divin, -e, divine.

diviser, to divide.

dix, ten.

docile, docile, gentle.

docteur, *m.*, doctor.

doigt, *m.*, finger.

dôme, *m.*, dome, cathedral.

domestique, *m.*, *f.*, servant.

domestique, domestic.

dommage, *m.*, damage, pity.

don, *m.*, gift, donation.

donc, then, therefore, thus.

donner, to give.

dont, whose, of whom, of which.

dormir, to sleep.

dos, *m.*, back.

dot, *f.*, dowry.

double, double, as two.

doucement, softly, gently, slowly.

douceur, *f.*, softness, gentleness.

douer, to endow, gift.

douleur, *f.*, pain, suffering, grief, sorrow.

douloureusement, painfully.

douloureu-x, -se, painful.

doute, *m.*, doubt, fear, suspicion.

douter, to doubt; **se — de, to** suspect, imagine.

dou-x, -ce, sweet, gentle, soft.

douzaine, *f.*, dozen.

dragon, *m.*, dragoon.

drap, *m.*, cloth.

dresser, to put up, raise, set up, draw up; se —, to stand up.

droit, *m.*, right; à bon —, rightly.

droit, –e, right, straight.

droit, justly, honestly, uprightly.

droite, *f.*, the right hand.

drôle, *m.*, knave, rogue.

drôle, funny, ludicrous, strange.

dur, –e, hard.

durer, to last, continue.

E

eau, *f.*, water.

ébahir (s'), to be amazed.

ébranler, to shake, unsettle.

écarbouiller, to crush, dash out.

écart, *m.*, step aside; à l'—, aside.

écarter, to discard, remove; s'—, to draw aside.

échanger, to exchange.

échantillon, *m.*, sample.

échappé, *m.; –e, f.*, person having escaped.

échapper, to escape, drop from; s'—, to escape, burst from, peep out.

écharpe, *f.*, scarf, sash; sling.

échelle, *f.*, ladder.

éclair, *m.*, flash of lightning, flash, gleam.

éclaircir, to clear up, unravel.

éclairer, to light, enlighten.

éclaireur, *m.*, scout.

éclat, *m.*, splinter, brilliancy.

éclater, to burst, break out.

école, *f.*, school.

économiser, to economize, save.

écouler (s'), to elapse, flow away.

écouter, to hear, listen.

écraser, to crush.

écrier (s'), to cry out, exclaim.

écrire, to write.

écriture, *f.*, writing, handwriting.

écrouler (s'), to fall down.

écu, *f.*, crown (*about $1.00*).

écurie, *f.*, stable.

écusson, *m.*, escutcheon, shield.

écuyer, *m.*, squire, groom.

édifier, to edify, build, erect.

éducation, *f.*, education, breeding, training.

effacer, to efface, strike out.

effarer, to frighten, scare.

effaroucher, to scare, shock; s'—, to be scared, take umbrage.

effet, *m.*, effect, fact, impression.

efforcer (s'), to make an effort, try, strive.

effort, *m.*, effort, endeavor.

effrayant, –e, dreadful, frightful.

effrayer, to frighten, scare.

effroi, *m.*, fright, terror.

égal, –e, equal, same, alike.

également, equally, also.

égard, *m.*, regard, consideration; à l'— de, as for, as to, towards.

égarer, to mislead, mislay; s'—, to lose one's way.

église, *f.*, church.

égyptien, –ne, Egyptian.

eh! ah! well!

élancer (s'), to rush.

élégant, *m.; –e, f.*, fashionable person, dandy.

élégant, –e, elegant, fashionable.

élève, *m.*, pupil, scholar, student.

élevé, –e, educated, bred, raised.

élever, to bring up, raise; s'—, to rise, grow, stand.

éloge, *m.*, eulogy, praise.

éloigné, –e, distant, far, remote.

éloigner, to remove, put away; s'—, to go away, get away, get clear of.

émail, *m.*, enamel.

emballer, to pack up.

embarquer, to embark, put on board; s'—, to go on board.

embarras, m., embarrassment.

embarrassant, -e, embarrassing.

embarrasser, to embarras; perplex; s'—, to get embarrassed.

embrasser, to embrace, kiss.

embuscade, f., ambuscade.

embusquer (s'), to lie in wait, post oneself.

émerveiller, to astonish, amaze.

émettre, to utter, express.

emmener, to take away, bring along, carry away.

émouvoir, to move, rouse.

emparer (s'), to seize, take possession, catch.

empêcher, to prevent, stop; s'— de, to forbear, keep from.

empereur, m., emperor.

emphase, f., emphasis.

emphatique, stuck up, pompous.

emplette, f., purchase.

employer, to employ, use.

empoigner, to grasp, seize.

emportement, m., anger, passion.

emporter, to carry away, take away; s'—, to get angry.

empressement, m., haste, eagerness.

empresser (s'), to hasten.

emprisonner, to imprison, confine.

ému, -e, full of emotion, moved, affected, excited.

en, in, by, for, like, as, to, on, while; of it, of them, for it, for them, from it, by it.

enchantement, m., enchantment, magic.

enchanter, to delight, charm.

enclos, m., enclosure.

enclos, -e, enclosed.

encore, again, yet, more, besides, still.

endormir (s'), to fall asleep, go to sleep.

endosser, to put on.

endroit, m., place, spot.

endurant, -e, enduring, patient.

énergique, energetic, spirited.

enfance, f., infancy, childhood.

enfant, m., f., child.

enfantin, -e, childish.

enfer, m., hell.

enfermer, to lock up, stow away.

enfin, finally, at last, in short.

enfoncer, to sink, bury, break open, thrust; s' —, to sink, plunge into, disappear.

enfuir (s'), to run away, flee, escape.

engager, to engage, advise, pledge, induce; s' —, begin, promise, arise, follow.

enhardir, to embolden.

énigme, f., enigma.

enjôleur, m., coaxer, wheedler.

enlever, to remove, raise, take away, lift up.

ennemi, m.; -e, f., enemy, foe.

ennemi, -e, unfriendly, hostile.

ennuyer, to annoy, bore; s' —, to be wearied, feel bored.

ennuyeu-x, -se, annoying, tiresome.

énorme, enormous, huge.

énormité, f., enormity.

enquérir (s'), to inquire, ask about.

enquête, f., inquiry, inquest.

enragé, -e, furious, enraged.

enrager, to rage, be mad.

ensemble, together.

ensuite, then, afterwards.

entamer, to begin, start, make the first cut.

entendre, to hear, understand intend, mean, expect; s' —, to understand each other, be understood.

enterrement, m., burial, funeral

enterrer, to bury, hide.

enthousiasme, *m.*, enthusiasm.

enthousiaste, *m.*, enthusiast.

enthousiaste, enthusiastic.

entièrement, entirely.

entonner, to intonate, sing.

entourer, to surround, wrap.

entraîner, to carry away, take along, drag, lead to.

entre, between, among, in, into.

entrée, *f.*, entry, entrance.

entrefaite, *f.*, interval, meantime; sur ces –s, in the meantime.

entreprendre, to undertake.

entrer, to enter, go into, come in.

entre-regarder (s'), to look at each other.

entretenir, to entertain, keep up, talk with.

entr'ouvrir, to half open.

envahir, to invade, overrun.

enveloppe, *f.*, envelope.

envelopper, to envelop, wrap up, surround.

envers, towards, to.

envie, *f.*, envy, wish, inclination.

envier, to envy.

environ, about.

environs, *m. pl.*, environs, vicinity, neighborhood.

envoyer, to send, despatch.

épais, –se, thick.

épaisseur, *f.*, thickness.

épaule, *f.*, shoulder.

épée, *f.*, sword.

éperon, *m.*, spur.

épervier, *m.*, hawk.

épicier, *m.*, grocer.

épigramme, *f.*, epigram.

épingle, *f.*, pin.

époque, *f.*, epoch, time, period.

épouser, to marry, embrace.

épouvantable, dreadful, appalling.

épouvanter, to frighten, terrify.

éprouver, to feel, test, experience.

épuiser, to exhaust.

équilibre, *m.*, balance.

équipement, *m.*, outfit.

érection, *f.*, erection, raising.

errant, –e, errant, wandering.

erreur, *f.*, mistake, fiction.

escabeau, *m.*, stool.

escadron, *m.*, squadron.

escalier, *m.*, staircase, flight of steps.

escarpé, –e, steep.

escorte, *f.*, escort.

escorter, to escort.

escouade, *f.*, squad.

escrimer, to fence; s' —, to endeavour, try one's skill.

espace, *m.*, space, room.

Espagne, *f.*, Spain.

espalier, *m.*, espalier, fruit-wall.

espèce, *f.*, species, kind, sort.

espérance, *f.*, hope, expectation.

espérer, to hope.

espion, *m.; *–ne, *f.*, spy.

espoir, *m.*, hope.

esprit, *m.*, spirit, mind, wit.

esquisser, to sketch, outline.

essayer, to try, try on, attempt.

essouffler, to put out of breath.

essuyer, to wipe, wipe off.

estafier, *m.*, footman, servant.

estimable, estimable, valuable.

estime, *m.*, esteem, consideration.

estimer, to esteem, value.

établir, to establish; s'—, to settle down, arise.

étage, *m.*, story.

état, *m.*, state, condition.

été, *m.*, summer.

éteint, –e, extinguished, faint.

étendre, to spread, stretch out, hold out.

éternel, –le, eternal, endless.

étincelant, –e, sparkling.

étiquette, *f.*, etiquette, label; en —, formally.

étoile, *f.*, star.
étonnement, *m.*, astonishment.
étonner, to astonish, surprise.
étouffer, to stifle, suffocate, suppress.
étourderie, *f.*, thoughtlessness, blunder.
étourneau, *m.*, starling.
étrange, strange, odd.
étranger, *m.*, –ère, *f.*, stranger, foreigner.
étrang-er, –ère, foreign.
étrangler, to strangle, choke.
être, *m.*, being, existence.
être, to be, become.
étreindre, to clasp, press.
étroit, –e, narrow, tight.
étude, *f.*, study.
étudiant, *m.*, student.
étudier, to study.
européen, –ne, European.
évader (s'), to escape.
évanouir (s'), to vanish, faint.
éveiller, to awaken, rouse, wake up; **s'—**, to wake up.
événement, *m.*, event.
éventail, *m.*, fan.
évidemment, evidently.
évident, –e, evident, obvious.
éviter, to avoid.
evviva ! (*Italian*) long live !
exact, –e, exact, prompt.
exagération, *f.*, exaggeration.
exaltation, *f.*, excitement.
examen, *m.*, examination.
excéder, to exceed, tire out, weary out.
excepté, except, save.
exciter, to excite, rouse.   [cry.
exclamation, *f.*, exclamation.
excommunier, to excommunicate.
excuse, *f.*, excuse, apology.
excuser, to excuse, pardon ; **s'—**, to be excusable.
exécration, *f.*, abhorrence.
exécuter, to execute, accomplish.

exécution, *f.*, execution, carrying out.
exemplairement, exemplarily.
exemple, *m.*, example, instance, precedent.
exercer, to exercise, drill.
exhaler, to exhale, give vent to.
exhorter, to exhort, cheer on.
exhumer, to rake up, dig out.
exiger, to exact.
exister, to exist, arise.
expatrier, to expatriate, exile.
expédient, *m.*, expedient, shift.
expédition, *f.*, expedition, raid.
expier, to expiate, wipe out.
expirer, to expire, run out, die away.
explication, *f.*, explanation.
expliquer, to explain, account for ; **s'—**, to come to an explanation.
exposer, to expose, endanger.
exprès, *m.*, express.
exprès, expressly, purposely.
expression, *f.*, expression, feature, phrase.
exprimer, to express, convey.
extérieur, *m.*, outside, exterior.
extérieur, –e, exterior, outward.
extraordinaire, extraordinary.
extrêmement, extremely.
extrémité, *f.*, extremity, extreme, end.

F

fabrique, *f.*, factory, building.
face, *f.*, face, front.
fâcher, to vex, displease ; **se —**, to be angry, get angry.
fâcheu-x, –se, unpleasant, sad, unfavorable.
facile, easy.
facilement, easily.
faciliter, to facilitate.
façon, *f.*, fashion, way, looks, ceremony.

faible, feeble, weak.

faiblesse, *f.*, weakness.

faim, *f.*, hunger.

fainéant, -e, idle, lazy; *m.*, *f.*, sluggard, drone, loafer.

faire, to do, make, let, have, get, cause.

faisan, *m.*, pheasant.

fait, *m.*, fact, deed; **tout à —,** quite, altogether; **de —,** in fact.

falloir, to be necessary, must, ought.

famé, -e, famed.

fameu-x, -se, famous, choice.

famili-er, -ère, familiar.

familièrement, familiarly.

famille, *f.*, family.

fanatique, fanatic.

fanfare, *f.*, flourish.

fantôme, *m.*, phantom, ghost.

farceur, *m.*, joker, wag.

fardeau, *m.*, burden, bundle.

farouche, fierce, angry.

fascination, *f.*, spell.

fasciner, to fascinate.

fat, foppish, vain.

fatalité, *f.*, fatality, destiny.

fatiguer, to fatigue, tire.

faucon, *m.*, falcon, hawk.

faussaire, *m.*, forger.

fausser, to falsify, violate.

faute, *f.*, fault, mistake.

fauteuil, *m.*, arm-chair.

faux, *m.*, falsehood, forgery.

fau-x, -sse, false, forged.

faveur, *f.*, favor.

favorablement, favorably.

favori, -te, favorite; *n.*, whiskers.

fébrile, feverish.

fée, *f.*, fairy.

feindre, to feign, pretend.

femme, *f.*, woman, wife, maid.

fendre, to cleave, split, squeeze through, rip up, slit.

fenêtre, *f.*, window.

fente, *f.*, crack, rent, split.

féodal, -e, feudal.

fer, *m.*, steel, sword.

fer-blanc, *m.*, tin, tin-plate.

ferme, firm, steady.

ferme, *f.*, farm, farmhouse.

fermement, firmly.

fermer, to shut, close, fasten, lock.

fermeté, *f.*, firmness, vigor.

fermier, *m.*, farmer, tenant.

fermière, *f.*, farmer's wife.

féroce, ferocious.

fête, *f.*, feast, holiday, treat.

feu, *m.*, fire, passion, flame, luster; **faire —,** to fire.

feu, -e, late, deceased.

feuillage, *m.*, foliage.

feuille, *f.*, leaf, sheet of paper.

feuillet, *m.*, leaf of a book.

feuilleter, to look over, turn over the leaves of a book.

fichu, *m.*, neckerchief.

fi-er, -ère, proud.

fièvre, *f.*, fever.

figue, *f.*, fig.

figuier, *m.*, fig-tree.

figure, *f.*, figure, form, face.

file, *f.*, file; **feu de —,** file firing.

filer, to spin, file off, skip.

filet, *m.*, net, snare, thread.

Filippini, a Corsican historian, born 1529.

fille, *f.*, girl, maid, daughter.

filleul, *m.*, godson.

fils, *m.*, son.

fin, *f.*, end, close.

fin, -e, fine, subtle, shrewd.

finir, to finish, end, settle; **en —,** get through.

firmament, *m.*, firmament, welkin.

fixe, fix, steady.

fixement, fixedly, steadily.

fixer, to fix, fasten, appoint.

flairer, to scent, smell, sniff.

flamber, to flame, blaze.

flamme, *f.*, flame, fire, blaze.

flèche, *f.*, arrow.

fléchir, to bend, yield, give way.

fleur, *f.,* flower.
florentin, –e, Florentine.
flot, *m.,* wave.
foi, *f.,* faith, confidence.
fois, *f.,* time; **à la —,** at once, at the same time.
folie, *f.,* mania, madness, foolish things.
fonction, *f.,* function, duty, office.
fond, *m.,* bottom, background.
fondement, *m.,* foundation.
fondre, to melt, cast; **— en larmes,** to burst into tears.
fondrière, *f.,* bog.
fontaine, *f.,* fountain, spring.
force, *f.,* force, power, strength; **à — de,** by dint of.
forcer, to force, compel.
forêt, *f.,* forest.
forfait, *m.,* crime.
format, *m.,* size.
forme, *f.,* form, shape, kind.
formellement, formally, expressly.
former, to form, range, train, produce; **se —,** to improve, get into shape.
fort, –e, strong, loud, sturdy.
fort, very, much.
fortement, strongly.
fortune, *f.,* fortune, chance.
fosse, *f.,* grave, pit.
fou, *m.,* **folle,** *f.,* madman, madwoman.
fou, fol, –le, mad, foolish, insane, madcap, wild about.
fouetter, to whip, lash, switch.
fougère, *f.,* fern.
fouiller, to fumble, search.
foule, *f.,* crowd, host.
fouler, to press, trample, sprain.
fourbe, *m., f.,* cheat, knave; deceitful.
fourmiller, to swarm, abound.
fournir, to furnish, supply.
fourré, *m.,* thicket.
fourreau, *m.,* case, sheath.

fraîcheur, *f.,* freshness, coolness.
frais, *m. pl.,* expenses, cost.
frais, *m.,* freshness, coolness.
frais, fraîche, fresh, cool.
fraise, *f.,* strawberry.
franc, *m.,* franc (*about 20 cts*).
franc, –he, frank, open.
Français, *m. ;* **–e,** *f.,* Frenchman, Frenchwoman.
français, *m.,* French (language)
français,–e, French.
franchement, frankly.
franchir, to pass over, leap across.
franchise, *f.,* frankness.
frapper, to strike, knock, hit.
frayeur, *f.,* fright.
fréquemment, frequently.
fréquenter, to frequent, haunt.
frère, *m.,* brother.
friponne, *f.,* rogue, rascal, jade.
frisé, –e, curly, curled.
froid, *m.,* cold, coldness.
froid, –e, cold, calm.
froidement, coldly, calmly, coolly.
froidure, *f.,* cold, coldness.
fromage, *m.,* cheese.
froncer, to knit, wrinkle.
front, *m.,* front, forehead, face.
frotter, to rub.
fugiti–f, –ve, fugitive.
fuir, to flee, shun, fly.
fuite, *f.,* flight, escape.
fumée, *f.,* smoke, fume.
fumer, to smoke.
funèbre, funeral, melancholy.
funéraire, funeral, mortuary.
fureur, *f.,* fury, rage, frenzy.
furieux, *m.,* madman.
furieu–x, –se, furious, mad, fierce, enraged.
furtivement, furtively, stealthily.
fusil, *m.,* gun.
fusillade, *f.,* firing, discharge of musketry.

futur, *m.*; **-e**, *f.*, intended (husband, wife).

G

gager, to wager, bet.
gagner, to gain, earn, catch, win, reach.
gai, **-e**, gay, lively, cheerful.
gaiement, gayly.
gaieté, *f.*, gayety ; **de — de cœur**, freely, wantonly.
gaillard, *m.*, lively fellow, chap; lively.
galant, **-e**, gallant.
galanterie, *f.*, gallantry, fashion.
galère, *f.*, galley.
galérien, *m.*, galley-slave.
galon, *m.*, lace, chevron, stripe.
galop, *m.*, gallop.
galoper, to gallop.
ganté, **-e**, gloved.
garçon, *m.*, boy, lad, fellow, bachelor, chap.
garde, *m.*, guard, keeper, warden.
garde, *f.*, guard, care, watch.
garder, to guard, keep, take care of, protect ; **se — de**, to take care not to, dare not, be on one's guard.
gardien, *m.*; **-ne**, *f.*, guardian, keeper.
gardien, **-ne**, guardian.
garnement, *m.*, scamp; **mauvais —**, good-for-nothing fellow.
garnir, to furnish, trim, set, supply, line.
garnison, *f.*, garrison.
gâter, to spoil.
gauche, left, awkward.
gazon, *m.*, turf, sod, sward.
gémissement, *m.*, groan, moan.
gênant, **-e**, troublesome.
gendarme, *m.*, gendarme, policeman.

gendarmerie, *f.*, gendarmery.
gêne, *f.*, constraint.
gêner, to annoy, embarrass, be in the way.
général, *m.*, general.
général, **-e**, general, common.
généralement, generally.
génération, *f.*, generation.
généreu-x, **-se**, generous.
générosité, *f.*, generosity.
Gênes, *f.*, Genoa.
génie, *m.*, genius, spirit.
génois, **-e**, Genoese.
genou, *m.*, knee.
gens, *m. pl.*, people, **persons**, servants, men, fellows.
geôlier, *m.*, jailer.
geste, *m.*, gesture, sign.
gibier, *m.*, game.
gîte, *m.*, lodging, quarters.
glace, *f.*, mirror.
glisser, to glide, slip ; **se —**, to steal in, creep.
glorieu-x, **-se**, glorious, grand.
glorifier, to glorify ; **se —**, to boast of, be proud of.
goéland, *m.*, gull.
goélette, *f.*, schooner.
golfe, *m.*, gulf, bay.
gorge, *f.*, gorge, throat, ravine.
gourde, *f.*, gourd.
goût, *m.*, taste, style.
goûter, to taste, enjoy, try.
goutte, *f.*, drop.
goutte (**ne . . . —**), not in the least, not at all.
gouvernail, *m.*, rudder, helm.
gouvernement, *m.*, government.
gouverner, to govern, rule.
gouverneur, *m.*, governor, director.
grâce, *f.*, grace, pardon, thanks, mercy.
gracieu-x, **-se**, gracious, graceful, kind.
gradin, *m.*, step, tier, ridge.
grand, **-e**, great, large, tall, wide, full.

grandeur, *f.*, grandeur, greatness, magnitude.
grange, *f.*, barn.
granit, *m.*, granite.
gratter, to scratch.
grave, grave, solemn, serious.
gravement, gravely, seriously.
gravir, to climb.
gré, *m.*, gratitude, will, wish, mercy; **savoir —,** to be pleased with, be thankful to.
grec, -que, Greek.
greffier, *m.*, clerk, registrar.
grief, *m.*, grievance, wrong, injury.
grillade, *f.*, broiling, rasher.
grimper, to climb.
gris, -e, gray.
grive, *f.*, thrush.
grognement, *m.*, growling.
gros, -se, big, large, stout, thick.
grossi-er, -ère, rude, coarse.
grossièrement, grossly, rudely, roughly.
grotte, *f.*, grotto.
groupe, *m.*, group.
guère (ne... —), little, scarcely.
guerre, *f.*, war, warfare.
guet, *m.*, watch; **faire le —,** to watch, be on the look-out.
guet-apens, *m.*, ambush, trap.
guise, *f.*, guise, manner, way, fancy.

H

ha, ah!
habile, able, clever, skillful.
habit, *m.*, clothes, dress, coat.
habitant, *m.*, inhabitant, native.
habitation, *f.*, dwelling, abode.
habiter, to inhabit, live in.
habitude, *f.*, habit, custom.
habituel, -le, habitual, usual.
habituer, to accustom.
hacher, to chop, cut to pieces.
haie, *f.*, hedge, row.
haillon, *m.*, rag.
haine, *f.*, hatred, feud.

haïr, to hate.
haleine, *f.*, breath, wind.
haletant, panting.
harangue, *f.*, harangue, speech, address.
hardi, -e, bold, hardy.
hasard, *m.*, random, chance.
hasarder, to risk, venture.
hâte, *f.*, haste, hurry.
hâter, to hasten, hurry.
hausser, to shrug, raise, lift.
haut, *m.*, height, top, upper part.
haut, -e, high, tall.
haut, high, aloud, above.
hauteur, *f.*, height.
hein, hey! eh?
hélas, alas!
hennir, to neigh.
herbe, *f.*, herb, grass.
hériter, to inherit.
hériti-er, *m.*; **-ère,** *f.*, heir, heiress.
héroïque, heroic.
héros, *m.*, hero.
hésiter, to hesitate.
heure, *f.*, hour, time, o'clock; **de bonne —,** early; **à la bonne —,** so be it, well and good; **tout à l' —,** presently.
heureusement, happily, fortunately.
heureu-x, -se, happy, fortunate.
heurter, to strike against, run against.
hier, yesterday; **avant —,** day before yesterday.
hiéroglyphe, *m.*, hieroglyphic.
histoire, *f.*, history, story, tale.
hiver, *m.*, winter.
ho, ho! hallo!
homme, *m.*, man.
honnête, honest, upright.
honneur, *m.*, honor.
honorable, honorable, respectable.
honorer, to honor.
honte, *f.*, shame.

honteu-x, -se, ashamed, shameful, disgraceful.
horizontalement, horizontally.
horreur, f., horror.
horriblement, horribly.
hors, out of, beside, beyond.
hôte, m., host, guest, landlord.
hôtel, m., hotel, mansion.
houppe, f., tuft.
huée, f., hooting.
huit, eight.
humain, -e, human.
humeur, f., humor, temper, disposition.
hurlement, m., howling.

I

ici, here, hither.
idée, f., idea, notion, fancy.
ignoble, ignoble, base, sordid.
ignorer, to be ignorant of.
île, f., isle, island.
imaginer, to imagine, conceive, fancy.
imbécile, m., idiot, fool; imbecile, foolish.
imiter, to imitate, do the same.
immédiatement, immediately, instantly.
immobile, motionless.
immobilité, f., immobility.
impatiemment, impatiently.
impétueusement, impetuously.
impétuosité, f., impetuosity.
impoli, -e, impolite.
importer, to import, matter.
importuner, to annoy.
imposant, -e, stately, imposing.
imprécation, f., curse.
improviser, to improvise.
imprudent, -e, imprudent, indiscreet.
imputer, to impute, ascribe.
inattendu, -e, unexpected.
incendie, m., fire.
incertitude, f., uncertainty.

incliner, to incline; s' —, to bow.
inconnu, -e, unknown.
inconvenant, -e, improper, unbecoming.
incrédule, incredulous.
incroyable, incredible.
index, m., index, forefinger.
indice, m., indication, sign.
indien, -ne, Indian, Hindoo.
indifférent, -e, indifferent, unconcerned.
indigne, unworthy.
indigner, to make indignant; s' —, to be indignant.
indiquer, to indicate, point out.
indiscipliné, -e, undisciplined.
indiscr-et, -ète, indiscreet.
indu, -e, undue, unseasonable.
indulgent, -e, indulgent, considerate.
inégal, -e, unequal, uneven.
inégalité, f., inequality.
inévitable, inevitable, unavoidable.
infâme, m., f., infamous person.
infâme, infamous, base.
infamie, f., infamy, rascality.
infanterie, f., infantry.
inférieur, -e, inferior, lower.
infernal, -e, infernal, cursed.
infiniment, infinitely.
inhumer, to inter, bury.
inimitié, f., enmity, hatred, feud.
injonction, f., injunction, order.
injure, f., insult, affront.
inqui-et, -ète, unquiet, uneasy, restless.
inquiéter, to disturb, trouble, s' —, to be anxious.
inquiétude, f., anxiety, alarm.
inscrire, to inscribe, record.
insensé, -e, insane, foolish.
insensible, insensible, heartless.
insignifiant, -e, insignificant.
insinuer, to insinuate.
insociable, unsociable, unsocial.

insouciance, *f.,* carelessness.
inspirer, to inspire.
instance, *f.,* entreaty, urgency.
instant, *m.,* instant, moment.
instruction, *f.,* instruction, examination, information.
instruire, to instruct, teach, inform, make inquiries; s' —, to get information, find out.
insulaire, *m.,* insular, islander.
insulte, *f.,* insult, affront.
insulter, to insult.
intelligence, *f.,* understanding.
intention, *f.,* intention, intent, design.
interdit, –e, confused, speechless.
intéressant, –e, interesting.
intérêt, *m.,* interest, concern.
intérieur, –e, interior, inside.
intérieurement, internally, in one's heart.
interminable, endless.
interposer (s'), to interpose, interfere.
interrogatoire, *m.,* examination.
interroger, to question, examine.
interrompre, to interrupt.
intervalle, *m.,* interval.
intervenir, to intervene, interfere.
intestin, –e, intestine.
intime, intimate.
intrépide, intrepid, fearless.
intrépidité, *f.,* intrepidity, fearlessness.
intrigue, *f.,* intrigue, plot.
introduire, to introduce, let into.
inusité, –e, unusual, unused.
inutile, useless.
invétéré, –e, inveterate.
involontaire, involuntary.
Irlande, *f.,* Ireland.
irlandais, *m.,* Irishman.
irlandais, –e, Irish.
ironique, ironical.
irrégulièrement, irregularly.

irrésolution, *f.,* irresolution, indecision.
irriter, to irritate, anger, excite, stir up.
isolé, –e, isolate, lonely.
isolement, *m.,* isolation, loneliness.
issue, *f.,* issue, end, outcome.
Italie, *f.,* Italy.
italien, –ne, Italian.
ivrogne, *m.,* drunkard.

J

jais, *m.,* jet.
jalousie, *f.,* jealousy.
jalou–x, –se, jealous.
jamais, ever, never.
jambe, *f.,* leg.
jambon, *m.,* ham.
jardin, *m.,* garden.
jardini–er, *m.; –ère, f.,* gardener.
jet, *m.,* casting, throw, edge.
jeter, to throw.
jeu, *m.,* play, game.
jeune, young.
joie, *f.,* joy.
joindre, to join, unite; se —, to join.
joint, –e, joined, folded, clasped.
joli, –e, pretty, nice.
joue, *f.,* cheek.   [ble.
jouer, to play; se —, sport, gamble.
jouir, to enjoy.
jour, *m.,* day, daybreak.
journal, *m.,* journal, diary, newspaper.
journée, *f.,* day.
joyeu–x, –se, joyful, joyous, happy.
juge, *m.,* judge, magistrate.
juger, to judge, suppose, think.
juillet, *m.,* July.
jurer, to swear, declare.
jusque, until, to, up to, as far as; — -là, up to that time; jusqu'à ce que, until.

juste, just, accurate, proper.
justement, justly, precisely.
justesse, *f.*, propriety, exactness.
justice, *f.*, justice, law, court.
justifier, to justify, vindicate.

L

là, there; — -bas, yonder.
lâche, *m.*, coward; *adv.*, cowardly.
lâcher, to loosen, let go, release, turn loose.
ladre, *m.*, miser, mean fellow.
laisser, to leave, let, allow.
lame, *f.*, blade.
lamenter, to lament, mourn.
lampe, *f.*, lamp.
lance, *f.*, lance, spear.
lancer, to rush, throw, set at, fling.
langage, *m.*, language.
langue, *f.*, tongue; — bien pendue, a well-oiled tongue.
languir, to languish, pine away.
lanterne, *f.*, lantern.
laque, *m.*, lacquer.
large, broad, wide.
largeur, *f.*, breadth, width.
larme, *f.*, tear.
larmoiement, *m.*, whimpering.
latin, *m.*, Latin.
laver, to wash.
lécher, to lick.
leçon, *f.*, lesson.
lecteur, *m.*, reader.
lecture, *f.*, reading.
lég-er, -ère, light, frivolous.
légèrement, lightly, slightly, gently.
légèreté, *f.*, lightness, swiftness, frivolity, speed.
lendemain, *m.*, morrow, next day.
lent, -e, slow.
lentement, slowly.

lequel, laquelle, lesquels, lesquelles, who, which, that.
lestement, nimbly, quickly, lightly.
lettre, *f.*, letter.
lever, *m.*, rise, rising.
lever, to raise up, lift up; se —, to get up, rise.
lèvre, *f.*, lip.
liberté, *f.*, liberty, freedom.
libre, free, at liberty.
lien, *m.*, bond, tie.
lier, to bind, tie; se —, to become friends.
lieu, *m.*, place, stead, topics.
lieue, *f.*, league.
ligne, *f.*, line.
linge, *m.*, linen.
lire, to read.
lisible, legible.
lit, *m.*, bed.
livre, *m.*, book.
livrer, to deliver, surrender, engage, give up.
locution, *f.*, expression.
loger, to lodge, stay, stow away.
loi, *f.*, law.
loin, far, far off, distant.
lointain, -e, far, remote, distant.
Londres, *f.*, London.
long, *m.*, length.
long, -ue, long; le plus —, the longest way; le — de, along.
longer, to go along, run along.
longtemps, long, a long time.
longuement, at length, long.
longueur, *f.*, length.
longue-vue, *f.*, telescope, spyglass.
lors, then; dès —, from that time.
lorsque, when.
louer, to let, rent, praise.
lourd, -e, heavy.
loyauté, *f.*, loyalty, honesty.
loyer, *m.*, hire, rent, location.
Lucquois, *m.*, Lucchese, from Lucca.

H

lueur, *f.*, light, glimmer.

lugubre, dismal, mournful, melancholy.

lumière, *f.*, light, knowledge.

lune, *f.*, moon.

lunette, *f.*, telescope; — d'approche, spy-glass.

lustré, -e, lustrous, glossy.

lutte, *f.*, struggle.

luxe, *m.*, luxury.

M

mâchecoulis, *m.*, machicolation, projecting gallery.

madame, *f.*, Mrs., Madam.

mademoiselle, *f.*, Miss.

Madère, *m.*, Madeira wine.

Madone, *f.*, Madonna.

magistrat, *m.*, magistrate.

magnifique, magnificent, grand.

maigre, lean, thin, slender.

maigreur, *f.*, thinness, leanness.

main, *f.*, hand.

maint, -e, many.

maintenant, now.

maintenir, to maintain.

maire, *m.*, mayor.

mairie, *f.*, mayor's office, mayoralty, city hall.

mais, but, however, why!

maison, *f.*, house.

maître, *m.*, master, owner, rider.

maîtresse, *f.*, mistress.

majesté, *f.*, majesty.

majestueu-x, -se, majestic, stately.

mal, *m.*, ill, wrong, evil, sickness, harm, ache.

mal, badly, wrongly, ill, poorly.

malade, *m.*, *f.*, invalid, patient.

malade, ill, sick.

malemort, *f.*, tragic death.

malentendu, *m.*, misunderstanding.

malfaisant, -e, malevolent, mischievous.

malgré, in spite of, notwithstanding.

malheur, *m.*, misfortune, bad luck, disaster, crime.

malheureusement, unfortunately.

malheureu-x, -se, unhappy, unfortunate.

malice, *f.*, malice, mischief.

mali-n, -gne, malign, malignant, malicious, sly.

malle, *f.*, trunk.

maman, *f.*, mamma, mother.

manant, *m.*, peasant.

manche, *f.*, sleeve.

mander, to summon, call upon, inform.

mânes, *m. pl.*, shades.

manger, to eat.

manière, *f.*, manner, way.

manifester, to manifest, express.

manoir, *m.*, manor, mansion.

manquer, to miss, be wanting, fail, lack.

manteau, *m.*, cloak.

Manton, (Joseph), celebrated London gunsmith.

maraîcher, *m.*, market-gardener.

marais, *m.*, marsh, swamp.

marche, *f.*, march, walk, step; se mettre en —, to set forward.

marché, *m.*, market, bargain; à bon —, cheap.

marcher, to walk, march, ride.

marécage, *m.*, marsh, swamp.

marge, *f.*, margin.

mari, *m.*, husband.

mariage, *m.*, marriage, wedding.

marier, to marry; se —, to get married, wed.

marmite, *f.*, saucepan.

maroufle, *m.*, scoundrel.

marquer, to mark, brand.

marraine, *f.*, godmother.

marteler, to hammer, batter.

martyr, *m.*, -e, *f.*, martyr.

masquer, to mask, hide, conceal

masse, *f.*, mass, heap.
matelot, *m.*, sailor.
matériel, –le, material.
matière, *f.*, matter, subject.
matin, *m.*, morning.
matin, early.
matinée, *f.*, morning.
matou, *m.*, tomcat.
maudire, to detest, curse.
maudit, –e, confounded, cursed.
Maure, *m.*, Moor.
maure, Moorish.
mauvais, –e, bad, evil, wicked, ugly, shabby.
méchant, *m.*, –e, *f.*, wicked person, rascal.
méchant, –e, bad, wicked.
mèche, *f.*, wick, lock.
méconnaître, not to recognise, disregard, deny.
méconnu, –e, ignored.
mécontent, –e, dissatisfied.
médecin, *m.*, doctor, physician.
médiocre, insignificant, ordinary, slight, second-rate.
médiocrement, passably, slightly.
méditer, to meditate, ponder.
Méditerranée, *f.*, Mediterranean.
méfier (se), to mistrust.
mégarde, *f.*, mistake, oversight.
meilleur, –e, better.
mêler, to mix, mingle; se —, to meddle with, mind.
mélodrame, *m.*, melodrama.
membre, *m.*, member, limb.
même, same, self; even, also, very; de — que, just as.
mémoire, *f.*, memory.
menaçant, –e, threatening.
menace, *f.*, threat.
menacer, to threaten.
ménager, to manage, arrange, contrive, spare, use gently.
mendiant, *m.*, beggar.
mener, to lead, drive, take.
mensonge, *m.*, lie, falsehood.

mentalement, mentally, inwardly.
menteur, *m.*, liar.
menton, *m.*, chin.
mépris, *m.*, contempt, scorn.
méprise, *f.*, mistake, oversight
mépriser, to despise, scorn.
mer, *f.*, sea.
merci, *f.*, mercy, pity; *m.*, thanks.
mère, *f.*, mother.
mérite, *m.*, value, advantage.
mériter, to merit, deserve.
merveille, *f.*, wonder, marvel.
merveilleu–x, –se, marvellous.
message, *m.*, message, errand.
messager, *m.*, messenger.
mesure, *f.*, measure, proportion; à — que, in proportion as; être en — de, to be in a position to.
métaphore, *f.*, metaphor.
métier, *m.*, trade.
mètre, *m.*, meter.
mets, *m.*, dish.
mettre, to put, place, set, wear, put on, keep; se — à, to begin, sit down, place oneself.
meuble, *m.*, furniture.
meunier, *m.*, miller.
meunière, *f.*, miller's wife.
meurtre, *m.*, murder.
meurtrier, *m.*, murderer.
meurtrière, *f.*, loop-hole.
midi, *m.*, noon, mid-day.
miel, *m.*, honey.
mieux, better, best, rather, more.
mignonne, *f.*, darling, dear.
milice, *f.*, militia, police force.
milieu, *m.*, middle, midst.
militaire, *m.*, soldier, military.
mille, *m.*, mile, thousand.
mine, *f.*, face, look.
minute, *f.*, minute, entry, copy.
miroir, *m.*, mirror, glass.
mise en demeure, *f.*, summons.
misérable, *m.*, wretch, villain.

H *

misérable, miserable, wretched, poor.

mobile, movable, variable, expressive.

mode, *f.,* fashion, style.

modèle, *m.,* model, pattern.

mœurs, *f. pl.,* manners, customs.

moindre, less, lesser, least, slightest.

moins, *m.,* the least; **du—, au—,** at least; *adv.,* less, except.

mois, *m.,* month.

moitié, *f.,* half.

moment, *m.,* moment, point.

monarque, *m.,* monarch.

monde, *m.,* world, company, people, society.

monotone, monotonous, tedious.

monsieur, *m.,* sir, gentleman, Mr.

mont, *m.,* mount, mountain.

montagnard, -e, mountain.

montagne, *f.,* mountain.

montée, *f.,* ascent.

monter, to ascend, go up, rise, mount, ride, take up.

montre, *f.,* watch.

montrer, to show, point out, exhibit, indicate.

monture, *f.,* animal for riding, horse, nag.

moquer (se), to laugh at, make fun of.

moral, -e, moral.

morceau, *m.,* morsel, piece, bit.

mordre, to bite.

mort, *f.,* death; *m.,* dead person, dead.

mortel, -le, mortal, deadly.

mortifier, to mortify.

mot, *m.,* word, meaning.

motif, *m.,* motive, cause, reason.

mouchoir, *m.,* handkerchief.

mouiller, to wet, bathe, steep.

moule, *m.,* mould.

moulin, *m.,* mill.

mourant, -e, dying.

mourir, to die.

mousquet, *m.,* musket.

mousse, *f.,* moss, froth.

mousseline, *f.,* muslin.

moustache, *f.,* mustache.

mouvement, *m.,* movement, motion, stir, jerk, impulse.

mouvoir, to move; **se —,** to move, stir.

moyen, *m.,* means, power, way.

moyen, -ne, mean, middle, moderate.

mucchio, *m.,* (*Italian*) heap, mound.

muet, -te, mute, dumb, silent.

mulet, *m.,* mule.

munition, *f.,* ammunition.

mur, *m.,* wall.

muraille, *f.,* wall.

murmure, *m.,* murmur, whisper.

murmurer, to murmur, mutter, protest against.

museau, *m.,* muzzle, nose.

musique, *f.,* music, band.

mutiler, to mutilate, maim.

myrte, *m.,* myrtle.

mystérieu-x, -se, mysterious.

N

naï-f, -ve, naïve, candid, artless.

naissant, -e, nascent, budding.

naître, to be born.

narration, *f.,* narration, narrative.

natal, -le, native.

natte, *f.,* tress, braid.

naturel, *m.,* nature, disposition.

naturel, -e, natural, native.

naturellement, naturally, instinctively.

navigation, *f.,* cruise, navigation.

navire, *m.,* ship, vessel.

ne, not; **— . . . pas,** no, not; **— . . . point,** not at all, no; **— . . . plus,** no longer, no more; **— . . . jamais,** never; **— . . .**

rien, nothing; — ... **personne**, no one, nobody; — ... **que**, only.

néanmoins, nevertheless.

nécessaire, necessary.

nécessité, *f.*, necessity, need.

négation, *f.*, negation, negative.

négliger, to neglect.

neige, *f.*, snow.

nettement, clearly, distinctly.

neuf, nine.

neu–f, **–ve**, new.

neutralité, *f.*, neutrality.

neutre, *m.*, neutral.

neveu, *m.*, nephew.

nez, *m.*, nose, nostril.

ni, neither, nor; — ... —, neither ... nor.

nid, *m.*, nest.

nier, to deny.

Niolo, *m.*, a wild district of Corsica.

noblesse, *f.*, nobility, nobleness.

noce, *f.*, marriage, wedding.

nœud, *m.*, knot, bow.

noir, **–e**, black.

noircir, to blacken.

nom, *m.*, name.

nombre, *m.*, number, count.

nombrer, to number, count.

nombreu–x, **–se**, numerous, many.

nommer, to name, call, appoint; **se —**, to be called, tell one's name.

non, no, not.

non-lieu, *m.*, no ground.

nord, *m.*, north.

notabilité, *f.*, person of note.

notable, notable, remarkable.

noter, to note, mark.

nourrice, *f.*, nurse.

nourrir, to feed, nourish.

nouveau, *m.*, something new.

nouveau, **nouvel**, **–le**, new, fresh; **de —**, again, once more.

nouvelle, *f.*, news.

nouvellement, newly, recently.

nu, **–e**, bare, naked.

nuage, *m.*, cloud.

nuire, to injure, harm, spoil.

nuit, *f.*, night.

nul, **–le**, no one, none, void, null.

nullement, by no means, not in the least.

O

obéir, to obey.

objecter, to object.

objet, *m.*, object.

obligé, **–e**, obliged, necessary.

obliger, to oblige, compel.

oblique, slanting, sidelong.

obscur, **–e**, dark.

obscurité, *f.*, darkness.

obséder, to beset, haunt.

observer, to observe, watch.

obtenir, to obtain, get, win.

occasion, *f.*, opportunity, occasion; **à l'—**, occasionally, on account, at need.

occasionner, to occasion, cause.

occuper, to occupy, fill up, keep busy; **être occupé**, to be busy.

octobre, *m.*, October.

odieu–x, **–se**, odious, hateful.

œil, *m.*, eye; **coup d'—**, glance, look.

œuvre, *f.*, work, act.

offense, *f.*, offence, insult.

offenser, to offend, insult.

officier, *m.*, officer.

offrande, *f.*, offering.

offre, *f.*, offer.

offrir, to offer, hold up, hold out.

oh, O! ho!

oiseau, *m.*, bird.

oisif, *m.*, idler, loafer.

oisi–f, **–ve**, idle, listless.

ombrage, *m.*, shade, umbrage.

ombre, *f.*, shade, shadow.

on, one, people, they, we, you.

oncle, *m.*, uncle.

onze, eleven.
opposé, -e, opposite, opposed.
oppresser, to oppress.
or, m., gold.
or, but, now, and.
orage, m., storm.
oraison, f., oration.
ordinaire, ordinary, usual.
ordonnance, f., order.
ordre, m., order, permission.
oreille, f., ear.
oreiller, m., pillow.
organisation, f., organism.
orge, f., barley.
orgueil, m., pride.
oriental, -e, eastern.
originaire, native.
original, -e, original, odd, queer.
originel, -le, original, primitive.
orner, to adorn, decorate.
orphelin, m.; -e, f., orphan.
orthographe, f., spelling.
oser, to dare, venture.
ôter, to remove, take away, take
    off, raise.
ou, or, either.
où, where, when, whither, in
    which.
oublier, to forget.
oui, yes.
ouïr, to hear.
ours, m., bear.
outrage, m., outrage, insult.
outre, beyond, besides; en —,
    besides, further.
ouvert, -e, open.
ouverture, f., opening.
ouvrage, m., work.
ouvrir, to open; s'—, to be
    opened.
oxydé, -e, oxidized.

P

paille, f., straw.
pain, m., (loaf of) bread.
paisible, peaceful, quiet.

paître, to graze.
paix, f., peace.
palais, m., palace.
pâle, pale.
pâleur, f., paleness.
palier, m., landing-place, ridge.
pâlir, to turn pale.
palombe, f., ring-dove.
pansement, m., dressing (of
    wounds).
pape, m., pope.
paperasse, f., paper, old papers
papier, m., paper.
pâquerette, f., Easter daisy.
paquet, m., package, bundle.
par, by, through, from, for, on,
    in, upon, out of, with.
paradis, m., paradise.
paraître, to appear, seem.
parbleu! zounds! faith! why!
parce que, as, because, why.
parcourir, to go over, look over,
    run over.
pardon, m., pardon, excuse.
pardonner, to pardon, forgive.
pareil, -le, like, equal, such.
parent, m.; -e, f., relative, kins-
    man.
parer, to adorn, deck.
paresse, f., laziness, idleness.
paresseu-x, -se, lazy, idle.
parfait, -e, perfect.
parfaitement, perfectly, quite.
parfois, at times, sometimes.
parier, to bet, wager.
parisien, -ne, Parisian.
parler, m., talk, way of speak
    ing.
parler, to talk, speak.
parmi, among.
parole, f., word; prendre la —,
    to speak first.
parrain, m., godfather.
parsemer, to strew, sprinkle,
    stud.
part, f., share, portion; à —,
    apart, aside; de — et d'autre,
    on both sides; de la — de,

from, of; **faire** —, to communicate.

partager, to divide, share.

partance, *f.*, departure.

parti, *m.*, party, side, match; **prendre un** —, to make up one's mind.

particularité, *f.*, particularity, detail.

particuli–er, **–ère**, particular, private.

particulièrement, particularly.

partie, *f.*, part, party, match; **en** —, partly.

partir, to depart, set out, go off, go away, project from.

partout, everywhere, anywhere.

parvenir, to reach, succeed.

pas, *m.*, step, threshold, stride; **aller au** —, to proceed at a walk.

passage, *m.*, crossing.

passager, *m.*, passenger.

passant, *m.*, passer-by.

passé, **–e**, past, over, gone, last.

passe-port, *m.*, passport.

passer, to pass, spend, slip, pass over, by, along, take over, get through; **se** —, to go by, be spent, happen.

paternel, **–le**, paternal.

patiemment, patiently.

patois, *m.*, patois, dialect.

patrie, *f.*, country.

patron, *m.*, master, captain.

pauvre, *m.*, beggar.

pauvre, poor.

pavé, *m.*, pavement, paving.

payement, *m.*, payment.

payer, to pay, pay for.

pays, *m.*, country, home.

paysage, *m.*, landscape.

paysan, **–ne**, peasant, peasant woman.

peau, *f.*, skin.

pédant, *m.;* **–e**, *f.*, pedant.

peindre, to paint, depict.

peine, *f.*, pain, trouble, difficulty; **à** —, hardly.

peint, **–e**, painted.

peinture, *f.*, painting.

pélasgique, Pelasgic.

pêle-mêle, pell-mell, recklessly.

pelé, **–e**, bare, bald.

peler, to peel.

pelisse, *f.*, pelisse, cloak.

peloton, *m.*, platoon.

pelouse, *f.*, lawn, sward.

pénal, **–e**, penal.

penaud, **–e**, abashed, chapfallen.

pencher, to bend, lean; **se** —, to stoop, lean.

pendant, during, for.

pendant que, while, whilst.

pendre, to hang, stick in.

pénétrant, **–e**, penetrating.

pénétration, *f.*, penetration, keenness, insight.

pénétré, **–e**, moved, impressed.

pénétrer, to penetrate, glance.

pénible, painful, difficult.

pensée, *f.*, thought, idea.

penser, to think, premeditate.

pensi–f, **–ve**, pensive, thoughtful.

pension, *f.*, pension, boardinghouse, boarding.

pente, *f.*, slope.

pépinière, *f.*, nursery.

perçant, **–e**, piercing.

percer, to pierce, come out, project.

perdre, to lose, waste, spoil.

perdreau, *m.*, young partridge.

perdrix, *f.*, partridge.

père, *m.*, father.

péril, *m.*, peril, danger.

périr, to perish, die.

permettre, to permit, allow.

péroraison, *f.*, peroration.

persécuter, to persecute.

personnage, *m.*, personage, character.

personne, *f.*, person; nobody.

personnel, **–le**, personal.

perspicace, perspicacious, keen.
persuader, to persuade.
perte, *f.*, loss, ruin.
peser, to weigh, consider.
peste, pest! plague take it!
pester, to rage, inveigh against, curse.
petit, *m.*, young one; *pl.*, young.
petit, **-e**, little, small, mean.
petit-cousin, *m.*, second cousin.
petite, *f.*, child, little girl, little woman.
pétrifier, to petrify, turn to stone.
peu, *m.*, little, fewness; *adj.*, little, few; *adv.*, little, slightly.
peuple, *m.*, people.
peur, *f.*, fear, dread, fright.
peut-être, perhaps.
phrase, *f.*, phrase, sentence, expression.
physionomie, *f.*, look, figure, feature.
physique, *f.*, physics.
pièce, *f.*, room, piece, document.
pied, *m.*, foot; **coup de —**, kick.
pierre, *f.*, stone; **première —**, foundation stone.
Pietranera, *f.*, fictitious name (not the hamlet by that name).
pieusement, piously, candidly.
pilone, *m.; pl.*, **piloni**, thick and coarse cloak, usually made of goats' hair.
pin, *m.*, pine-tree.
pioche, *f.*, pickaxe, mattock.
piquant, **-e**, piquant, sharp, keen.
piquer, to prick, pique, sting, vex.
pis, worse; **tant —**, so much the worse.
Pise, *f.*, Pisa.
pistolet, *m.*, pistol.
pitié, *f.*, pity.
pitoyable, pitiful, pitiable.
pittoresque, picturesque.

place, *f.*, place, square, spot.
placer, to place, put, lay.
plafond, *m.*, ceiling.
plaider, to litigate, be at law.
plaindre, to pity; **se —**, to complain.
plaine, *f.*, plain.
plainte, *f.*, complaint, charge.
plaire, to please; **se —**, to be pleased.
plaisanter, to jest, joke.
plaisanterie, *f.*, jest, joke.
plaisir, *m.*, pleasure.
plant, *m.*, plant, sapling.
planter, to plant.
plateau, *m.*, table-land.
plein, **-e**, full; open (*air*).
pleurer, to weep, cry, lament.
pleurs, *m. pl.*, tears, weeping.
pleuvoir, to rain.
pli, *m.*, fold, bent.
plomb, *m.*, lead.
plonger, to plunge.
pluie, *f.*, rain.
plume, *f.*, feather, pen.
plumet, *m.*, plume.
plupart, *f.*, majority, greater part.
plus, more, besides, further.
plusieurs, many, several.
plutôt, rather, sooner.
poche, *f.*, pocket, bag.
poésie, *f.*, poetry.
poète, *m.*, poet.
poétique, poetic.
poids, *m.*, weight.
poignant, **-e**, poignant, keen, painful.
poignard, *m.*, dagger.
poignarder, to stab.
poignée, *f.*, handful, handle, hilt; **— de main**, handshaking.
poignet, *m.*, wrist.
poing, *m.*, fist.
point, *m.*, point, period.
point (ne . . . —), not, no, not at all.

pointe, *f.*, point; — du jour, day break.
pointu, -e, pointed, sharp.
poitrine, *f.*, breast, chest, bosom.
poli, -e, polite, polished.
police, *f.*, police; **salle de —,** guard-room, arrest.
poliment, politely.
politesse, *f.*, politeness, civility.
politique, *m.*, politician.
politique, political.
pompe, *f.*, pomp, ceremony.
poney, *m.*, pony.
pont, *m.*, bridge, deck.
populaire, popular.
porc, *m.*, pig, hog.
port, *m.*, harbour, quay, jetty.
porte, *f.*, door, gate.
portée, *f.*, extent, range, reach.
portefeuille, *m.*, portfolio, note-book.
porter, to bear, wear, carry, put, knock against; **se —,** to be, go in crowds.
porteur, -se, bearer.
portrait, *m.*, portrait, picture.
poser, to place, put down; **se —,** to perch, alight.
position, *f.*, position, situation.
posséder, to possess, own.
poste, *f.*, post, stage, post-office.
poster, to post, station.
post-scriptum, *m.*, postscript.
pouce, *m.*, thumb, inch.
poudre, *f.*, powder.
poumon, *m.*, lung.
pour, in order to, for, for the sake of, to, on, by, as for.
pourquoi, why.
pourrir, to rot, decay.
poursuite, *f.*, pursuit.
poursuivre, to pursue, prosecute, go on, continue.
pourtant, yet, still, however.
pousser, to push, urge, carry, utter, grow, send forth, drive on.
poussière, *f.*, dust.

poutre, *f.*, beam, joist.
pouvoir, *m.*, power, government.
pouvoir, to be able, can, may.
pratiquer, to make, contrive, arrange.
précédent, -e, preceding.
précéder, to precede.
précepte, *m.*, precept, direction.
prêcher, to preach.
précieu-x, -se, precious.
précipitamment, hurriedly.
précipiter (se), to throw oneself, rush.
précisément, precisely, exactly.
précision, *f.*, precision, clearness.
préfecture, *f.*, prefecture.
préfet, *m.*, prefect.
préjugé, *m.*, prejudice.
premi-er, -ère, first, early.
prendre, to take, catch, assume.
préoccuper, to preoccupy, absorb.
préparatif, *m.*, preparation.
préparer, to prepare, get ready.
près, near, close by, almost; **à peu —,** nearly.
présent, *m.*, present; **à —,** now.
présent, -e, present.
présentement, presently, at present, now.
présenter, to present, introduce, hold up, turn towards; **se —,** to come forward, appear, occur.
présider, to preside.
presque, nearly.
pressant, -e, pressing, urgent, important.
presser, to press, urge, hurry, crowd; **se —,** to hasten, hurry.
présumer, to presume, suppose.
prêt, -e, ready.
prétendre, to pretend, claim, maintain.
prétention, *f.*, pretention, claim.
prêter, to lend.
prétexte, *m.*, pretext, pretense.

preuve, *f.,* proof, evidence.
prévenir, to prevent, warn, prejudice, inform, give notice.
prévoir, foresee.
prie-Dieu, *m.,* praying-desk, devotion chair.
prier, to pray, beg, entreat, request.
prière, *f.,* prayer, request.
primiti-f, –ve, primitive.
principal, –e, chief, principal.
principe, *m.,* principle, origin.
printemps, *m.,* spring.
prise, *f.,* capture, hold.
prisonni-er, *m.;* **–ère,** *f.,* prisoner.
priver, to deprive.
prix, *m.,* price, value, prize.
probablement, probably.
procès, *m.,* process, lawsuit.
procès-verbal, *m.,* official report.
proche, near.
procurer, to procure, get, obtain, provide.
procureur, *m.,* attorney, advocate.
prodigieusement, prodigiously.
produire, to produce, bring out, cause.
profane, *m.,* profane, uninitiated or unpoetic person.
proférer, to utter.
professeur, *m.,* professor.
profession, *f.,* profession, vocation.
profit, *m.,* profit, benefit.
profiter, to profit, benefit, take advantage.
profond, –e, deep, profound.
profondément, deeply, profoundly.
proie, *f.,* prey.
projet, *m.,* project, intention.
prolonger, prolong, lengthen.
promenade, *f.,* walk, stroll.
promener, to lead about, take, conduct; **se —,** to take a walk, walk along.

promeneur, *m.,* promenader.
promesse, *f.,* promise.
promettre, to promise; **se —,** to vow, resolve.
prompt, –e, prompt, quick, ready.
prononcé, –e, pronounced, decided.
prononcer, to pronounce, speak, utter.
prophète, *m.,* prophet.
prophétique, prophetic.
propos, *m.,* discourse, talk; **à —,** timely, by the way; **à — de,** in reference to, with regard to, about.
proposer, to propose, offer; **se —,** to propose, intend.
propre, neat, one's own.
proprement, properly, neatly.
propriétaire, *m.,* owner, proprietor.
propriété, *f.,* ownership, property.
prosaïque, prosaic.
proscrit, *m.;* **–e,** *f.,* outlaw.
prosopopée, *f.,* personification.
protéger, to protect, favor.
protestation, *f.,* protest.
protester, to protest, assure.
prouver, to prove.
provenir, to proceed, spring from.
province, *f.,* province, country.
provision, *f.,* provision, supply.
provoquer, to provoke, challenge.
prudemment, prudently.
prudence, *f.,* prudence, caution.
prudent, –e, prudent, cautious.
prunelle, *f.,* pupil, eyeball.
publi–c, –que, public.
puis, then, afterwards.
puisque, since.
puissamment, powerfully.
puissance, *f.,* power, might.
puissant, –e, powerful.
punir, to punish.

punition, *f.*, punishment.
pur, -e, pure.

Q

quand, when, though.
quant (à), as for, concerning.
quarantaine, *f.*, about forty.
quarante, forty.
quart, *m.*, quarter.
quatre, four.
que, whom, which, that; how, what, than, except, but, as.
quel, -le, what, who.
quelconque, whatever, any.
quelque, some, any, a few; whatever, however.
quelquefois, sometimes.
querelle, *f.*, quarrel, feud.
questionner, to question.
queue, *f.*, tail, end.
qui, who, whom, which, that.
Quichotte, *m.*, Quixote.
quinzaine, *f.*, fortnight, about fifteen.
quinze, fifteen.
quiproquo, *m.*, mistake, blunder.
quittance, *f.*, receipt.
quitter, to leave, quit, lay aside.
quoi, which, what, that; how; avoir de —, to have wherewith, have the means.
quoique, although.

R

rabaisser, to lower, pull down again.
rabattre, to draw down.
racine, *f.*, root.
raconter, to relate, tell.
radieu-x, -se, radiant.
rafraîchir, to refresh, cool.
raillerie, *f.*, raillery, joking.
railleu-r, *m.*, **-se,** *f.*, jester, joker.
railleu-r, -se, jesting, joking.

raison, *f.*, reason, judgment, right, justice, cause.
raisonnable, reasonable, sensible.
râler, to have the death-rattle.
rallier (se), to rally, re-form.
rallumer, to rekindle, light again.
ramasser, to gather, pick up.
rameau, *m.*, branch.
ramener, to bring back.
ramper, to creep, crawl.
rang, *m.*, row, rank.
ranger, to range, put back, draw up.
rapide, rapid, swift, steep.
rapidement, rapidly, swiftly.
rapidité, *f.*, rapidity, swiftness.
rappeler, to call back, recall, remind, remember; se —, to recall, remember, recollect.
rapport, *m.*, report, relation.
rapporter, to bring back, yield, relate, enumerate; s'en —, to rely upon, trust.
rapproché, -e, close.
rapprocher, to bring nearer; se —, to come nearer, draw nearer.
rarement, rarely, seldom.
raser, to graze, shave.
rassembler, to assemble, bring together, rally.
rassurer, to reassure, strengthen; se —, to grow confident, take courage.
rattacher, to connect; se —, to be connected with.
rattraper, to catch again.
rauque, hoarse.
ravin, *m.*, ravine.
ravir, to ravish, carry away, delight.
ravisseur, *m.*, ravisher.
réalité, *f.*, reality.
rebbianiste, *m.*, Rebbianist.
récemment, recently.
recevoir, to receive, entertain.

recharger, to load again.
recherche, *f.*, search, inquiry.
rechercher, to seek for, search out.
récit, *m.*, account, story.
réciter, to recite.
réclamer, to demand, claim.
recommandation, *f.*, recommendation, caution.
recommander, to recommend, commend.
recommencer, to begin again.
reconduire, to reconduct, show out, take back.
reconnaissance, *f.*, gratitude, recognition.
reconnaissant, **-e,** grateful, thankful.
reconnaître, to recognize, acknowledge, remember; **se —,** to come to oneself.
recueilli, **-e,** collected, meditative.
recueillir, to gather, pick up; **se —,** to collect one's thoughts.
reculer, to retreat, move back.
reculons (à), backward.
redescendre, to come down again.
redevenir, to become again.
redingote, *f.*, frock-coat.
redoubler, to redouble, increase.
redoutable, dreaded, redoubtable.
redouter, to fear, dread.
redresser, to redress, straighten; **se —,** to draw oneself up.
réellement, really.
refermer, to shut again.
réfléchir, to reflect, think over.
réflexion, *f.*, reflection, thought.
réformer, to reform, place on half pay, discharge.
refroidir, to cool, get cold.
réfugier (se), to take refuge.
refuser, to refuse.
regagner, to regain, return to.

regard, *m.*, look, glance.
regarder, to look, look at, gaze on, consider; **— par,** look through.
registre, *m.*, register, diary, account-book; *pl.*, records.
règle, *f.*, rule.
régler, to rule, regulate, settle.
régner, to reign, exist, prevail.
regretter, to regret.
rejeter, to reject, throw back, cast away, refuse.
rejeton, *m.*, shoot.
relater, to relate, recite.
relation, *f.*, relation, account.
relever, to raise, lift up, push up.
religieu-x, **-se,** religious.
relique, *f.*, relic; *pl.*, relics, remains.
relire, to read over again.
remarquable, remarkable, striking.
remarque, *f.*, remark.
remarquer, to remark, notice.
remerciement, *m.*, thanks.
remercier, to thank.
remettre, to deliver, put back, hand over; **se —,** to recover, go back.
remonter, to remount, go up again.
remords, *m.*, remorse.
remplacer, to replace.
remplir, to fill, fill up.
remuer, to stir, move, wag.
renard, *m.*, fox.
rencontre, *f.*, meeting, encounter, interview.
rencontrer, to meet, find, come upon.
rendez-vous, *m.*, rendezvous, appointment.
rendre, to render, return, pronounce, make, depict; **se —,** to go.
renfermer, to shut up, contain.
renfort, *m.*, reinforcement, supply.

renommé, –e, famous, noted.
renoncer, to renounce, give up.
renouveler, to renew.
renseignement, *m.*, information.
rentrer, to return, reënter.
renvoyer, to return, send back.
répandre, to spread, shed.
reparaître, to reappear.
réparation, *f.*, reparation, payment.
repas, *m.*, meal, repast.
repasser, to go past again, turn over, think over.
repentir (se), to repent.
répéter, to repeat, echo.
répliquer, to reply.
répondre, to reply, answer, warrant.
réponse, *f.*, reply, answer.
reposer, to rest; se —, to rest.
repousser, to push back, reject, repulse.
reprendre, to take back, take up again, reply, recover, resume.
représentant, *m.*, representative.
représentation, *f.*, representation, display.
représenter, to represent, picture.
reprise, *f.*, recovery; à plusieurs —, several times.
reproche, *m.*, reproach.
reprocher, to reproach, taunt.
répugnance, *f.*, repugnancy, dislike.
requête, *f.*, request, petition.
réserve, *f.*, reserve, main body.
résidence, *f.*, residence, home.
résigner, to resign; se —, to submit.
résolu, –e, resolved, resolute.
résolument, resolutely.
résolution, *f.*, resolution, resolve.
résoudre, to resolve, settle.
respecter, to respect.
respectueusement, respectfully.

respiration, *f.*, breathing.
respirer, to breathe.
responsabilité, *f.*, responsibility.
ressemblance, *f.*, likeness, resemblance.
ressemblant, –e, like.
ressembler, to resemble, look like.
ressentir, to feel, resent.
ressortir, to come out, stand out.
ressource, *f.*, resource.
restant, –e, left, remaining.
restaurer, restore, repair.
reste, *m.*, rest, remainder; *pl.*, remains; au —, besides.
rester, to remain, stay.
résultat, *m.*, result.
résulter, to result, follow.
retard, *m.*, delay.
retarder, to delay, retard, postpone.
retenir, to retain, remember, keep back, repress.
retentir, to resound, ring.
retirer, to withdraw, remove, take from, draw back; se —, to withdraw, retire, draw back.
retomber, to fall again, drop down.
retour, *m.*, return; de —, back.
retourner, to return; se —, to turn round, look back.
retraite, *f.*, retreat.
rétrograder, to turn back, retreat.
retrousser, to turn up, tuck up.
retrouver, to find again, recover, meet again; se —, to turn up again.
réunion, *f.*, assembly, combination.
réunir, to reunite, join, get together; se —, meet, concur.
revanche, *f.*, revenge, return.
rêve, *m.*, dream.
réveiller, to awake, rouse; se —, to wake up.

révélation, *f.*, revelation, disclosure.

révéler, to reveal, confess.

revenir, to return, come back, go back, reconsider.

rêver, to dream, think.

révérence, *f.*, bow, curtsy.

revoir, to see again, meet again.

révolter (se), to revolt, rebel.

richard, *m.*, rich man.

riche, *m.*, rich man; *adj.*, rich, wealthy.

ridicule, *m.*, ridicule; *adj.*, ridiculous, strange.

rien, *m.*, nothing, trifle.

rimbecco, *m.*, reproach, taunt.

riposter, to reply, fire back.

rire, *m.*, laugh.

rire, to laugh.

risque, *m.*, risk, hazard.

rivalité, *f.*, rivalry.

robe, *f.*, dress, gown.

robuste, robust, sturdy.

roc, *m.*, rock.

roi, *m.*, king.

roide, stiff, rigid, steep.

roideur, *f.*, steepness, stiffness.

roidir, to stiffen.

roman, *m.*, novel, romance.

romanesque, romantic.

rompre, to break.

rond, -e, round.

ronde, *f.*, round; à la —, around.

rose, *m.*, rose color; *f.*, rose; rosy.

rouet, *m.*, spinning-wheel.

rouge, *m.*, blush, color; red.

rougeur, *f.*, blush, flush.

rougir, to blush.

rouler, to roll up.

route, *f.*, road, path, way.

rouvrir, to reopen, open again.

royal, -e, royal, kingly.

ruban, *m.*, ribbon.

rude, rough, rude, violent, steep.

rudement, roughly.

rue, *f.*, street.

ruelle, *f.*, lane, by-street.

ruer, to kick.

ruisseau, *m.*, brook, stream.

ruse, *f.*, trick, stratagem.

rusé, -e, crafty, cunning, sly.

S

sable, *m.*, sand.

sacoche, *f.*, saddle-bag, wallet.

sacramentel, -le, sacramental.

sacré, -e, sacred, holy.

sacrebleu, zounds, forsooth.

sacrifier, to sacrifice.

sage, wise, prudent, good.

sain, -e, sound, healthy.

saisir, to seize, catch, up.

sale, dirty, filthy.

salir, to soil, dirty, spoil.

salle, *f.*, hall, room; — à manger, dining-room.

salon, *m.*, parlor, drawing-room.

saluer, to salute, bow to.

salut, *m.*, safety, greeting, salute.

sang, *m.*, blood.

sang-froid, *m.*, coolness, composure, presence of mind.

sanglant, -e, bloody.

sanglier, *m.*, wild boar.

sanglot, *m.*, sob.

sangloter, to sob.

sans, without.

santé, *f.*, health.

Sardaigne, *f.*, Sardinia.

sardonique, sardonic.

satellite, *m.*, satellite, creature.

satisfaisant, -e, satisfactory.

satisfait, -e, satisfied, pleased.

sau-f, -ve, safe.

sauf, save, except.

sauter, to jump, leap over.

sauvage, *m.*, savage, barbarian.

sauvage, wild, savage, rude.

sauvagerie, *f.*, wildness, shyness.

sauvagesse, *f.*, savage, wild girl.

sauver, to save, rescue, redeem,

spare; se —, to run away, escape.

savant, *m.*, -e, *f.*, scholar.

savoir, *m.*, knowledge, learning.

savoir, to know, be able, learn.

scellé, *m.*, seal.

schiste, *m.*, schist, slate.

science, *f.*, science, learning.

scientifique, scientific.

sculpter, to carve, sculpture.

séant, *m.*, sitting posture.

s-ec, -èche, dry.

second, -e, second.

seconde, *f.*, second.

secouer, to shake.

secourir, to help, relieve.

secours, *m.*, help.

secr-et, -ète, secret.

secrétaire, *m.*, secretary, writing-desk.

séculaire, old, venerable.

seigneur, *m.*, lord, signor.

seigneurie, *f.*, lordship.

seizième, sixteenth.

séjour, *m.*, stay, sojourn.

sel, *m.*, salt.

selle, *f.*, saddle.

seller, to saddle.

semaine, *f.*, week.

semblable, like, similar.

sembler, to seem, appear.

sens, *m.*, sense, meaning, way.

sensé, -e, sensible.

sentier, *m.*, path.

sentiment, *m.*, feeling, emotion.

sentinelle, *f.*, sentry, sentinel.

sentir, to feel, smell.

seoir, to suit, become.

séparer, to separate, keep apart, se —, to take leave, part.

sept, seven.

sépulture, *f.*, burial.

serein, -e, serene, calm.

sérénité, *f.*, serenity, calmness.

sergent, *m.*, sergeant.

sérieux, *m.*, seriousness, gravity.

sérieu-x, -se, serious, grave.

serment, *m.*, oath, vow.

serpe, *f.*, pruning-bill.

serpenter, to wind, twine.

serrer, to squeeze, tighten, put away, shake, clasp, fit closely; se —, to stand *or* sit close.

servante, *f.*, servant, maid.

service, *m.*, service, favor.

serviette, *f.*, napkin.

servir, to serve, act as; se —, to use, make use of, help oneself.

serviteur, *m.*, servant.

seuil, *m.*, threshold.

seul, -e, alone, only.

seulement, only, solely.

sévère, severe, stern.

sévèrement, severely.

sévérité, *f.*, severity, sternness.

si, if, so, yes, indeed, whether.

siècle, *m.*, century, age.

siège, *m.*, siege, seat.

sieur, *m.*, sir, master, Mr., signor.

sifflement, *m.*, whistling, hissing.

siffler, to whistle.

sifflet, *m.*, whistle.

signe, *m.*, sign, signal, nod.

signer, to sign.

signifier, to signify, mean.

signora, *f.*, miss, lady.

silencieu-x, -se, silent, still.

simple, simple, single, mere.

singularité, *f.*, peculiarity, oddity.

singuli-er, -ère, singular, odd, strange, queer.

singulièrement, particularly.

sinistre, sinister, ominous.

sinon, if not, otherwise, else.

site, *m.*, site, scenery.

société, *f.*, society.

sœur, *f.*, sister.

soie, *f.*, silk.

soigner, to look after, take care of.

soin, *m.*, care, attention.

soir, *m.*, -ée, *f.*, evening.

soit, be it so, well and good.
soit que, whether, or, either.
soixante, sixty.
sol, *m.*, soil, ground.
soldat, *m.*, soldier.
solde, *f.*, pay.
soleil, *m.*, sun.
solennel, -le, solemn.
solide, solid, firm.
sombre, dark, sad, gloomy.
somme, *f.*, sum, amount.
somme, *m.*, sleep, nap.
sommeil, *m.*, sleep.
sommer, to summon, call upon.
sommet, *m.*, top, summit.
songer, to dream, think.
sonnette, *f.*, bell.
sorte, *f.*, sort, kind, manner, way; **de — que, en — que,** so as, so that.
sortilège, *m.*, sorcery, witch-craft, spell.
sortir, to go out, come out, leave, come off, get out.
sot, -te, silly, foolish, stupid.
sou, *m.*, half-penny.
souche, *f.*, stump, stem.
soucier (se), to care for, be anxious.
soufflet, *m.*, slap, blow.
souffrance, *f.*, suffering.
souffrir, to suffer, be ill, stand.
souhait, *m.*, wish.
souhaiter, to wish.
souiller, to soil, stain.
soulager, to relieve, ease, solace.
soulever, to raise, lift, lift up.
soulier, *m.*, shoe.
soupçon, *m.*, suspicion.
soupçonner, to suspect.
souper, *m.*, supper.
souper, to take supper.
soupir, *m.*, sigh.
soupirer, to sigh.
source, *f.*, source, spring.
sourcil, *m.*, eyebrow.
sourd, -e, secret, underhand, deaf, low.

sourdement, secretly, furtively.
sourire, *m.*, smile.
sourire, to smile.
souris, *f.*, mouse.
sous, under, below, beneath, on.
sous-lieutenant, *m.*, second lieutenant.
soustraire, to remove; **se —,** to escape, flee from, evade.
soutenir, to sustain, support, keep up, cover, bear.
souvenir, *m.*, remembrance, recollection, token.
souvenir (se), to remember, recollect.
souvent, often.
spectacle, *m.*, spectacle, sight, show.
spectre, *m.*, spectre, ghost.
spirituel, -le, intelligent, witty.
stipuler, to stipulate.
stupéfaction, *f.*, stupefaction, surprise.
stupéfait, -e, stupefied.
stylet, *m.*, stiletto.
subir, to undergo, submit to.
subit, -e, sudden.
sublime, *m.*, sublime, sublimity; *adj.*, sublime.
subsister, to subsist.
substituer, to substitute.
succéder, to succeed, follow.
succès, *m.*, success.
successibilité, *f.*, right of succession.
successivement, successively.
sud, *m.*, south.
suffire, to suffice, be enough.
suffisant, -e, sufficient.
suggérer, to suggest.
suite, *f.*, suite, train, retinue; **tout de —,** at once; **à la — de,** after.
suivant, -e, next, following.
suivant, according to, following.
suivre, to follow.
sujet, *m.*, subject, topic.

sujet, -te, subject, liable.
supérieur, -e, upper, superior.
suppliant, e, imploring.
supplice, m., torment, rack.
supplier, to beseech, implore.
supporter, to support, bear, endure.
supposer, to suppose, imagine, forge.
supposition, f., supposition, imputation.
sûr, -e, sure, certain.
sur, on, over, upon, in, with, to, by, at, about.
surcroît, m., increase, excess.
sûreté, f., safety, security.
surprenant, -e, surprising.
surprendre, to surprise, astonish, catch, overtake.
surtout, above all, especially.
surveiller, to watch over, look after.
suspect, -e, suspicious, suspected.
suspendre, to suspend, attach, discharge.
synonyme, m., synonym.

T

tabac, m., tobacco.
tableau, m., picture.
tache, f., stain, spot.
tâche, f., task.
tâcher, to try, strive.
tacite, tacit.
taille, f., cut, figure, size, waist.
tailleur, m., tailor.
taillis, m., thicket, underwood.
taire, to say nothing of; se —, to be silent, hush.
talent, m., talent, ability, skill.
tandis que, while.
tanière, f., den, lair.
tant, so much, as much, as long, as many; — il y a que, at all events, however.

tantôt, presently, soon; now ... now, at one time ... at other times.
tapage, m., noise, row, racket.
tapis, m., carpet, cloth.
tard, late.
tarder, to delay, be long, be slow, be late.
tas, m., heap, pile, pack.
tasse, f., cup.
tâter, to feel, try, taste.
tâtons (à), groping.
teint, m., complexion, color.
tel, m., -le, f., such a one.
tel, -le, such, like.
tellement, so, so much.
tel quel, such as it is.
témérité, f., temerity, rashness.
témoin, m., witness, second.
tempe, f., temple.
tempête, f., tempest, storm.
temps, m., time, weather.
tendance, f., tendency.
tendre, tender, soft.
tendre, to stretch, set, hold out, lay.
tendrement, tenderly.
tendresse, f., tenderness, affection.
tenez, look ! now ! hold ! see here !
tenir, to hold, consider, prize keep; se —, to stand.
tentation, f., temptation.
tenture, f., tapestry, hangings.
tenue, f., bearing, uniform.
tercet, m., tiercet, stanza.
terme, m., term, language.
terminaison, f., ending.
terminer, to finish, end.
terrain, m., ground, piece of land.
terre, f., earth, land.
terrible, terrible, dreadful, awful.
tête, f., head; — à —, tête-à-tête, face to face.
thé, m., tea.

théâtre, *m.,* theatre, stage.
théologien, *m.,* theologian.
tiers, *m.,* third, third party.
tillac, *m.,* deck.
timide, timid, shy.
timidement, timidly, shyly.
tinter, to toll, ring, tinkle.
tintinajo, *m.,* bellwether.
tirailler, to shoot, skirmish.
tirailleur, *m.,* skirmisher, sharpshooter.
tirer, to draw, pull, shoot, fire, derive, bring out; **se —,** to escape, come off.
tiroir, *m.,* drawer.
titre, *m.,* title, title-deed.
toilette, *f.,* toilet, dressing-table.
toison, *f.,* fleece.
toit, *m.,* roof, house.
tombant, –e, falling down.
tombeau, *m.,* tomb, grave.
tomber, to fall, sink down.
ton, *m.,* tone, accent, manner.
tordre, to twist, wring, wrench.
torrent, *m.,* torrent, flood.
tort, *m.,* wrong, harm, injury; **à —,** wrongfully.
tortue, *f.,* tortoise, snail.
toscan, *m.,* Tuscan.
tôt, soon, early, shortly.
toucher, to touch, border, adjoin, reach, hit, affect.
touffu, –e, tufted, thick.
toujours, always, ever, still, however, all the while.
tour, *f.,* tower.
tour, *m.,* turn; **— à —,** in turn; **demi —,** face about.
tourmenter, to torment, worry.
tourner, to turn, out, over, spin round, reel; **se —,** to turn round.
tournure, *f.,* turn, shape, figure.
tout, –e, all, every, whole.
tout, all, wholly, everything.
toutefois, still, however, yet.
Tout-Puissant, *m.,* Almighty.

trace, *f.,* trace, mark, track.
tracer, to trace, lay out, inscribe.
traduction, *f.,* translation.
traduire, to translate.
trafiquer, to traffic, trade.
tragique, tragic.
trahir, to betray.
trahison, *f.,* treason, treachery.
train, *m.,* pace, rate, train.
trait, *m.,* trait, feature, stroke.
traiter, to treat, negotiate.
traitre, *m.,* traitor.
trajet, *m.,* passage.
tranchant, –e, sharp, cutting.
tranche, *f.,* slice.
tranquille, tranquil, quiet, still.
transport, *m.,* frenzy, fit, burst.
transporter, to transport, carry, transfer; **transporté de fureur,** in a transport of rage.
transversal, –e, transversal.
travail, *m.,* work, workmanship.
travailler, to work.
travers, *m.,* breadth, whim; **à —,** through, across; **en —,** crosswise; **de —,** crooked, wrong.
traverser, to cross, go through, run through.
tremblant, –e, trembling.
trembler, to tremble, shake.
trente, thirty.
très, very, very much, most.
trève, *f.,* truce.
tribun, *m.,* tribune.
triomphe, *m.,* triumph.
triste, sad, melancholy, gloomy.
tristement, sadly.
tristesse, *f.,* sadness, sorrow.
trivial, –e, commonplace.
troisième, third.
tromper, to deceive; **se —,** to mistake, be mistaken.
tronc, *m.,* trunk.
trône, *m.,* throne.
trop, too much, too many, too
trophée, *m.,* trophy.
trotter, to trot, run about.

trou, *m.*, hole.
trouble, *m.*, trouble, agitation.
troubler, to disturb.
troué, -e, full of holes, torn.
troupe, *f.*, troup, band.
troupeau, *m.*, flock, herd, drove.
trousseau, *m.*, bunch (keys).
trouver, to find, discover, think ;
se —, to be, happen, stand.
truelle, *f.*, trowel.
tuer, to kill, shoot.
tuyau, *m.*, pipe.

U

un, -e, one, a, an.
uni, e, even, smooth, plain.
uniforme, *m.*, uniform, alike.
unique, unique, sole, only.
université, *f.*, university.
urbain, -e, urban.
usage, *m.*, usage, use, practice,
habit, custom.
usine, *f.*, manufactory, factory.
usité, -e, usual, used, in use.
usurier, *m.*, usurer.
utile, useful, serviceable.
utilité, *f.*, utility, usefulness.

V

vache, *f.*, cow.
vague, *f.*, wave.
vague, vague, indeterminate.
vain, -e, vain, useless.
vaincre, to conquer, defeat.
vaincu, *m.*, conquered.
vainqueur, *m.*, conqueror, vic-
tor.
valeur, *f.*, value, worth, bravery.
vallée, *f.*, valley.
valoir, to be worth, be equal to.
vanter, to boast, praise.
vapeur, *f.*, steam.
varié, -e, varied.

varier, to vary, change, differ.
vaste, vast, spacious, grand.
vedette, *f.*, vedette, sentinel.
veille, *f.*, eve, day before.
veillée, *f.*, wake, evening.
veiller, to watch, look after, set
up, watch over.
velours, *m.*, velvet.
vendette, *f.*, vendetta.
vendre, to sell.
vengeance, *f.*, revenge, vengeance.
venger, to avenge, revenge.
venir, to come, occur, happen ;
— de (*with infinit.*), to have
just; en — à, to resort to.
vent, *m.*, wind.
ventre, *m.*, belly, stomach.
verdure, *f.*, green.
véridique, truthful.
vérifier, to verify, examine.
vérité, *f.*, truth ; à la —, indeed ; en —, really.
verre, *m.*, glass.
verrou, *m.*, bolt.
vers, *m.*, verse, line.
vers, towards, about, to.
verser, to pour, spill.
vert, -e, green.
veste, *f.*, vest, jacket.
Vésuve, *m.*, Vesuvius.
vêtu, -e, clad, dressed (de, in).
veuve, *f.*, widow.
viande, *f.*, meat.
victoire, *f.*, victory.
vide, empty, vacant, void.
vider, to empty, settle, vacate.
vie, *f.*, life.
vieillard, *m.*, old man.
Vienne, *f.*, Vienna.
Vierge, *f.*, Virgin.
vieux, vieil, -le, old, old-stand-
ing.
vi-f, -ve, quick, lively, spirited,
keen, warm, sharp, deep.
vigne, *f.*, vine, vineyard.
vigoureu-x, -se, vigorous,
strong.

vilain, *m.*, villain, peasant.

vilain, –e, ugly, disagreeable, villainous, horrid.

ville, *f.*, town, city.

vin, *m.*, wine.

vindicati-f, –ve, vindictive, revengeful.

vingt, twenty.

vingtaine, *f.*, about twenty, score.

vingtième, twentieth.

violemment, violently.

violence, *f.*, violence, temper.

violent, –e, violent, tragic.

violet, –te, violet, livid.

virginal, –e, virginal, maidenly.

virtuose, *m.*, *f.*, virtuoso, artist.

visage, *m.*, face, feature.

vis-à-vis, *m.*, person seated opposite; opposite, face to face.

viser, to aim, take aim.

visiblement, visibly.

visite, *f.*, visit, call.

visiter, to visit, call.

visiteur, *m.*, visitor, caller.

vite, quick, quickly, rapidly.

vitesse, *f.*, speed, rapidity.

vivacité, *f.*, vivacity, animation, eagerness, warmth.

vivant, *m.*, lifetime, person living.

vivant, –e, living, alive.

vivement, quickly, lively, keenly, eagerly.

vivre, to live; vive, long live! qui vive? Who goes there?

vocation, *f.*, vocation, calling.

vocero, *m.*, (Corsican) dirge *or* funeral song.

vœu, *m.*, vow, wish.

voguer, to sail.

voici, here is, here are, behold

voilà, there is, there are, behold.

voile, *m.*, veil, disguise.

voile, *f.*, sail, ship.

voir, to see, behold, examine.

voisin, *m.*, –e, *f.*, neighbor.

voisin, –e, near, next, neighboring, adjoining.

voisinage, *m.*, vicinity, neighborhood.

voix, *f.*, voice; à demi-—, in a low voice.

voler, to steal, plunder, fly.

volet, *m.*, window-shutter.

voleur, *m.*, thief, robber.

volonté, *f.*, will, wish.

volontiers, willingly, gladly.

voltiger, to flutter, hover.

voltigeurs, *m. pl.*, light infantry, (formed in 1822 to help put down the bandits).

vouer, to vow, devote, swear.

vouloir, to will, wish, be willing, be kind enough, want; en — à, to be angry with; —dire, to mean; veuillez, please.

voyage, *m.*, journey, voyage, trip.

voyager, to travel.

voyageu-r, *m.*, - se, *f.*, traveller.

vrai, –e, true, real.

vraiment, truly, really.

vue, *f.*, sight, view.

vulgaire, vulgar, common, ordinary.

Y

y, there, thither; *pron.*, to him, to her, to it, to them.

yole, *f.*, yawl, gig.